失乐园

〔日〕 渡边淳一 著

竺家荣 译

北京联合出版公司
Beijing United Publishing Co.,Ltd.

图书在版编目（CIP）数据

失乐园 /（日）渡边淳一著；竺家荣译．
—北京：北京联合出版公司，2014.5
　　ISBN 978-7-5502-3041-5

　　Ⅰ.①失… Ⅱ.①渡… ②竺… Ⅲ.①长篇小说－日
本－现代 Ⅳ.① I313.45

　　中国版本图书馆 CIP 数据核字 (2014) 第 096486 号

失楽園 by 渡辺淳一

Copyrights: ©1997 by 渡辺淳一

This edition arranged through OH INTERNATIONAL CO. LTD.

Simplified Chinese edition copyrights: ©2014 by Beijing

Xiron Books Co., Ltd.

All rights reserved.

版权合同登记号 图字：01-2014-2969

失乐园

作　　者：〔日〕渡边淳一著；竺家荣译
责任编辑：刘　凯
装帧设计：所以设计馆 叁囍

北京联合出版公司出版

（北京市西城区德外大街 83 号楼 9 层　100088）

北京盛通印刷股份有限公司　新华书店经销

字数 319 千字　　　880 毫米 ×1230 毫米　1/32　　12 印张

2014 年 6 月第 1 版　　2014 年 6 月第 1 次印刷

ISBN 978-7-5502-3041-5

定价：39.80 元

前言

　　假如一个有妇之夫和一个有夫之妇狂热地相爱了。

　　他们首先会考虑生活在一起或结婚。

　　可是他们都已经各自结了婚，他们深知，即便是最炽热的爱也会因婚后浸泡于日常琐事而渐渐变得乏味，到头来，相爱的人只会成为共同生活的伴侣。

　　倘若不愿意这样，而希求永远永远保持最热烈的爱，那么，应该怎么做呢？

　　为此，他们只有一个选择，就是在爱的极致一起死去。一起死去的话，爱的纽带就再也不会松开了。

　　出于这样的考虑，他们搂抱在一起，喝下了含有毒液（氰化钾）的红酒，共赴死亡之旅。

　　这是一部描写成熟的男人和女人追求终极之爱的最高杰作。

渡边淳一

译序
无中万般有

日本文学大家渡边淳一的去世，令日本以及全世界喜爱渡边文学的读者深感惋惜。当此之际，磨铁图书重新推出新版《失乐园》，也是对渡边先生在天之灵的最好告慰！

中文全译本《失乐园》（2009 年）出版五年来，一直高居渡边文学销售榜首。实践证明，只有在当今这样包容的中国，才可能实现中文全译本的出版，从而摆脱被删节的尴尬命运。也只有一部完整的《失乐园》，才能全面地呈现渡边淳一的文学诉求。

此次北京联合出版公司推出新版《失乐园》，我感到有必要重新写一篇译序，梳理一下对这部作品新的读解。

一

《失乐园》塑造了一对因无爱的婚姻而互相吸引的中年男女，逐渐沉溺于激情荡漾的性爱而无法自拔，最终一起走上了不归路。女主人公凛子是一位书法教师，气质优雅端庄，丈夫是一家医院的主任医师，在人们眼里

目次
CONTENTS

他们是令人羡慕的夫妻。但事实上，他们的夫妻关系一直处于疏离状态，凛子从没有感受过性生活的快感，直到偶然邂逅有妇之夫的久木，才品尝到了性爱三昧。风情万种的凛子给久木带来了无限的快乐和活力，同时也让他对妻子和女儿深感愧疚。虽然他自我辩解"和相爱的人在一起没有错"，但是，他人的冷眼，妻子冷冰冰地要求离婚，尤其是凛子丈夫的匿名信导致自己被降职，令久木感到失落无助，只有沉溺在和凛子疯狂的做爱里，暂时忘却种种烦恼。而出轨给凛子带来的是众叛亲离，连母亲也与她断绝了母女关系。二人在情欲中越陷越深，对婚姻的绝望，对于永恒爱情的企盼，使得凛子想到，要使所爱的人永远属于自己，唯一的办法就是和对方一起结束生命。对人生失望的久木欣然接受了凛子提出的一起殉情的建议，"他们在快乐的巅峰饮毒自尽时，紧紧相拥，微笑着迎接死亡。"

《失乐园》日文版上下册的封面是熊熊燃烧的火焰，封底是盛开的樱花，含有很深的寓意。火焰象征燃烧般热烈的情欲，将一切化为乌有，而樱花则以其盛开时的美艳，凋落时的决然，让人联想世事无常，爱的短暂。

在描写手法上，有很多可圈可点之处。不仅描写细腻，哀婉伤感，还采用了隐喻、借喻手法，仅从小标题便可窥见一斑。简洁的两个字，昭示了一年间主人公情感世界随着四季变化，步步深化的过程。

落日，暗示主人公久木和凛子"夕阳无限好"迟来的恋情，以及悲剧的命运。

秋天，清爽宜人的秋日既寓意两人恋情顺风顺水，也暗指瓜熟蒂落的收获时节。

冬瀑，二人毅然搬出各自的家，租房子同居之后，去著名的自杀之处华严瀑布游玩。预示着恋情即将走向危险之境。

春阴，是樱花满枝时，天空阴沉的时令词。二人因各自配偶分别提出离婚和绝不离婚，而倍感压力。

落花，借樱花七日凋落的自然规律，暗喻恋情的美好和短暂。

小满，初夏的节令。经过樱花时节的一喜一忧之后，迎来百花争艳，象征二人躲进爱巢，贪婪地享受人生最后的美好时光，萌生情死之念。

半夏，七月流火的"半夏"，寓意即将投身燃烧的情爱之火。二人去轻井泽，看到有岛五郎和情人自杀之所，坚定了赴死决心。

空蝉，即蝉蜕，引申为没有了灵魂的虚脱之身。此处寓意二人对尘世已不再留恋。

至福，又到了肃杀寂寥的秋天。和所爱的人共同赴死便是最高的幸福。

各章题目含义隽永，与内容丝丝入扣，将自然流变与人生衍变不露痕迹地融为一体。作者对于每个词语的选择、每个场景的渲染、每个细节的描绘都力求精致、剔透，每一章节，都是一幅幅令人眩晕的浮世绘。体现了作者对日本民族独特审美意识的承袭。

除了描写的功力，《失乐园》的最大成就在于作者以外科医生般精湛的笔触，庖丁解牛般一刀切入了人们最为困惑的感情世界——婚外情，揭示了越是契合的性爱，越是会给男女双方带来深邃的愉悦与极大的罪恶感，深陷爱的泥沼不能自拔，最终将两个主人公引向了毁灭之途。这一悲剧命运，也使《失乐园》摆脱了通俗小说的境遇。

作品开篇便是女主人公在欢悦的高潮，发出的那句"好可怕……"。这三个字一语道破爱到深处的可怕。

"那种极致的感觉，非当事人不能体会的。一般人是体会不到的。"作者如是说。

最后，当两人即将走向死亡时，凛子竟然说出"好好活下去""活着太好了"的话来。因为"爱情使我变得美丽，每日每时都在了解生活的意义。当然，也有许多烦恼，然而却有几十倍的欢欣。死去活来的爱，使我全身变得敏感起来，看到什么都会激动不已，懂得了任何东西都是有生命的……""有这么多丰富多彩的美好回忆已经足够了，再没有什么可遗憾

的了。"（摘自《失乐园》）

渡边淳一借用 18 世纪弥尔顿的《失乐园》，创作出这部惊世骇俗的作品，跨越二百年时间与之遥相呼应，表现了人类因理性而被逐出乐园的文学母题。

对于渡边笔下的这对"爱的精英"而言，比起现世，彼岸才是真正属于自己的乐园。他们要回归爱的乐园。这样的追求让男女主人公义无反顾地将人生终结在幸福的顶点，也给虚无而极致的纯爱物语添加了回味无穷的魅力。

二

《失乐园》以荡气回肠的不伦之恋，震撼人心的"情死"结局，让国人见识了日本人凄美决绝的樱花情，也让中国读者知道了渡边淳一。各层次读者从中各取所需，寻求慰藉、共鸣，以及某些"宣泄"。

毋庸置疑，渡边文学对于人性的探索，性爱描写的唯美，在某种程度上填补了中国人对于性爱文学的渴求。

《失乐园》从医学角度深入探讨了"男人的性"、"女人的性"，以及其相互关联等等，都是少有作家愿意涉足的禁地，却又是最具有现实意义的课题。渡边淳一六十年来，矢志不渝地在这片性爱荒野，开辟着渡边式的"人道"乐土。

渡边的作品尽管题材不尽相同，但都贯穿了对人的心理、生理，性心理的深入观察和解剖。可以说，在充分体现医生这一职业特点的作家方面，他是第一人。

佳作《失乐园》的诞生。无疑是作者多年来不懈探索的结果。比起作者的其他同类作品，《失乐园》放大了陷入婚外情男女的情欲作用，充分体现了渡边情爱文学的特色。

作者试图通过反复多次的充满激情、纯真而唯美的性爱描写，使人物的情感脉络更具有层次感、立体感和透视感，激情澎湃地讴歌了人性中永恒不变的爱欲。一起殉情的结局，更加成就了《失乐园》的代表作地位。

各种形式的爱欲之中，不伦之爱最能够体现欢悦与罪恶感并存的极致的心理冲突，当这种冲突达到极点时，相爱的人便可能想到死。因而《失乐园》的情死结局，与井原西鹤、近松门左卫门的情死有着本质的不同。江户文学的好色小说以男女殉情来表现对江户时代对爱与性的压抑的反抗，而在《失乐园》里，则是两人爱到不能分离，又怕结婚后爱情冷却，于是主动选择了一起去死，以求爱的升华与永恒。

既然是惊世骇俗，就难免会有些误读。对于情死结局，有人认为作者是在推崇情死，以极端的方式颂扬爱情，或是认为主人公被世俗逼得无路可走而寻死，或是认为他们是以死向家人谢罪，等等。不能否认两位主人公因相爱而反抗世俗的"偏见"，毅然弃世而去，但世俗的看法并不是他们情死的决定性因素。因为他们完全可以重新组成家庭，好好活下去的。

因此，可以说渡边想要探求的是，人内心深处的本能，潜在的非伦理欲念，有可能使人跨越种种世俗障碍，去追求极致的爱，最终共同赴死的境界。

愿意选择情死这种极端方式的人毕竟少之又少，也是无法效仿的。渡边曾坦言自己有过追求极致之爱的欲望，却始终没有那样的勇气。所以要在小说里写出来。可见《失乐园》既是作者对未尽愿望的一种补偿，也说明了人生本身就是个悖论。人们追求的东西与他们实际生活之间存在着鸿沟，是遥不可及的。作品为人们描述的只是一种愿景，是让世人从中获得审美愉悦的海市蜃楼。

还有人认为，作者在推崇婚外恋，是漠视社会道德。对此，渡边多次表示过，他关心的是爱的转变，不能简单地理解婚外恋。婚外恋只是爱的一种形式。在不同的时间段里，爱也在不断地变化，没有永久的爱。他要写的是人的本性，以及真实的感情变化。我想，正是因为作者注意到社会道德与人的本性的冲突，才意图通过描绘这样一种极端的生存方式，唤起人们的反思。

有人说他的创作题材未免太狭隘了，太局限于性爱了，但唯其狭窄，才见深度。"写情爱"的作家虽然不胜枚举，但如此孜孜不倦地描述中年男女灵与肉的挣扎的作家，当代恐怕无出其右者。将人从社会角色中剥离出来，还原为赤裸裸的男人女人的渡边文学，与谷崎润一郎的恶魔之美有着异曲同工之妙。

"失乐园"到底寓意了什么？许多读者想要从中寻找关于爱的答案，然而，渡边淳一说过，我的小说"不是爱情教科书"。他在许多作品中探索对于爱的情感困惑，但无论哪一篇作品，都是在表现各种爱的方式及其结局，最终也未给人们明确的答案。恐怕也很难给出终极答案吧。

对于乐园，不同的人，有不同的认知。既有安身立命之乐，也有孤独求败之乐；既有风花雪月，醉生梦死之乐，也有先天下之忧而忧之乐；既有及时行乐，也有以苦为乐。大千世界，人各有志，出世入世均各有其乐。各人自有自己的活法。乐园就在每个人不同的感受之中。渡边淳一所描绘的乐园，则是那些"不愿意受压抑而愿意燃烧自己的，这样非常美丽的火焰般的主人公"，是一种极其不易获得的极致体验。

生活在现代社会中，可以有多种方式去感受幸福。渡边写了随笔《幸福达人》告诉人们，如何去发现幸福就在自己身边。《复乐园》也是希望每个人根据自己的情况去提高幸福的指数，寻求属于自己的乐园。渡边的许多随笔都反复表达了自己对人生意义的看法。总之一句话，渡边文学的本质绝非要人们去寻死，而是如何活得更快乐。

三

透过《失乐园》，可将渡边情爱文学的特色概括如下。

第一，渡边的作品继承了日本的"好色"美学传统，通过对爱与性的探索，得出顺理成章的结论：性爱与婚姻的完美统一是难以企及的，即便达到也很难持久。主人公最终选择了情死则是可以使真爱定格的唯一方法。

第二，许多作品的内容可以说来自他的一些亲身体验，具有日本私小说的特点。他曾说"如果没有自己的经历，不可能写得出这么刻骨铭心的东西"。而且，渡边的作品总是能够与他的年龄同步，与时代的脉搏相通。

第三，渡边的作品具有浓厚的反道德、反传统、超世俗的特点。以《失乐园》为代表作的渡边文学，是对两性之爱真髓的探究，是对人性的关怀。他期待在 21 世纪里，人们的视野更加开阔，能够接受形形色色的价值观，回到了幸福的伊甸园。

第四，这种注重官能享乐的文学表现，不可避免地会渲染一种淫靡的氛围，但渡边总是能够写得充满诗意。他通过唯美浪漫的表现和种种象征手法描绘了性爱的美好，具有描写性爱而不觉龌龊，沉溺情欲而不觉颓废的审美特性。

综上所述，无论从继承日本文学传统的角度，还是对于现实人生的思考角度看，《失乐园》在渡边文学中独领风骚，都是当之无愧的。

1997 年在日本出版《失乐园》时，渡边先生写下了一番话："我是一边写这部小说一边在谈恋爱。是完全沉浸在恋爱状态中写出来的，我从未如此深深地化作主人公来写作。我不是用头脑和知识写小说，是以全副身心为创作而搏斗的。"

2009 年中文全译本《失乐园》出版时，渡边给中国读者写下了"这是一部描写成熟的男人和女人追求终极之爱的最高杰作。"

这些自述都很好地诠释了这本书的真髓。

渡边文学之所以会受到读者的欢迎，一方面有赖于其卓越的描写功力，也与时代的发展密切相关。作品对于人的个性张扬、多元价值、爱与性的探索，等等，提供了很有现实意义的思考空间，绝非一句单纯的情爱小说可以概括。

　　虽然《失乐园》作为渡边淳一情爱文学的最高代表作获得了巨大的商业成功，长销不衰，几乎成了渡边文学的代名词，却没为他带来任何文学奖。中日学界对他的文学特色、意义等少有研究和评价。

　　长期以来，渡边文学一直备受毁誉褒贬。即便是在他去世后，依旧有不少人持反感、轻蔑或排斥态度。好评酷评林林总总，这也印证了给渡边文学定义之难。

　　对于这样一位挑战禁忌，置疑婚姻的作家，有不同看法非常自然。正是因为人们很关注他的作品，才会产生各种看法。也正因为有争议，才说明其有别于一般意义上的庸俗文学。还有很多可探索的空间。即便在渡边去世后，也很难盖棺定论。一个作家离开这个世界后，依然为世人关注本身，已经说明了很多。

　　渡边对于反对的声音一向不以为然，他认为不同的眼睛和心理会读出不同的境界，表现的是其自身的水准。说："我写性是为了写人生。""从医学的角度，我看到了人最肉体的东西；从作家的角度，我看到了人最本质的东西。当然，两者都需要对人的爱，都必须对人具有深刻的关怀。"

　　渡边怀抱文学家的使命感，从纯文学起步，后转向大众文学，中期以后专注于男女情爱的探索。为世人奉献了以《失乐园》为代表作的一百五十多篇小说、随笔，以其特立独行的文学与人生，对人性最隐秘层面进行了最直接、最淋漓尽致的揭示，表现那些无法用知性去处理的情爱妙味，以极端的例子促使人们去反思。

　　无论如何评价，渡边文学都占据了日本当代文学的一席之地。与"物哀"一脉相承的好色美意识，已深深扎根在日本人的集体无意识之中，从而产生了颂扬男女情爱的渡边文学。渡边淳一于 2003 年获得紫绶带奖章（日本天皇和政府授予学术或艺术上功勋卓著者的奖章，因绶带为紫色得名），便是对其文学成就的肯定。

2008 年胡锦涛主席到访日本的时候，渡边淳一应邀参加了午餐会。获得这样的礼遇也说明了他在日本人和中国人心中的位置。

对任何一位作家的评价，都需要历史的检验。渡边文学的文学性有待今后去深入探讨。

千百年来，无数作家对两性关系的本质进行了探索，有些甚至被禁，值得庆幸的是，渡边文学获得了世人中肯的评价，为自己的文学生涯画上了完满的休止符。

日本文化研究家唐月梅先生在一次和渡边淳一的交谈中指出：渡边先生所要表达的是这样一种生死观和美学观——死亡是绝对的、无限大的"无"。这种"无"不是西方式的虚无主义，而是东方式的虚无，所谓"无中万般有"，蕴藏着丰富的东方文化的内含。

渡边淳一非常认同"无中万般有"的评价，表示《失乐园》的死亡结局，是超越了"无"的"有"。

应该说，"无中万般有"是对渡边淳一文学精髓的最中肯的评价。

有人说，渡边淳一的逝世带走了一个时代。日本著名女作家林真理子说："小说界王者之尊的渡边的逝世给一个时代画上了句号，令人倍感寂寞。"

这句话或许也表达了喜爱渡边淳一的中国读者的心声。

竺家荣

2014 年 5 月 18 日 于北京

不是拜你所赐啊。"

满足的爱的行为令女性体内血脉畅流，促进了荷尔蒙的分泌，使肌肤变得滑润。听到女人的夸赞，久木很得意，更卖力地爱抚起来，渐觉有些疲乏，手指的移动慢了下来，凛子也在纵情欢爱后的满足与安心感中，慢慢合上了眼睛。

两人每次入睡时的姿势都很舒服，可是醒来后有时凛子的头压在久木的肩膀上，压得他胳膊发麻；有时两人上身不挨着，只有下肢搅在一起。今天睡醒后是什么样子还难说呢。

但是，不管什么姿势，男人和女人事后都喜欢身体不即不离，恰到好处地依偎着，去感受那飘忽于床笫的、缠绵而缭乱的怠惰。

久木沉浸在这感觉中，毫无睡意，他瞟了一眼被窗帘遮挡住的窗户。

估计快六点了，太阳正缓慢地勾勒出一个弧形，沉入了遥远的海平线。

他们是昨天傍晚时分来到镰仓这个旅馆的。

星期五下午，三点刚过，久木就离开了位于九段的公司，到东京站与凛子会合，然后从东京站乘坐横须贺线，在镰仓站下了车。

这个旅馆坐落在七里浜海岸的一个小山丘上。夏天，被年轻游客们充塞得满满当当的海滨大道，一进入九月份，车流骤然减少了，乘出租车二十分钟便到达了下榻的旅馆。

久木选择在这家旅馆与凛子幽会，一是因为从东京到这里坐车大约一个小时，可以品味一下离开喧嚣都市的旅行情调。二是从房间就可以观赏海景，还能享受到镰仓这等环境幽雅的古都散发的意韵。再加上旅馆新开张，

被人撞见。虽说久木所

旅馆开房，

久木一向洁身自好，尽可能地避开这类麻烦事，以免人家在背后指指戳戳。事实上，迄今为止，在事关女人的问题上，他一直是相当谨慎小心的。

可最近一段时间，尤其是认识凛子之后，久木就不像以前那么刻意要避开别人的耳目了。

导致这一转变的原因之一是邂逅了凛子这么可爱的女人，只要能和她约会，冒些风险也认了。还有一个原因，就是一年前他被免除了出版部长一职，被打发到调查室这样养闲人的部门，这让他开始看透世事了。

一年前的这次人事变动，对久木是个大大的打击。在那之前，久木属于公司的中坚，有望继续升迁。五十三岁那年，曾一度风传他将成为下一届领导班子的候选人，他自己也颇以为然。

没想到一夜之间，不仅没得到提升，还丢掉了出版部长一职，被调到众人皆知的闲职部门来了。回头想想，两年前更换了新社长，其亲信等嫡系势力在出版社日渐抬头，只因自己对此苗头估计不足，疏于防范，才导致了这一结局。事已至此，后悔也没有用了。

不过，久木心里清楚，没搭上这班车的话，两年后就五十五岁了，再也甭指望提升了。就算有什么变动，也只会调到更乏味的地方或分公司去。

一想到这儿，久木忽然觉得眼前豁然开朗起来。

他打算从今往后，随心所欲地去生活，何必把自己搞得那么辛苦呢？再怎么要强，不愿服输，人也只有一辈子啊。看问题的角度稍稍这么一变，价值观也立刻随之改变了。以前认为重要的东西就变得无足轻重了，相反，以前觉得不重要的东西忽然觉得宝贵起来。

久木从部长职位上下来后，名义上是"编委"，实际上几乎没有正经工作可干。调查室的工作就是收集各种资料，或者从这些资料中编辑出特辑之类的东西，提供给各

期限压力

从来没有发自内心地、投入地和女人恋爱过呢。

当然，他对妻子以及好几个女人也产生过兴趣，也曾偷偷地逢场作戏，但都感觉温吞吞的，完全没有燃烧般的激情。

照这样活下去，不能不说是人生的一大憾事。

松原凛子恰巧在这个时候出现在久木面前。

真正的爱情可遇不可求，久木和凛子的邂逅也是极其偶然的。

久木调到调查室三个月后，即去年年底，在报社所属文化中心工作的衣川，邀请他去中心做个"文章写作方法"的讲座，有三十名学员，给他们讲一讲有关写作方面的心得。

久木推说自己在出版社只是编辑书籍，又不是作者，这不是赶鸭子上架吗？可衣川说："甭想那么多，你就讲讲这些年以来看了林林总总的文章，并将它们编辑成书的经验和体会就行了。"衣川还补了一句："反正你也没什么事。"这才把久木说动了。

其实，衣川不单是为了请他讲课，也想给被遣为闲职的久木鼓鼓劲儿、打打气。

这位衣川是久木大学时代的同窗，两人一起从文学部毕业后，衣川进了报社，而久木进了出版社，两人隔三岔五地的一起喝喝小酒。六年前，久木出任出版部长，衣川紧随其后，当了文化部长。可是，三年前他突然被调到东京都内的文化中心去了。不知衣川对这次调动怎么想，但从他那句"快轮到我出线了"来看，好像对总社还有些恋恋不舍。总之，从"出线"的角度说，衣川先走了一步，所以才担忧久木，特意来邀请的。

久木意识到这一层后，便欣然接受了他的邀请，于约定之日，来到文化中心。在那里讲了一个半钟头的课，然后和衣川一起吃了饭。吃饭时还有一位女士在座，衣川介绍说："她在中心担任书法讲师。"她就是凛子。

如果那次不接受衣川的邀请，或者衣川没带凛子来吃饭的话，就不会有两人的相逢，以及现在非同寻常的关系了。

每当想起和凛子的邂逅，久木总是感慨系之。爱情真是不可思议，或者说，是一种宿命。

见到凛子的那一瞬间，久木就怦然心动，感受到难以名状的激动。

坦白地说，久木也和妻子以外的女性发生过关系。年轻时不用说了，即便到了中年之后，也不缺少相好的女人。有一个女人说："爱上了他的潇洒气质。"还有一个女人说："迷上了他那与年龄不相称的少年气。"久木从没觉得自己有多潇洒，也不觉得自己有多么少年气，倒是觉得这些赞美够奇妙的。不过，后来他慢慢发觉自己在与女性交往时，是有点像她们说的那样。

不过，在追求凛子时，自己表现出的就不仅仅是少年气了，而是连自己也惶恐不安的一往情深。

比方说，仅在衣川介绍时见过一面，可是一周后，自己竟然凭着从凛子那里得到的名片主动给人家打了电话。

久木对女性这么主动的出击，可以说是史无前例的。连久木自己也搞不清是怎么回事，可箭已离弦，收不回来了。

后来，他们发展到每天打电话约会，进展神速，今年开春的时候两人终于结合了。

正如最初预感到的那样，凛子是个很有魅力的女性。于是，久木重新审视起这个女人究竟什么地方吸引了他。

从相貌来看她算不上是出众的美人，但脸庞娇小玲珑，惹人喜爱，身材纤巧而匀称，穿着筒裙套装，显得稳重大方。今年三十七岁，看上去很年轻。最吸引久木的还是凛子的书法特长，楷书尤为得意，凛子还曾经来中心教过一段时间楷书。

初次见面时楷书般端庄高雅的凛子，渐渐地对久木越来越温柔和蔼，最终以身相许，进而发展到彻底沉陷，不能自拔。

目睹了凛子从矜持直至崩溃的全过程，作为男人，久木觉得她实在是太可爱、太娇艳了。

一番亲热之后，两人赤裸着身子紧紧依偎在一起，任何一方的一丁点动静，都能立即传递给对方。

这不，久木刚把头转向窗户，凛子就怯怯地伸出左手去抚摸他的胸脯，久木轻轻按住她的手，看了一眼床头柜上的时钟，六点过十分了。

"太阳快下山了吧。"

从宽大的落地窗望出去，七里浜海和江之岛的景观尽收眼底，夕阳即将在那边落下。昨天，两人来到这里的时候，太阳正要落山，眼看着火球般炽热的太阳渐渐西沉在横跨江之岛大桥桥畔的丘陵上。

"过来看看吧。"

久木一边招呼着凛子，一边从床上坐起来，捡起掉在地上的睡衣穿上，拉开了窗帘。

霎时间，晃眼的夕阳射了进来，照亮了地面和床头。

"正好赶上……"

只见夕阳刚巧落在江之岛对面的丘陵上，天际被染得一片通红，天色正一点点暗淡下去。

"快来看呐。"

"在这儿也看得见。"

赤裸着的凛子似乎怕见这骤然明亮的光线，用被单裹着全身，侧身朝窗户这边瞧。

"今天比昨天的还红还大呢。"

把窗帘全打开后，久木回到凛子旁边躺下。

夏季刚过，热气腾腾的雾霭弥漫在空中，落日吸纳了雾霭，越发显得硕大无比。然而，当太阳的底边刚一落到丘陵上，便迅速地萎缩，变成了凝固的绛红色血团。

"这么美的夕阳我还是头一次见到。"

久木听了，又想起刚才凛子所说的"子宫变得像太阳"的话来。

现在，凛子燃烧的身体也像空中消逝的落日一样慢慢平静下来了吧？

久木这样想象着，从凛子身后贴上来，伸出一只手去抚摸她的小腹。

当夕阳残留下的火红光芒消逝在丘陵上之后，天空迫不及待地变成了紫色，随之黑暗笼罩了四周。一旦没有了阳光，黑夜便立即降临，刚才还金光辉映的大海瞬间变得黢黑一片，只有远处江之岛的轮廓与海岸光亮一起清晰地显现了出来。

昨天晚上，久木来到这家旅馆后，才听说江之岛上有一座灯塔，此时只见从灯塔放射出的微弱光束。

"天黑了。"

久木听了点点头，但他从话音里察觉到凛子在想家，不由地屏住了呼吸。

据衣川说，凛子的丈夫是东京一所大学医学部的教授，年纪比凛子大了近十岁，应该有四十七八岁了吧。

"只有老实这一点还算可取。"凛子有一次这么半开玩笑地说过。但久木通过朋友了解到，他还是位身材颀长的美男子。

有这么一表人才的丈夫，凛子怎么会和我这样的男人亲近起来呢？

这的确令人费解，但即便问凛子，恐怕也得不到满意的答案。况且，知道了又有什么用呢？

对久木来说，此刻和凛子的约会才是最要紧的。

约会时，必须忘掉各自的家庭，全身心地投入到两人的世界中去。

虽然久木这么期望，可是，凛子望着暗淡下去的天空，脸上明显露出悒郁的神色。

久木是昨天下午和凛子来到这里的，今天是第二天，如果今天再住一夜的话，就是连着两天在外过夜了。

当然了，凛子肯定是做好这个思想准备才出来的。那么，是不是触景生情，忽然想起家来才心神不安的呢？

久木想要摸一摸女人心中在想什么似的，轻轻把手伸到她左侧乳房下边。

凛子的乳房不算大，却浑圆而有弹性。久木一边揉捏着，感受着温润柔软的手感，一边猜想着。

凛子望着日头渐渐西沉的天空，脑子里到底闪过了什么念头呢？

久木想亲口问问她，说出的话却走了样。

"咱们该起床了吧？"

落日早已沉入海里，两人还赖在床上。

"你把窗帘拉上吧。"

久木遵照凛子的吩咐拉上了窗帘。凛子用被单遮掩着前胸，低头去捡散落在床边的内衣。

"我都分不清是白天还是黑夜了……"

下午他们乘车从七里浜到江之岛去兜了一圈儿，三点回到了旅馆。

从三点直到太阳落山，两个人都没有下床。

久木自己都觉得不可思议。他去起居室的冰箱中拿了瓶啤酒喝起来。

他一边喝啤酒，一边出神地眺望着黯黑下去的大海时，凛子冲完澡出来了。她已经换上了白色的连衣裙，用白色的发带把头发拢在后边。

"出去吃晚饭好不好？"

昨天晚上，他们俩是在旅馆二楼的临海餐厅吃的晚饭。

"可是，已预约了餐厅呀。"

昨晚就餐时，经理过来跟他们客套，听久木说他们还接着住一天，就说明天晚餐来餐厅吃的话，可以为他们准备好近海打捞的新鲜鲍鱼。

"那就还去那儿吧。"

凛子有些疲倦，懒得到旅馆外面去。

"今天晚上，没准儿要喝醉噢。"

凛子听久木这么一说，莞尔一笑，脸上已经不见了刚才的阴郁。

久木又打电话确认了座位之后，就和凛子一起到二层的餐厅去了。

星期六晚上来就餐的多是一家子一家子的。他们俩被侍者引到经理事先安排好的靠窗桌位。两人夹着四方桌的一个桌角挨坐着，坐成"V"字形，正对着玻璃窗。

"已经黑得什么也看不见了。"

要是白天，能观赏到一望无际的海景，可是现在夜幕已降临，外面黑黢黢一片，只有窗外那棵巨大的松树隐约可见。

"倒把咱们给照出来了。"

夜晚的玻璃窗变成了一面昏暗的镜子，映照出他们俩，还有餐厅里其他就餐的客人和枝状吊灯，就好像窗户那边还有一个餐厅似的。

久木瞧着玻璃上映出的餐厅，用眼睛搜寻着有没有认识的人。

刚才是侍者引导着来到这个座位的，久木一直略微低着头穿过其他餐桌，连走路的姿势都像做贼似的，根本无暇顾及餐厅里有些什么人。

到了这个地步，被熟人撞上两个人在一起也无所谓了。尽管久木已经豁出去了，可还是不无担忧，大概因为是在镰仓这个地方吧。

若是在东京的饭店里碰见熟人，还可以借口谈工作，或者会朋友来敷衍，可是在镰仓的饭店，又是夜晚和女性单独吃饭，就不能不让人起疑心了。再加上在湘南这一带，有不少自己的老朋友和亲戚，谁知道会不会碰上他们。

久木从来没这么担惊受怕过，勇气与怯懦在心里激烈搏斗着。

最后他对自己说："就说是'来这儿办点事，顺便和认识的女性吃吃饭'，也许能敷衍过去。"想到这儿他收回了视线，看见凛子姿态优雅地端坐在那里，凝视着窗外的夜色。微侧的脸颊上，显露出发生天大的事也不为所动的自信和沉着。

侍者来询问要什么饮料，久木要了一瓶清淡的白葡萄酒。吃凉菜拼盘时，服务生端来了一大盘昨天经理许诺的在近海打捞的鲍鱼，并问他们想怎么吃。

"就做成清蒸和油焖两吃的吧。"

按说生吃味道鲜美，应该做成刺身，不过想想还是随厨师去做好了。

夜色衬托的玻璃窗使餐厅内景一览无余，连近处餐桌客人长什么样都看得清清楚楚。

"有什么认识的人吗？"久木呷了一口葡萄酒向凛子问道，"这儿离横滨很近……"

凛子的娘家是横滨老字号的家具进口商，凛子又是在横滨上的大学，所以，这一带熟人也少不了，可是凛子看都不看，干脆地答道："没有什么熟人吧。"

自打进了旅馆，凛子就毫无畏缩之态，直到现在来这里就餐。

"刚才太阳下山时，你好像有点沉默，我以为你想家了呢。"

"你是说，我想家吗？"

"你都两天没回家了，所以……"

凛子端着酒杯，嫣然一笑："嗨，我担心那只猫呢。"

"担心猫？"

"我出门的时候，它有点无精打采的，不知是怎么了。"

久木知道没有孩子的凛子养着一只猫，可是听她这么一说，又不免有些失望。

接下来的一瞬间，在久木的脑海里浮现出一个男人正给猫喂食的情景。

现在凛子的丈夫，只得在空荡荡的家里和猫做伴了吧。

说实在的，久木虽然对凛子的丈夫和她的家庭抱有兴趣，但要张口打听却又犹豫了。可以说是迫切地想知道，又害怕知道得太多。

"那只猫吃什么呢？"

"我给它放了些猫罐头，饿不着的。"

可她丈夫吃什么呢？久木最在意的是这个，可又怕问过了头。至少在两人兴致勃勃地吃饭这当儿，似乎不宜谈论这个话题。

侍者过来给他们的酒杯里添加了葡萄酒，恰在这时，服务生端来了做好的鲍鱼。鲍鱼和牛排都烤得外焦里嫩。

久木一向喜欢那种原汁原味的法国料理，凛子也和他一样。

"我不客气啦。"

一下午耗费了不少体力，凛子好像肚子饿了，说完就吃了起来。她使用刀叉的姿势十分地道而优美。

"真好吃啊。"

凛子专注地享用着美味的菜肴，一副天真烂漫的样子。久木看着她，又回味起了刚才床上的情景。

那种场面的确是只能意会，不可言传的。不过，要说"真好吃"，那正是凛子自身。她的身体所具有的那种柔软而富有弹性的玄妙感触，才是美味之中的美味啊。

凛子完全不知男人此刻脑子里在想什么，香甜地吃着鲍鱼。久木也忍不住夹起一块清蒸鲍鱼塞进了嘴里。

吃完饭已过九点，两人总共喝了一白一红两瓶葡萄酒。

凛子不胜酒力，从脸颊到前胸都微微泛红，加上下午做爱的余韵犹存，醉眼迷蒙的。久木也比平时醉得快了些，但是，还不想马上就去休息。

从餐厅出来，他们去大厅里面的酒吧看了看，人太多，只好回了房间。

"去外面走走吧。"凛子提议道。

打开房门就是庭院，十米远的地方有植物环绕，再往前就是夜色茫茫的大海了。

"海味真好闻啊。"

有点起风了。凛子任凭海风吹拂着秀发，挺起胸脯，深深吸了一口气。久木也跟着做起了深呼吸，恍然觉得和大海更贴近了。

"江之岛，好亮啊……"

正如凛子所说的那样，路灯和车灯照亮的海滨大道蜿蜒伸向小动岬，由那里凸向海中的江之岛在海滨光亮的映照下犹如一艘军舰。正中央山顶上的灯塔，在黑夜里放射着光芒，照亮了日头隐去的山丘和黑沉沉的大海。

"真舒服……"

久木靠近迎风站立的凛子，一只手拿着杯子无法拥抱，只好把脸凑过去跟她接吻。

他们在浓浓的大海气息包围中接吻，唯有灯塔的光亮才有幸看到。

"我去拿饮料，喝威士忌吗？"

"给我拿杯白兰地吧。"

在海风吹拂的庭院一角，摆着一套白色桌椅，似乎在邀请他们来小坐。从餐厅出来的时候，觉得喝得够多了，可现在经海风一吹，他们的酒兴又上来了。

"这叫海景私人酒吧。"

凛子说得一点都不错，除了夜空中闪烁的繁星和浮在海上的灯塔之外，再没有什么可以搅扰他们的了。

在这秘密酒吧里品味美酒时，恍惚觉得这一小块天地与现实的一切隔绝开来，浮游在梦幻的世界中了。

"我都不想离开这儿了。"

凛子的意思是两个人就这样在风中对饮下去呢，还是不想回东京了呢？久木不解地追问道："那咱们就在这儿住下去？"

"你也跟我一起吗？"

"你在哪儿，我就在哪儿……"

两人默默地仰望着夜空，凛子喃喃自语道："这是不可能的，对吧？"

久木不解其意，可不想再问下去了，转而想起自己的家来。

久木到这个旅馆来，没有一个人知道。昨天，临下班时他对调查室的女秘书说："今天我得早点回家。"对妻子只说了句"有个外调的事，要去京都两天"。妻子也没再问什么，她大概觉着有什么事找他，给公司挂个电话就齐了。

独生女出嫁后，久木家便成了两人世界。没多久，有人给妻子介绍了一个陶器制造厂业务顾问的工作，妻子干得很起劲儿，常常比久木回来得还晚。夫妻之间只有例行公事般的谈话，连一起出去吃饭，或外出旅游都没有过。

即便这样，久木也从没想过要和妻子散伙。虽说这种毫无激情的状态叫人厌倦，但他总是一再地说服自己，到了这种年龄，夫妻间也不过如此了。

至少在认识凛子前久木一直是安于现状的。

一阵海风，把久木的思绪吹到了远方，同时，又使他惦念起了凛子的家。

"刚才你说担心那只猫，那你丈夫呢？"

在众目睽睽的餐厅里，久木不好问这些，现在仗着茫茫夜色才壮了胆。

"你两天不管家，没关系吗？"

"又不是头一次了。"

凛子望着星空答道，就像跟星星说话。

"以前我也常跟着书法老师到外地去办事，或参加展览会什么的。"

"那么，这回也是这个理由？"

"不是，我告诉他今天晚上去朋友逗子家玩。"

"待两天？"

"逗子是我的好朋友，再说又是周末呀。"

这样说难道能瞒过做丈夫的吗？即便瞒过了，万一有急事时，丈夫从家里打电话来怎么办呢？

"你朋友知道你在哪儿吗？"

"大致说了一下，没关系的。"

久木还是不明白凛子说什么没关系，这时，凛子以不容置疑的口吻说道："我家那位是不会找我的，他是个工作狂。"

凛子的丈夫是医学部教授，想必整天扎在研究室里，可是，也未免太没有戒备心了。

"他没怀疑过你吗？"

"你是在担心我吗？"

"我想，要是你丈夫知道了，比较麻烦……"

"你怕他知道？"

久木朝着夜空深深吐出了一口气，琢磨着凛子的问话。

女人问男人，你是不是怕我丈夫知道我和你有深入的关系，看起来像是追问，其实，也可以理解为女人在表决心，纵然被丈夫知道了也无所谓。

"你丈夫知道我们的事吗？"

"这个嘛，不太好说……"

"没说过什么？"

"没有啊……"

还算好，久木刚刚放了点心，忽然凛子淡淡地说道："说不定，他已经知道了。"

"可是，他并没有盘问你呀。"

"不是不问，只是不想知道而已……"

骤然间，一阵强风从海面刮过来，最后那个"吧"字拖着尾音随风飘去。

久木的思绪也追踪着风向而去。

不想知道也就意味着害怕知道吧？即使意识到妻子可能和别人偷情，也不愿意正视这一现实。难道说凛子的丈夫是觉得与其贸然知道，不如不知为好吗？

久木的脑海里浮现出一位高个头、身穿白大褂的医生形象。无论从地位还是从外表上看，他都是无可挑剔的，甚至可以说是个令人羡慕的男人。可是，他却默默地忍受着对妻子不轨的怀疑。

果真这样的话，到底是因为丈夫太爱妻子，才不加盘问呢，还是故意装不知道，冷眼旁观妻子的不忠呢？想到这儿，久木醉醺醺的脑袋一下子清醒了，这对奇怪的夫妻使久木琢磨不透。

"你觉得我们特别怪吧……"

听凛子这么说，久木刚要点头，转念一想，如果说已不再相爱的夫妻很怪的话，那么，这样的夫妻现实中不是太多了吗？

"不是你们奇怪，是这世上根本就没有十全十美的夫妻啊。"

"真是这样吗……"

"其他夫妻也好不到哪儿去，只不过装得若无其事罢了。"

"要是装不出来该怎么办呢？"

房间里射出的光线照在凛子仰望夜空的侧脸上，久木注视着她侧脸上的光泽，发现自己正面临一个新的课题。

凛子问的其实是自己和丈夫不能再装模作样下去的话该怎么办。那么，她的意思究竟是说他们现在已到了无法弥合的程度呢，还是说早晚会面对这种事态呢？不管是什么，她无疑是在期待久木的回答。

"那，他还跟你……"

不知什么缘故，现在这个时候，久木觉得称呼凛子的丈夫为"你丈夫"很别扭，他只想以第三人称相称，不涉及那种关系。

"他还跟你同房吗？"

话一说出口，久木意识到这才是自己最想知道的。

凛子沉默了片刻，朝着夜空说了句："不了……"

"什么都不做？"

"是我老拒绝他。"

"那他也能忍受？"

"不知道他能不能忍受，反正这种事是没法强求的。"

就像在说一件与己无关的事，凛子的侧脸上呈现出丝毫不愿妥协的、女人特有的洁癖和倔强。

恋情早晚要到达一个顶点。

从相识到相互爱慕，再发展到难以克制而结合，这一过程是那么一帆风顺，恋人们自己往往无所察觉，烈火般燃烧的恋情使他们忘却了这世间的种种不如意。然而，就在情爱逐步升级达到顶峰的一瞬间，他们突然发现前方出现了一条峡谷，便往往驻足不前了。当两人沉浸在快乐之中，以为这就是爱的伊甸园时，才意识到前面是荆棘丛生的荒野，于是变得紧张起来了。

现在，久木和凛子经过了顺风满帆的时期，走到了一个顶点，能否越过这个关卡，就取决于他们的爱情了。

他们一般每月约会几次，有时，两人商定好时间出去旅游几天。要是能满足于这种程度的约会，就没有必要越过峡谷了。可是他们对现状都感到不满足，双方都想更频繁地见面，更真切地感受到对方的存在。为了达到这个程度，就要准备冒风险，鼓起勇气，再向前跨出一步，越过深谷。

所谓勇气，即双方都采取不顾自己家庭的胆大妄为的行动。只要具有坚定的意志，两人就可以更为自由而酣畅地充分享有属于他们自己的时间了。

不言而喻，为此将要付出巨大的代价。凛子和久木将会引起各自配偶的怀疑，从而发生争吵，很可能最终导致家庭的崩溃。因此，如何才能做到既能满足两人的愿望，又能兼顾家庭，是眼下最大的问题。

如果现在凛子的家庭如她所说的那样，已到了崩溃的边缘，妻子不接纳丈夫，没有性关系的话，做夫妻的意义又何在呢？当然在这一点上，久木和妻子也是一样。从这个角度来看，可以说久木的家庭也已经崩溃了。

不过，凛子比久木的处境更难，因为妻子必须要拒绝丈夫的要求才行，而久木只要不主动就没事了，可见男女的确不同。

迎着海风的吹拂，久木渐渐放开了胆子。

久木想，到了现在这个地步，不能再顾虑重重了。趁此机会，要问明凛子的态度，商量商量以后怎么办。

"他知不知道你为什么拒绝他呢？"

"大概知道吧。"

久木的脑海里又一次浮现出凛子那位学究气的丈夫。尽管一次也没见过面，可总觉得他是个戴着眼镜、不苟言笑的人。

他实际上是自己的情敌，可是不知为什么，久木对他怎么也恨不起来。自己爱上了有夫之妇的凛子，对方成了被偷走妻子的"乌龟"。也许是对方的可悲处境引起了自己的同情，或者是对方被妻子拒绝也默默忍耐的稳重使久木丧失了敌对的意识。

不管怎么说，现在久木比那个男人占有优势是不用说的了。

然而，越是处于优势地位，也就越负有责任。

"我明白你现在的处境。"

久木心里很钦佩凛子。

"一想到你这么难，我也很难过。"

"不过你好办，男人怎么样都可以的。"

"可以是可以，不过，也有不可以的时候。"

又一阵疾风从海上刮来，只听见凛子小声说："我大概已经不行了。"

"什么不行？"

凛子脸朝着夜空，缓缓点了点头。

"我已经做好精神准备了。"

"你怎么这么……"

"女人有时也不怎么灵活的。"

凛子闭着眼睛任凭夜风吹拂。看着这副殉道者般的容颜，男人内心充满了对女人的爱怜，久木忍不住抱住了凛子。

久木一边跟她接吻，抚摸着她那被海风吹湿的头发，一边搂着她走回房间，眨眼间两人已躺倒在床上，也说不上是谁主动了。

谈到各自家庭时，随着话题深入渐渐不能自制，又苦于没有解决的良策，结果只好逃避到床上来了。

久木突然粗暴地解开凛子的衣扣，去脱她的衣服。对于久木的粗暴，凛子只是轻轻地"啊""啊"着，一边主动配合着脱掉内衣。

现在的凛子也正渴望着被久木紧紧拥抱。

两人呼吸急促，迫不及待地紧紧拥抱在一起，此刻他们的身体之间，无论是凛子的丈夫也好，灯塔的光线或夜风也好，就连屋里的空气都没有插足之地。他们疯狂地接吻，紧紧地搂着对方，紧密得快要嵌入对方的身体中去了。

两人大概都有些醉了吧，旋即昂奋起来，凛子很快就达到了高潮，久木意识到后，便停下了动作。

床头那盏光线微弱的台灯，见证了这场床上的暴风雨。

方才犹如野兽一样疯狂的两个人，现在就像温顺的宠物似的安静了下来，互相拥抱着躺在床上。

凛子的身体还残留着醉意和狂热的余韵，久木全身心地感受着这份余热，想起了"身体语言"这个词。

刚才他们两人正是以身体语言互相交谈的。

当遇到难以用语言表述清楚的、越描越乱的难题时，只有依靠身体来交谈了。经过一番激情燃烧、欲醉欲仙的交合，身心获得极大的满足后，任何难题都自行解决了。

事实证明，现在两人已忘却了那些不愉快，平静而慵懒地躺着。现实的问题就算一个也解决不了，只要身体与身体一交谈，就能够互相理解宽容对方了。

男人察觉到女人已得到满足，不由放松了一些，也越发自信了。

"感觉还好？"

这个问题纯粹是多余的，想想凛子刚才的表现就知道了，可他还想听她亲口说出来。凛子却故意为了让他失望似的一声不吭，把头轻轻地抵在男人胸前。回答当然是肯定的，只是羞于说出口罢了，也许是女性特有的口是心非的习性使然。

女人越是回避，男人就越想要听听这句话。

"喜欢我吗？"

这个问题也是多余的。背着丈夫到这里来，怎么会不喜欢他？男人是明知故问。

"到底喜欢不喜欢啊？"

久木又追问道。这回凛子飞快地答道："不喜欢呀。"

久木凝视着她的脸，凛子说得很爽快。

"我真觉得挺难受的。"

"你说什么难受……"

"和你做呀。"

凛子到底想说什么，久木一时没反应过来，凛子又道："我讨厌现在这样，不能把握自己，迷失在情欲中，丧失理智。"

丧失理智，不就意味着得到了完全的满足吗？久木小心地问了句："不过，比以前有感觉了吧……"

"我好像落入你的圈套了。"

"哪里，我才是落入你的圈套了呢。"

"反正就是你这个坏家伙把我变成这样的。"

"可是，还得怪你呀。"

"怪我？"

"因为你太好吃了呗。"

这等于是把自己比喻成了点心吗？凛子很困惑。

"不好吃的话，怎么会让人这么着迷呢？"

"可我是第一次啊。"

"什么第一次？"

"变成现在这样啊……"

久木看了一眼枕边的手表，已过十一点。且不说凛子，自己也已经没有力气了，可又舍不得马上就睡，很想这样耳鬓斯磨着享受难得的两人天地。于是久木乘兴又一次问道："总之是喜欢我啦？"

"我不是说了不喜欢吗？"

女人的口气仍然没有丝毫妥协。

"那你怎么会……"

"你是问我怎么会这么容易上当？"

对凛子这种自嘲式的口吻，久木有点发憷，小心翼翼地说道："我没想到能得到像你这么好的女人。"

"你也不错嘛。"

"你别哄我啦。说实话，我这人最缺少自信了。"

"我就喜欢你这一点。"

和凛子认识时，正是久木刚刚被公司划到线外，调任闲职的时候。

"像你这个年龄的男人都挺傲慢的。一见面就忙着递名片，自我介绍是什么董事或某某部长，等等，一个劲儿吹嘘自己在公司里怎么怎么有本事，有权力，可是你什么也没说过……"

"我也想说，只是没有什么好说的。"

"其实女人并不太在乎这些东西，而是喜欢温和而有情调的……"

"情调？"

"对，你给人一种疲惫而忧郁的感觉。"

先不说有没有什么情调，久木当时的精神状态的确正处于低谷。

"记得你跟我说过，以后清闲了，想研究一下昭和史上产生过影响的女子，我觉得你说的很有意思，而且……"

"而且什么？"

"相当不错呢。"

凛子直视前方，淡然地说出了这样大胆的话。

其实，到现在为止，还没有哪位交往过的女人夸过他"不错"呢。一般来说，自我感觉使对方得到了满足，但他并不觉得自己技巧有多好。

其实，这个问题男人自己说不算数，只能取决于女人的感觉，而且是经历过不止一个男人的女人才行。

不管怎么说，能被女人评价为"不错"，使久木感到高兴。加上还是从最固执的凛子嘴里说出来的，就更增强了他的自信。可是，能不能盲目轻信呢？

"你说的是真心话，还是开玩笑？"

"当然是真心的了，这种事还编假话干嘛。"

久木得到了赞扬，继续逗她说："就是说还算合格啰。"

"嗯，合格。"凛子当即应道。

"可见你是阅人无数啊。"

"没有哇……"

"怕什么呀，用不着隐瞒，这样我心里也平衡了。"

两人在一起待了两天，凛子已充分松弛下来了。

"你说这种感觉是第一次，以前呢？"

"什么呀？"凛子故意问道。

"和他的性生活呀。"

"有点感觉，没这么强烈。"

"就是说从来没有过这么……"

"我不是说了吗，你是个让我知道了这种感觉的坏家伙。"

"那还不是因为你具备这种素质呀。"

"这也有素质一说？"

看着凛子认真的样子，久木越发觉得她纯真可爱得要命，就从身后把手伸到了凛子的前胸。

对于男人来说，没有比眼看着自己最心爱的女人逐渐体味到了性的愉悦，更快乐、更自豪的了。原来像坚硬的蓓蕾一样未开发的身体，渐渐松弛、柔软起来，终于开出了大朵的鲜花，绽放飘香了。男人能在女人开花成熟的过程中起到催化剂的作用，证明了自己的身影已深深植入女人心中，男人从中可以感受到某种生命意义上的满足。

现在凛子就明言，这都是你的功劳，正是久木你这个男人开发出了我沉眠未醒的快感。而且，她的诉说还明明白白地告诉久木，在此之前她不懂得什么是真正的快乐，再说得具体一些，就是她和丈夫之间从没有过这样快乐的感受。

"这可太好了……"久木又凑近凛子悄悄耳语道，"这样一来你就忘不了我了。"

现在久木觉得自己已把楔子嵌入了凛子的身体。这楔子粗大而坚实，从女人的头顶直穿到腰间，任凭凛子怎么挣扎也挣脱不了。

"我不会让你逃掉的。"

"别说大话，我要是真的逃不掉了，你怎么办？"

久木一下子没有反应过来，凛子毫不放松，又追问了一句："你不害怕吗？"

被凛子这么一问，久木想起了日落前，凛子在床上说出过"好可怕"的话来，当时，那只是脱口而出的情话，而现在则是对现实的忧虑了。

"我们这么做，会下地狱的。"

"下地狱？"

"不知道你会不会，反正我肯定会下地狱的。"

说着凛子紧紧地抱住了他，说："救救我，千万别松手……"

此刻，凛子还残留着疯狂后的余韵，身心都在激烈动荡着。

"没事的，别害怕。"

久木安慰着凛子，又一次感受到男女性感的差异。

和雌性相比，雄性本质上性的快感薄弱，所以，对雄性而言，比起自己沉浸在快感中，更满足于亲眼看到对方渐渐走向快感高潮的全过程。尤其到了久木这个年龄，早已不像年轻人那么急不可耐了，而是变被动为主动，从使对方感到愉悦、满足当中来发现男人的价值。有的女性可能会怀疑这一点，光是让对方舒服，男人自己能满足吗？其实从一开始男人就让自己处于主动引导一方的话，也会享受到掌控对方的另一种满足。

就拿凛子来说，她起初是个很拘谨的、像楷书一样刻板的女人。然而，当她从种种束缚中被解放出来以后，懂得了什么是快感而沉迷其中，进而蜕变为一个成熟的女人纵情欢爱，最终深深耽溺于淫荡的世界而不能自拔。这就是女人肉体逐渐崩溃的过程，同时也意味着女性潜在的本真性感的苏醒。对男人而言，没有比能够亲眼看到这一嬗变过程更刺激、更感动的了。

仔细观察这一过程的话，男人就能够通过身体接触直接感知到女人以及女性肉体的本来面目。即它们到底是什么样的，里面隐藏着什么秘密，是怎么变化的。

不过，作为观察者和旁观者所获得的快乐有它的局限。既然性是以身体的接触、结合为前提的，就不可能总是一方主动，另一方被动。即便是男人先发起进攻，但是女人很快燃起了热情，开始狂奔时，男人又受其挑动，紧追上来，等到明白过来时，男人和女人都已深深陷入了无间地狱般性爱的深渊之中了。

虽说达到快乐顶峰的途径有所不同，但是既然双方都觉得不能分离的话，那就不可能仅仅一方坠入地狱了。

久木摩挲着紧贴着他的凛子的后背，又一次想起了刚才她说的"下地狱"的话来。

正如凛子所说："再继续沉迷其中的话，我们极有可能陷入无可挽回的境地。"凛子称之为地狱，她的意思好像是说："为了不致坠落下去，应该悬崖勒马了。"

说实话，久木并不认同凛子的比喻，他不认为现在的快乐是一种罪恶。不错，有妇之夫和有夫之妇相爱确实不合道德，有悖伦理，但是反过来说，相爱的两个人相互渴求又有什么不对呢？

常识和伦理是随着时代发展而变化的，而相爱的人结合为一体则是万古不移的真义。遵守这一宝贵的原则有什么可心虚的呢？久木在心里这么说服着自己。

可是，无论久木再怎么勇敢，凛子如果不认同的话，两人的爱也持久不了。无论男人怎样放得开，女人要是胆子小，也很难使他们的爱进一步升华。

"绝不会坠入地狱的。" 久木抚摸着凛子几度满足后越加光润的浑圆臀部说道。

"我们什么坏事也没做啊。"

"不，做了。"

凛子毕业于教会办的大学，又是有夫之妇，所以她的罪恶感好像特别强烈。

"可是，因为我们实在太相爱了呀。"

"怎么说也是不正当的。"

到了这个份儿上，道理是讲不通了，男人只有默默服从固执己见的女人了。

"那咱们就一块儿下地狱吧。"

这么耽于快乐下去，迟早会进地狱的，可是，禁欲也未见得就能保证进天堂。既然如此，还不如索性纵情享受一番，坠落到地狱中去呢。久木已不再犹豫了。

秋　天

　　从窗户向外望去，对面高楼朝阳的一面亮得有些晃眼。三天前刮过的那场台风，卷走了漫长的夏季，清爽宜人的秋天来临了。

　　久木从上班到现在，一直在看报，看完了第四份报纸后，他仰靠在椅背上，把目光投向了洒满阳光的窗户。快十一点了，屋子里静悄悄的，只有坐在靠门边的女秘书在噼里啪啦地打字。

　　久木所在的调查室在六楼，从电梯出来，靠右边走廊的最里头。屋子中央桌对桌地摆放了六张桌子，靠近门的地方辟出了一个小小的接待间。

　　久木每天上午十点到这里来上班。

　　调查室现有四男一女，女职员同时兼管秘书工作。四位男士名义上的分工是：大久木三岁的铃木，负责公司发展史的编纂工作；比久木大一岁的横山担任公司资料的统计管理；还有一位村松比久木小两岁，负责开发新字典。这些工作在数量和时间上都没有固定要求或期限。同样，负责昭和史编辑的久木，也迟迟没有着手这项工作。总之，大家都是被划到线外的，所谓"窗边族"，所以，来公司上班也毫无紧迫感，时间多得无处打发。

　　开始的时候，久木很不习惯这里的悠闲气氛，有些坐立不安，但过了半年就习惯了，也不大在意周围人的目光了。

　　今天也一如往日，久木上班后无要事可做，看完了每天必看的报纸后，点上了一支烟，然后将目光转向了那扇窗户。阳光辉映的高楼那边，云彩画出了两条平行线，就像用刷子刷出来的一样，浮云最前端仿佛有一个"井"字形的天线。眺望着寂静的天空，久木脑海里又浮现出了凛子雪白的肌肤，耳边仿佛听到她攀上峰顶时充溢着快感的呻吟声。

当此安谧晴朗的秋日，大概只有自己一个人在一门心思想女人吧。

久木现在闲得难受，如果像以前那样，从早到晚忙于会议、商谈、文件整理等工作的话，就不会这么频繁地想起凛子了。

久木凝望了一会儿秋空中飘浮的白云，忽然站起身来。其他人有的在看书，有的盯着电脑，没人注意久木的动静。

看了一圈后，他从房间出来，经过电梯，打开了通往楼梯的那扇门，走了进去。

刚才久木凝望着秋空时所想的，就是给凛子打电话的事。这会儿，凛子一般是自己待在家里的。

关上与走廊相通的这扇门，楼梯间就只有久木自己了，他把手机拿了出来。具有讽刺意味的是，当部长时因工作繁忙而配备的手机，现在正好用在和凛子说悄悄话上了。

他抽出了短短的天线，按了凛子家的电话号码，马上听到了凛子的声音。

"你好，是我。"

凛子好像估计到是久木打来的电话，很快答应了一声。久木再次确认了一下周围没有人后，才对着电话小声说："突然想听听你的声音。"

"你现在在公司吧？"

"对，可是一想到你，就冲动起来……"

"你想什么了？"

"那白云的形状，我怎么看怎么像你的身体……"

"别瞎说，现在还是上午呐。"

"我好想你。"

"别胡思乱想的。"

"咱们还到镰仓去好不好？"

自从两人上次去镰仓饭店外宿后，已过去快半个月了。

从镰仓回来后，久木最担心的是凛子家里会不会发生战火。妻子连着两个晚上在外过夜，当丈夫的怎么看呢？久木放心不下，第二天打电话给凛子，凛子只简单地回答了一句"没事"，看来没有什么异常。

果真如凛子所言，平安无事的话，倒真是个匪夷所思的家庭了。不是她丈夫过于憨厚，就是凛子善于周旋。不管怎么说，总算没发生什么事，久木才松了一口气。

可是，如果再次出去过夜，凛子那边还是令人担忧。

"这个星期四，镰仓有薪能[1]。"

听说每年秋天都在镰仓大塔宫演出薪能，久木还一次都没有去看过。

"你想去的话我就订票。不过，看完以后时间很晚了，还是住一晚的好。"

"我想去看。"

听凛子回答得这么干脆，久木叮问道："没关系吗？"

"不知道，反正我想去。"

这次凛子回答得也很明快。言外之意是，扔下家不管自己外出，这无所谓好不好，愿意去就去。

"好，我马上订票。"

"还得等三天呐。"

凛子脱口而出，立刻发觉自己说得太露骨了，改口道："我会忍耐的，你也能忍耐吧。"

久木和妻子之间也早已没有了什么温存，他对着话筒点头应了声"嗯"。凛子略带愠怒地说道："都是你不好，把我弄成这样。"

久木打完电话回到屋里，女职员告诉他："刚刚有位叫衣川的来电话

1　薪能：日本古典戏剧能剧的一种表演形式。特指在寺院露天舞台上表演的、四周用火把来照明的能剧。故名"薪能"。

找你。"朋友中叫衣川的只有一位，所以一定是那位东日文化中心的部长。久木这回没用手机，就在房间里拨了电话。正好衣川在办公室，说他今天傍晚到市中心办点事，顺便想跟久木见见面。

久木和他约好六点在银座的小饭馆见面，就挂断了电话。

房间里还是那么闲散，负责编辑公司发展史的铃木无聊地伸了一个大大的懒腰，其他四个人也借机聊起天来。

"真是个好天气啊，不冷不热的高尔夫球天气。"

对铃木的话大家一致赞同。近来，久木一直没去打高尔夫球。当部长时他每周还去一次，可是闲下来之后倒不怎么去了。一是因为应酬少了，但主要还是因为没干什么工作，打高尔夫也没多大意思。这类消遣只有在忙里偷闲时，才有意思吧。当然，也有像铃木这样的，充分利用闲暇的时间，享受高尔夫球的乐趣。

"虽说工作挺舒服的，可精神上萎靡不振就麻烦啦。"

铃木不知道久木正沉迷于和凛子的恋情，总这么劝告久木。

比起打高尔夫球来，恋爱更能使人年轻。久木只是在心里这么想，对别人可说不出口。

大家就这么闲聊着，一挨到中午，都等不及似的离开了办公室。他们大多去地下职工食堂就餐，久木常去离公司走不了五分钟的荞面馆吃饭。也有一些上班族去那儿吃饭，所以偶尔会在那儿遇见以前的年轻下属。每当这时，久木总觉得有些尴尬，对方当然也一样。

对方大概是不知该怎么跟被左迁的前任上司打招呼，所以，一般只用目光交换一下问候之意。但近来久木感觉精神上松弛了一些，时常主动跟对方寒暄上几句。

晚上，久木来到银座数寄屋街的一个小店和衣川见了面。衣川以前常常光顾此店，最近小店重新装修了，令他有些惊讶。

"真是焕然一新呐，都快认不出来了。"

店铺大小没怎么变，但黑亮的吧台和桌子都换成了纯木色的，座位也增多了，变了样了。

"太亮了吧。"

常客怀念小店原来的古朴情调，但是新客人喜欢现在这样，所以老板对衣川的不满一笑置之。

"咳，还不如不装修呢。"

这个小店就是这点好，来这儿喝酒的客人，放肆地说什么都不要紧。两人要了一份老板推荐的加吉鱼生鱼片和砂锅炖菜后，先干了杯啤酒。

"有日子没在银座喝酒了。"

"今天算我账上，我还欠着你呢。"

"那倒是，今天我可得喝个够哟。"

久木的意思是领了在文化中心讲演的酬劳，得表示一下，而衣川是指他和凛子的事。

"怎么样啊，那位楷书女士？"

冷不丁被这么一问，久木紧着喝了口啤酒。

"还继续见面呐？"

"嗯，偶尔见见面……"

"真没料到你这家伙行动这么神速，我刚发觉不妙，已经来不及了。"

凛子是通过衣川认识的，所以，和凛子相好大约两个月后，久木就跟他透露了两人开始交往的事。

"前几天她到中心来了，我怎么觉得她比原来显得更妩媚了。"

凛子承担的楷书课程已结束，可能是和别的书法讲师一块儿去中心有事吧。

"不过，你也得见好就收噢。让这样的女人陷进去可是罪过哟。"

衣川是在暗示久木不要让那么不谙世故又那么纯情的已婚女人坠入情

网，把她引导到疯狂的世界里去。

久木理解衣川说这话的心情，不过，这就等于把女性看成完全被动的了，是身不由己为男人的意志所操纵的。这种看法似乎对女性很尊重，其实是把女人当成了没有意志的木偶了。

就拿凛子来说吧，并不是久木单方面勾引，迫使不情愿的女人陷入婚外情的世界里去的。

正所谓你有情我有意，恋爱若非两情相悦，是不大可能进行的。

倒不是为自己辩白，久木接近凛子的时候，凛子也正在寻求着什么。即便不是那么露骨地寻求爱或者男人，但怀有某种欲求不满则是千真万确的。

开始约会以后，关于自己的家庭凛子一概避而不谈，话题自然转到这方面时，她也只是含糊地说一句："在家待着也不快乐……"

从以后的发展来看，的确是男人比较积极主动，但女人也予以相应的配合。而现在，两人同样地倾情投入，不能自拔。在这一点上，女性的决心似乎更坚定。

衣川当然不会了解这些隐秘的过程。

久木一边给衣川斟上烫酒，一边问道："她说了什么没有？"

"没有，旁边有别的讲师，不好说得太多。不过，看样子她有心事。"

"有心事？"

"也许是我多心吧，看她心事重重的样子，倒更添风韵了。"

没想到，连衣川也这么色眯眯地看凛子，久木有些不快。

于是久木换了个话题，问起衣川的工作情况来。

衣川说："近来文化中心在各地发展势头很猛，竞争相当激烈。"幸亏衣川所在的文化中心有点名气，还算撑得下去。但是要想在激烈的竞争中站稳脚跟，就必须从根本上改变经营模式。今天，他到都内来，也是就这方面问题来跟总公司商洽的。

"总之，现在干什么都不容易。比起来，还是你那儿舒服啊。"

"也不见得……"

闲职也有闲职的难处，可是照直说的话，就成了发牢骚了，所以，久木没再往下说。衣川叹了口气说："公司这种地方，不管是忙还是闲，工资都差不了多少。"

这话不假，和以前相比，久木只少了职务津贴，工资总额没有大起大落。

"其实，我也不愿意这么闲待着。"

"我知道。我也应该跟你学，工作马马虎虎过得去就得，找个喜欢的女人享受享受爱情的滋味。"

"别瞎说，不像你想的那样。"

"男人辛苦打拼，还不是为了找个好女人，完全占有她吗？这是自然界的规律。公的拼命捕获猎物，打败对手，最终是为了得到母的的身体和爱情，为了这个目的才拼死搏斗的。"

久木生怕被其他客人听到，衣川却自顾自地说着："没准儿是受了你的刺激，这阵子我特别想谈谈恋爱。真想找一个出类拔萃的女人浪漫一番。唉，都这把年纪了，简直是想入非非。"

"哪里，正相反，上了年纪才会这么想。"

"反正，这么活着，老像丢了件宝贝东西似的。"

衣川属于那种一心扑在工作上的男人。还在社会部那会儿，他就热衷于谈论时事政治和社会问题，从不涉及色情话题。在久木的印象里，他是个一点不通人情世故的硬汉子。所以，现在听他说出"想谈谈恋爱"的话来，还以为自己面前坐的不是衣川呢。

这种突变是由于在女性云集的文化中心工作之故呢，还是像他自己说的是年龄的原因呢？

"可是，我恐怕是不行了。"

衣川自己刚宣布说想谈恋爱，一会儿又说出这种泄气话。

"你知道，谈恋爱首先要具备足够的精力和勇气。"

失 乐 园 ∣ わたなべ じゅんいち

这正是久木深有体会的。

"总之一句话，公司职员的处境实在太严酷了。你被降职了就甭提了，我呢，说实话还没到那份儿上。虽说算不上什么骨干，可还挂在线上。这个时候，要是被人逮到了什么风流韵事的话，指不定被人家怎么糟践呢。这年头，妒忌和中伤无孔不入啊。"

"越是精英，就越没有自由吧。"

"再说，找女人得有金钱和闲工夫呀。兜里没钱，哪轻松得起来呢。"

接着衣川又打着哈哈说："你好办，有的是钱。"

"哪里，瞧你说的。"

尽管久木嘴上否认，但以他目前的情况来说，比其他同年龄人要优裕得多。他的年收入近两千万元，还有父母留下的世田谷的房产，独生女也出嫁了，再加上妻子在陶器制造厂工作，所以手头颇为宽裕。

况且为了凛子，开销再多他也心甘情愿。这时，衣川又给久木的白色小酒盅斟满了酒，酒呈琥珀色，晶莹透明。

久木把玩着酒盅，不由联想到凛子雪白的身体。

"再说你还这么有精神头儿，真让人羡慕啊。"

衣川说话酸溜溜的，久木听得出来他什么意思。

"一约会，就那个吧？"

见久木没搭理，衣川自怨自艾地说："真是可悲哟，我可有些日子没跟这事沾边啦。"

"夫妻之间呢？"

"那还用问吗，早就没了。你怎么样？"

见衣川使劲儿摇头，久木也摇了摇头。

"还不都这样啊，到了咱这岁数，老婆就成朋友了，没那个感觉了。"

"那么，外边呢？"

"也想过找个女人，可哪有你那么运气啊。先不说没遇见看上眼的女人，就算遇到了，老实说，我也没你那两把刷子。"

"不过，新鲜感总有吧。"

"话是不错，像你这样一直没闲着，当然没问题。可像我这么三天打鱼两天晒网的，恐怕就难啰。"

"瞧你说的，谁一直没闲着啊。"

"唉，大概是到岁数了吧，最近没这事，也不怎么想。咳，这种事一想开了，慢慢就无所谓了。"

"别说这种丧气话。"

"这事其实就是一种习惯，没有也就没有了，不用在这上头劳神，倒也轻松了。只是长此以往，就不像个男人了。"

衣川一口喝干了杯里的酒，说道："看来碰上个好女人，就是不一样噢。"

衣川今天有点大不对劲儿，一晚上都在唠叨女人，不知是工作太劳累了，还是没有合适的人可以诉说。

久木想要撤了，可衣川又要了一盅酒，刨根问底地打听："她丈夫那边怎么样啊？知道你们的事了吧？"

"这个，不太清楚……"

"你这家伙真是色胆包天呐。"衣川呷了口酒，"没准儿他会跑到公司里来，告你把他老婆怎么着了呢。他是医生，你知道吧？"

"一开始你就告诉我了。"

"当医生的，那方面一般不至于太差劲儿，可他好像是差了点。真没想到，他懦弱到这个份儿上，明知老婆与人私通，还打肿脸充胖子，一声不吭。哼，说不定还真不行呢。"

"行了，别瞎猜了。"

"真的，我告诉你，那种精英里头，净是这样的。智商倒是高，那方面可就不合格啰。"

"是吗……"

"不过，早晚会被他发现的，那可就大事不好了。"衣川吓唬久木说，"依我看，你和这个女人，轻恋爱一下就算了。"

"什么，轻恋爱？"

"对，就是轻恋爱。就和轻音乐一样，轻轻松松的。"

也许自己没有女友，嫉妒久木吧，衣川兴致极高地调侃着久木和凛子。

"可也说不定，他压根儿就不是个善主呢。"

"你啥意思？"

"妻子和人偷情，他保不准也有女人。两人都心照不宣，相安无事地做夫妻呗。"

久木想逃离喋喋不休的衣川，故意瞧了瞧表，结了账。

再这么坐下去，自己就成了衣川的下酒菜了。

和衣川喝酒后的第三天，久木在新桥车站和凛子会合，一起乘车前往镰仓。

正是傍晚的乘车高峰时段，原以为很拥挤，还算幸运，两人并肩坐在新型电车的头等车厢里。

车上几乎都是在东京上班回镰仓的乘客，其中大多是上了年纪的高管模样的人。一男一女坐在一起的只有他们俩。凛子穿着酒红色套裙，系了条围巾，倚靠着久木。这个时候要是碰见了公司同事，可就麻烦了，幸好没有遇见认识的人。

"真高兴。又能和你一起去了。"

久木以为她说的是两人一起去看薪能这码事呢，可凛子却说起了另一桩事。

"我跟你说过我那个女友吧？她叫逸见，搞工业设计的。"

"是那个在美国留过学的高中同学吗？"

"对。她和一个著名上市公司的社长交往过，最近分手了。"

"被人家老婆发现了吧？"

"哪儿呀，那个男的警惕性特强，两人一块儿去京都或者香港时，总是分开坐的。坐新干线，也是不在一个车厢。就连坐飞机去国外，都是故意错开一个航班的。你说，一个人坐头等舱还有什么意思呢？真不如两人一起坐经济舱呢。"

"是怕被狗仔队给拍到吧？"

"那倒也是，可是，不管去哪儿，两人都不坐在一起，还叫什么旅行啊？多没意思呀。她说，也挺喜欢他的，可实在受不了总是这样……"

"分手了？"

"一个礼拜前我见过她，她说今后绝不会再爱上这种人了。"

凛子女友的话很有道理，但那位社长的心情也不难理解。

久木回想了一下，不错，上次去镰仓也好，这回也好，都是和凛子并肩而坐的。

其实，和女性并排坐在一起，自己并非毫不在乎，不过，镰仓离东京不远，万一被人看到，就说碰巧座位和熟人挨着，很容易蒙混过去。当然，还有一个原因，就是自己潜意识里有种无所谓的态度，反正自己是划到线外的，即便有什么影响，还能坏到哪儿去呢？

但是，如果是坐新干线去京都或坐飞机去国外的话，就连久木也会慎重考虑一下的。纵然不像那位社长那样，分乘不同的车厢甚至故意错开班机，或许也会装出一副互不相识的样子坐在一起的。

这样费心劳神都是由于日本社会对男女关系过于敏感。换句话说就是好事者太多。工作上有失误另当别论，而外面有情人，就会被降职或成为人事变动时的不利因素，这样一来，就得处处提防了。总之，现在从媒体到企业内部无不有人削尖脑袋打探绯闻，男人们都战战兢兢如履薄冰。从表面上看他们都是一本正经的样子，但内心的欲望被压抑而扭曲，丧失了自由豁达的勃勃朝气。于是，这个社会渐渐蜕变为嫉妒、中伤横行的险恶社会了。

现在经济界正在呼吁放宽规章制度，其实最应该放宽的是对男女间交往的限制吧。久木漫无边际地遐想时，凛子把右手放在了他的左手上。

"你不一样，不管到哪儿你都和我一块儿去，多好啊。"凛子说着紧紧握住他的手，"我就喜欢你这一点。"

心爱的女人表达对自己的爱意，使他欣喜。可是在众目睽睽的电车上，手拉手也太惹眼了些。久木轻轻抽回了手，心里叹服凛子的大胆。

电车到达镰仓时已是晚上七点多了。他们从车站叫了辆出租车直奔大塔宫而去。寺院内的临时戏台上，薪能已经开始了。

久木出示了入场券，便被人引到席位上。他们生怕挡住别人的视线，一直猫着腰走到戏台右侧前边落了座。台上演的是狂言[1]《清水》，侍童太郎不愿意打水，正装扮成鬼吓唬主人呢。

虽已入秋，还不觉得冷。寺院周围繁茂的树丛间袭来徐徐凉风。戏台两边燃烧的篝火在暗夜衬托下更显得通红透亮。趁着暗夜，鬼又一次现身了，但主人已看穿了侍童太郎的把戏，毫不惊慌，终于剥下了他的假面具，侍童落荒而逃。

看着这通俗易懂的狂言，凛子露出了微笑，再次握住了久木的手。这回有夜幕掩护，久木也握紧了她的手。这时，凛子贴近他，小声问："今天还是那个房间吧？"

她问的是半个月前，两人边看落日边嬉戏的那间屋子。

"差不多吧……"

"今天晚上咱们玩装鬼好不好？"

"是男的当鬼吗？"

1　狂言：日本中世纪的主要剧种之一。是在室町幕府时期和能剧同时产生的一种滑稽喜剧，属于科白剧，即对话剧系统。

"就像刚才演的那样，折腾人……"

久木不知如何作答，这时下一个剧目开演了。

这回演的是能剧《饲鹈人》。一开场是一个云游僧到一个庄户人家求宿。和狂言不同，能剧的动作很少，久木看着看着思绪又转到了凛子刚才的那句话上了。

近来，凛子表现出了一些出格的嗜好。当然说不上是变态，比正常状态略带了点轻度的嗜虐倾向，显得更撩人了。

可能是凛子看到鬼面具时，联想到了那种事。久木窥视了她一眼，她左半边脸被篝火映得红彤彤的。

看完薪能，九点已过。戏台上的照明关掉了，篝火也熄灭了，四周顿时变得一片漆黑。

久木想尽快逃离这寂寥之所，他们走到马路边，坐上出租车前往小町路，进了一个门面不大的料理店。据一位家住藤泽的编辑介绍，里见弴[1]或小林秀雄[2]等镰仓的文人墨客曾经常光顾这家小店。一进门，中间一溜长长的吧台，里面也有铺席式的席位。这个店最适合情意相投的朋友在吧台前畅饮。

久木上次来小店是三年前了，没想到老板还记得他。他和凛子先干了杯啤酒。

久木对这个店的独特风味一直念念不忘，只要一来这里，就特别放松，带着女人来也不觉得别扭。

---

1 里见弴：（1988~1983）日本近代作家。是著名作家有岛武郎、有岛生马的弟弟。明治四十三年4月与武者小路实笃、有岛武郎、木下利玄等创刊《白桦》，由此创立大正时期重要的文学流派之一"白桦派"。代表作有《善心恶心》《多情佛心》等。

2 小林秀雄：（1902~1983）日本文艺评论家。生于东京。东京帝国大学法文专业毕业。1929年在杂志《改造》主办的有奖评论中以《各色构思》一文脱颖而出，从此作为评论家活跃于文坛。被认为是日本近代批评的确立者，其评论对象除文学外兼及哲学和艺术等。主要评论作品还有《陀思妥耶夫斯基的生活》《莫扎特》《所谓无常》等。主要翻译作品有《埃德加·爱伦·坡》（波德莱尔著）和《在地狱的第一季》（散文诗集，兰波著）等。

久木要了清炖虎鱼和当地特产镰仓虾刺身、家鲫鱼煲。

因为今晚不用回去，凛子也放宽了心，只喝了一口啤酒，就换上了清酒。

"从前，只靠篝火的照明来演薪能吧？" 凛子问道。

刚才两人看的薪能，除了篝火，还有灯光照明。

"镰仓的薪能演出至今已举办了近四十场。从前，武士们所看的和现今不大一样，那时候，不像现在有电灯。就拿京都的大文字祭[1]来说吧，把路灯和霓虹灯都关掉，整个镇子漆黑一片，只能看见满山燃烧着的红通通的火焰。那情景真是无比庄严壮观，人们不由自主地合掌祈祷起来。薪能也是在戏台四周环绕以水池，随风摇曳的篝火与池水交相辉映，这种效果会使人体味到远比现在更幽玄更妖艳得多的意境。"

"那时候，鬼也显得更恐怖可怕吗？"

久木点了点头，想起刚才凛子要他晚上装成鬼来折磨她的话来。

看完薪能后才吃的晚饭，不觉已过了十点了。久木托店里给叫了车，结完账走出了小店。

和店里热闹的气氛形成鲜明对比，外面是群山环绕的暗夜，加之浓郁的大自然气息，使他们意识到自己正身处镰仓。刚才还热闹红火的大塔宫方向，现在已无声无息了。

从小町路到饭店，夜晚时分，一路无人，只用了十分钟就到了。

他们在前台办理了入住手续后，拿到钥匙，去了房间。果不其然还是上次那间屋子。进了屋，一瞥见套间里那张宽大的双人床，凛子就不由自主地倚靠在久木身上，久木拥着她一同倒在床上。

"终于只有咱们俩了。"

从电车到看薪能，再到饭馆，旁边一直有人，现在终于得到了解放，凛子的心总算踏实下来了。

1　文字祭：由送神火组成的"大"字。

"我有点醉了……"

"那再好不过了。"

"为什么？"

"你就显得更淫荡啦。"

凛子露出嗔怪的表情，久木一把将她搂在怀里，边接吻边解开她上衣的扣子，正要去拉裙子拉链时，凛子轻声说："关上灯。"

久木伸出一只手，关上了床头柜上方的灯，然后脱去她的套裙，解开她的衣扣，脸凑近她的乳房时，凛子一个劲儿地摇头。

"等一下，我去冲个澡。"

"不用了，这样挺好……"

"不行，身上净是汗。"

"没关系的。"

现在，久木所要的、所渴望的正是凛子觉得害羞的东西。在男人的意识里有着轻微的施虐倾向，而半推半就的女人则有轻度的被虐倾向。于是，久木右手紧紧揽住凛子的上身，另一只手去脱她的连裤袜。

"不行……"

凛子再度挣扎了一番，但是到了这个地步为时已晚。

"我说了不行你还……"

女性快投降时，男性加强了进攻。在久木脱她的长筒袜时，凛子好像配合他似的屈膝而就。

此时女人已经陷入了男人的罗网中。不，应该是男人被女人所套住更为恰当。

被脱得一丝不挂的凛子，像要掩盖羞耻似的紧紧贴了上来。久木感受着凛子那滑腻温馨的肉体，凑到她耳边说道："今天晚上我可要好好折磨折磨你。"

"不行不行，我可不喜欢那样啊。"

"你不是说要我变成魔鬼来折磨你吗？"

凛子仍旧不情愿地使劲儿摇头："我最近真有点变态了。"

这并不仅仅是凛子的感觉，久木也在黑暗中点了点头。

变成了魔鬼的男人，首先要做的是对女人施以暴力。

久木搂住赤裸的凛子，左手抱着她的肩头，两腿缠绕住她的腰部以下，右手轻柔地抚摸着她的后背。

从长时间的拘谨中解放出来的凛子沉浸在舒适惬意的快感之中，渐渐有些陶醉了。然而，这陶醉是那样的短暂。

一步步露出了魔鬼本性的男人，是不会让女人长久这样陶醉在快感里的。

久木左手抱着凛子的上身，用右手指尖从她的后脖颈沿脊背缓缓向下抚摸，一直滑向滚圆的臀部。那是一种似触非触、近乎感觉不到的轻柔触摸。

这温柔的不即不离的抚摸，研磨着女人的感觉，使之越加敏锐。

男人的指尖一遍又一遍地爱抚着，当他的手指再次从女人的腰际移动到臀部时，凛子实在受不了了，发出了哀叫。

"我不要啦……"

开始时的舒适感突然变成了酥痒难耐的感觉。

然而，男人并不因这一声哀叫而住手。从现在开始他已不再是那个可爱的男人，他变成了魔鬼，君临女人之上。

痛苦不堪的凛子竭力挣脱着，久木更加用力地抱紧她，继续爱抚她的脊背。

一旦女人的身体被唤醒了酥痒的感觉，便无法再平静下来。她拼命扭动着上身，想要逃脱这爱抚，可男人不为所动，任凭手指继续游弋着。

当他的指尖从后背游弋到女人的侧腹时，凛子发出了最后的哀求。

"我受不了了……"接着又喘息着求告，"救救我吧……"

搂抱自己的男人原来是个魔鬼，凛子这时才如梦方醒。

在这长时间折磨人的爱抚下，备受煎熬的凛子扭动着、呻吟着、哀求着，可是，魔鬼是绝不会轻易饶过她的。

在三番五次的哭诉般哀求之后，凛子才终于获得了解放。她大大地吐了一口气，伸展开四肢，然后，突然攥紧拳头，捶起久木的前胸来。

"你坏死了！坏透了！"

开始还觉得是温柔的爱抚，后来才发现全身的神经都被挠动着，变成令人毛发倒竖的刑罚了。

可是想责备对方，已经太晚了。说出"变成魔鬼来折磨我"的是凛子自己，久木不过是奉命行事而已。自己提出了要求，被男人忠实执行后，又怨恨人家，太不讲道理了。

"你真够坏的……" 凛子嘟哝着，一骨碌背过身去蒙上了被单。看样子是不想让这种恶作剧的男人靠近，岂不知光着身子待在床上的女人又有何处可逃呢？

把女人的肉体驱入了绝境的魔鬼，流着涎水，又一次从背后凑了上来，在呼吸刚刚平静下来的女人耳边喃喃道："你的罪还在后头呢。"

凛子倏地缩了一下脖子。久木两手从她的身后伸到前胸，用指尖轻轻揉捻起她的乳头来。

"不要……"

凛子想护住胸部，可是乳头已觉醒般霍然突起，久木反复地爱抚着这可爱的乳头，然后低下头探进被单里，轻轻将嘴唇贴了上去。

"你要干什么……"

凛子明知故问，男人下面要做的事是明摆着的。

久木毫不理睬，衔住了刚才右手爱抚着的乳头。

近来久木和女人的做爱方式与从前大不相同了。

三十岁左右以前，他只知道逞强使猛劲儿。四十岁以后精力略减，变得温柔些了。进入五十岁后的现在，比起激烈单调的动作来，他更注重花费时间进行稳健而温柔的爱抚了。当然一是因为没有了年轻时那样充沛的

失 乐 园 | わたなべ じゅんいち

体力，二是懂得了这样做更易于得到女性的欢心。

其实并不是越不顾一切越激烈就越好。缓慢而轻柔的，时而使对方感到焦躁的沉着应战更为有效。积二十年之经验，他才摸索到了这一路径。

现在，久木一边含着凛子的乳头，一边伸手抚摸她那充满生命跃动的花蕾。说是含着乳头，实际上不过是用舌尖轻若游丝般地舔着，而爱抚花蕾的手也只是用指尖似触非触地轻抚着，不需要用什么力。动作越是温柔越能够调动起女性的感觉。

女性常说"喜欢温和的男人"，那并非指外表，而是指动作温和的意思。也就是说，和女性交媾时的温柔是男人的武器。

现在凛子实实在在地体验到了这种温柔，简直就要融化进被挑逗起的妖冶的感觉中去了。

察觉到这一变化后，久木便将舌头包裹了她的乳头，花蕾上的手指也像毛刷似的缓缓移动起来。凛子难以忍受般扭动着上身。

"求求你了……"

明知那呻吟中充满了焦躁和急切，久木仍旧按兵不动，继续享受着那柔软的触感，等待女人向他发出哀求。

"讨厌死了……"

凛子似乎已到达了焦躁的顶点，哪怕再等待一分钟，都会自动爆炸，自行登上快乐的巅峰。到了这千钧一发的极限，好容易挤出了一句："快一点……"

这听起来像是哀求，又像是撒娇或哭泣。现在，女人体内沸腾滚开的感觉使她呈现出痛苦、焦躁、绝望的表情。

"求求你了……"

凛子又发出了一声哀求。久木早已洞察陷入了绝境的女人的渴求，但他还是想要听到女人哀求"快来吧"。

只要女人老老实实说出这句话，男人就会立刻饶恕她，无上欢喜地进入她那已经燃烧得火热的身体。

他还要再逼近一步，非让她说出这句话不可。

这是因为性的快乐不够丰富的男人，比起行为来更加关注与之相关的种种反应。即所爱的女性燃烧时的姿态、声音、表情。这些反应就像万花筒一样变幻无穷，直抵终点。只有懂得这一切，感受到这一切，男人才能得到身心两全的满足。

这种做爱方式，就像是给毫无意义的东西增添各种各样的附加值，来推销商品的做法一样。仅仅从快乐的角度来说，男人的感受敌不过女人。先不说在性方面还未开发出来的女人，如果是非常成熟的女人，就比男人需要更深邃的感受。为了填平这条沟壑，男人们就要启用这些附加值了。

"求求你了……"

凛子似乎已经到达了忍耐的极限，可久木还在残忍地拷问她的肉体。

"你想要什么呢？"

虽说现在男人占据着使之焦急的优势地位，可是一旦接受了女人的要求，与她交媾的话，男人一瞬间就成了女人的牺牲品，成为被贪婪地汲取的存在。因此，男人要在处于优势地位时尽可能地虚张声势，使其焦躁。

百般挑动之下，女人的肉体早已如火球般燃烧了。圆润的肩头和丰满的胸部都已汗津津的，而那隐秘的丛林深处更像泉水滋润了一般。见女人已充分地做好了接纳他的准备，男人这才从容不迫、不紧不慢地逡巡着进入了。

这种做法也是以前的久木所不曾有的。年轻时，只要对方愿意，就立刻如痴如狂地干起来，全然不顾及对方的感受，只以自己舒服满意为准。总之，那时仅仅仗着精力旺盛，在能否使女性得到满足上缺乏自信，虽说没有具体问过她们，但说不定会有人不仅没得到满足，甚至心怀不满呢。

不知是幸还是不幸，久木现在已没有了往日那种牛犊般的蛮力了。

然而，力量的不足可以用轻缓温柔的默契来弥补，现在久木依靠年龄日益增长所带来的悠游自信，与充分燃烧起来的凛子紧紧结合在了一起。

具体来看，这一性交方式得益于因年龄而获得的智慧。

年轻的时候，他只知道最简便易行地从正面压下去，一鼓作气干完了事，可是现在他采取的是两人面对面的侧位。采用这种体位的好处就是不影响继续爱抚对方的私处，还可以适当掌握自己的频率。空出来的一只手可以抚摸对方的各个部位，还可以欣赏到女人扭动身体时的千娇百媚。

近来，久木更喜欢让侧卧的女性挺起腰部。这种姿势有助于使自己精准地刺激到女性最敏感的所在。

现在，凛子正是在这个关键所在受到了阵阵刺激，伴随着压抑的呻吟声，一步步朝快乐的顶峰攀登。

久木几乎已经能够预感凛子到达高潮的瞬间，因为在她呻吟和身体激烈挣扎扭曲的同时，身体深处也会发生微妙的变化。本来柔软温暖的花园随着激情燃烧而逐渐升温，吸力增强，紧紧箍住了男人，然后继续攀升，在最后一瞬间，包裹男人的褶皱犹如滚滚而来的波浪，痉挛般轻轻颤动起来。

随后，凛子终于迎来了高潮。

"我不行了……"

尽管情感上想要压抑，然而身体已不听指挥，也许正是因为知道身体无法控制，才想在语言上多少抑制一下吧。

一旦启动了的身体是无法再停下来的。

燃烧得滚烫的花蕊不停地抽搐般达到高潮后，女人体内褶皱如天鹅绒般紧裹着男人。这才是男人最感愉悦的瞬间，为了得到这欲醉欲仙的一刻，男人为女人效力，竭尽体贴与付出，投入大量的时间、金钱和劳力为女人服务，只是想共同拥有这一绝妙时刻。

然而，久木即便在这时，依然拼命忍耐、控制住了自己。

也可能有人觉得这样太傻了，怎么能放弃好容易到手的快乐呢？但是，眼看着自己所钟爱的女性火一样燃烧，比自己沉浸在快乐之中还能够引起男人的优越感和满足感。

尽管没有了年轻时的力量，却掌握了一些冷静地自我控制的技巧，这也是失去了强健的体魄所得的代价或成果吧。

现在久木就是凭着这一成果使凛子先行一步，而自己却还能克制住。

在性的问题上，未必越年轻就越好。男人的兴奋与大脑密切相关，完全受精神的操纵。因此，任何惧怕、不安或缺乏自信都会导致失败。

年轻时有的是体力，但往往欠缺精神上的自信心。

这是久木深有体会的。刚进公司时他曾和一位比他大五岁的女性交往过，她过去是个未成名的话剧演员，在新宿的酒吧工作过，据说以前在演艺界时和一位绰号花花公子的导演过从甚密。她和那男人虽早已分手了，可是一和她上床，久木就总是想起那个男人。

令人烦恼的是，男人很容易拘泥于面子或自尊，总希望怀中的女人夸自己比以前的男人更有技巧，感觉更好。

然而越这么想，越朝这方向努力，就越焦躁，越萎缩了。

男人们常说的"男人的体贴"就是指的这一点，比起羽毛未丰的年轻人，在女人面前拥有洒脱和自信是极为有效的武器。

久木和那个女演员同床共枕时，老是干着急使不上劲儿，身体怎么也不听使唤。说明年轻的肉体被想象中的花花公子打败了。

好在那位女性的态度让人钦佩。她总是一边安慰因萎缩而焦躁的久木，一边温柔地尽力帮助他挽回自信心。

如果那时她露出厌倦的神色嘲笑他的话，久木很可能会失去自信，产生性自卑感了。

由此可知，男子是由女子塑造出来的，或者说是培养出来的。

现在久木是凛子燃烧的动力，追根究底是那些女性所培育出来的。

和女性同时达到高潮固然不错，但眼看着女性一步步走向顶点也另有其美妙的感觉。前者沉浸在自己的快乐中，后者则享有把所爱的女人送入极乐的境地，令她充分满足地握有主动权的喜悦。

凛子不可能知道男人微妙的内心活动，正全身心地陶醉在快感的余韵之中。

此时女性的姿态是最无防备、最生动诱人的，毫无一丝紧张与矜持以及反抗的意识。一心在体味着那番愉悦，宛如被轻度麻醉了似的，软绵绵地横卧在床上。这一松弛温顺的姿态真是美妙无比，看着看着，男人不由涌起了对女人的满腔爱恋。

女人如此毫无戒备地展示自己，本身就说明了对他的完全信赖与依恋。面对这样的女人，男人怎能无动于衷呢？

久木突然搂住了凛子的肩头。

凛子的身体还残留着高潮后的余韵，汗津津的、灼热的。他紧紧抱住她，爱抚着她的后背轻声问道："觉得舒服吗？"

虽然是明知故问，男人还是想得到语言的证实。

女人老老实实地承认后，男人又问："感觉怎么样？"

凛子做出一副羞于出口的表情，男人怨她装糊涂，赌气似的又把手伸到了她的敏感处，凛子上身微微扭曲。

"不行……"

凛子想要推开那只手，身体却不听指挥，在那手指的执拗爱抚之下，渐渐又燃烧起来了。

高潮过后瘫软得如昏死过去一般的女人身体，转瞬间竟再度兴奋，实在快得惊人。

刚才还像被海浪涌到岸边来的海藻一样，飘散在点点浪花之中，现在却已恢复了生机，来寻求更大的欢乐了。

正所谓男子的性有限，而女子的性近于无限。不用套数学公式也可明白，以有限对抗无限是难以取胜的。

幸好，久木还没有发泄出来，刚才他抗拒着强烈的诱惑，停在了一步之遥。以此余力总算可以勉强应付新的欲求。

为了对抗再度激情燃烧起来的女人，男人又一次奋起，只是改变了刚才的游戏方式。

这回，久木从凛子身后悄悄挨近，手伸到胸前揉弄她的乳头。

高潮之后身体往往特别敏感，稍一刺激凛子就有了反应，扭动起身体来。

"把手给我！"

凛子一下子没反应过来，刚要回头问，久木猛然抓住她的左手拽到背后来，然后把她的右手也拉到了背后。

"干什么？"

"这手太碍事了……"

刚才久木只要一触摸她的乳房，凛子就感觉酥痒似的扭个不停，还老想用双手护住胸脯，久木觉得有必要惩罚惩罚这双捣乱的手。

久木把凛子的双手拉到背后，拿起床边的浴衣带把它们捆绑了起来。

"你别胡闹啊！"

女人现在才明白了男人的企图，慌忙想把手抽回来，可已经来不及了，她双手手腕已经被牢牢地在背后捆成了个十字交叉。

"你这是干什么……"

她两手使劲儿搓来扯去地想要挣脱，全是徒劳。

手被绑得死死的了，凛子突然感到不安，更用力地扭动上身，拼命挣脱束缚。可是挣扎的结果，只能使遮住身体的被单滑落下来，使赤裸的身体一览无余。

"快给我解开……"

知道自己挣脱不了，只好央求起来，可变成魔鬼的男人不仅不为所动，还向她提出了更加残酷的要求。

"开开灯，怎么样？"

凛子猛地扭过脸，拼命摇头："不要，千万不要……"

此时男人已占据了绝对优势，可以让女人俯首帖耳，任其胡来了，他不会放过这千载难逢的机会。

男人从浴室拿来一条毛巾。

"你要干吗？"

恐惧至极的女人对一切都反应敏感，男人以主宰者的姿态向女人宣告下一步行动："把你眼睛蒙上。"

"不要……"

女人激烈地摇晃着脑袋，眼睛还是被蒙上了，她一下子坠入了黑暗之中。

"我害怕……"

她声嘶力竭地叫唤了一声，但男人是不会为她解开绳索的。见女人还在负隅顽抗，魔鬼男人得意地宣布了最后一项行动："现在我要开灯了！"

"救命！"

她用有气无力的声音哀求着，魔鬼男人根本不为所动，摁下了开关，顿时，所有的照明都被打开，整个房间亮堂堂的。

卧室正中央是一张很大的双人床，女人赤裸裸地被扔在床上。

女人眼睛被蒙住，双手被反绑在背后，完全失去了反抗的能力。到了这个地步，她还想要掩盖那个羞涩的地方，身体窝成了弓形。从她那浑圆的肩头可以窥见鼓鼓的乳峰，纤细蛮腰下面便是圆润光滑雪白的臀部。

女人真是不可思议的生物体。

美丽的裸体横陈在眼前，自然很有美感，但如果在这美丽的裸体上再稍加一点装饰的话，就可以使其越加美丽。比方说，犹抱琵琶半遮面似的只穿着内衣或连裤袜等等，半遮半掩，则会更增添女人的性感，更能够吊起男人的胃口。

现在，凛子浑身上下只有手腕上系着一条浴衣带子，眼睛蒙着一条毛巾。这两样与美丽无缘的东西把女人的身体束缚住的一瞬间，女人身体里便激发出了无限的妖媚和冶艳，似乎在向男人挑战。

仅仅是裸体的话，没有这么强大的诱惑力，为什么稍稍施以束缚，女人的身体就会变得如此令人振奋呢？难道说那束缚里面潜藏着使人想入非非、唤起男人妄想的毒素吗？

　　全裸的女人被反绑双手，蒙住眼睛，扔在床上。她这种姿态会使男人从女人的美丽、悲哀，想象到其悲剧性的背景，进而一直想到她那因羞耻而颤抖不已的内心。正因为如此，男人才感到亢奋，情欲勃发。

　　面对这无与伦比的魅力，就算是魔鬼也不能不束手就擒。

　　久木目不转睛地欣赏着凛子，身体里渐渐燥热起来，欲火不断地升温，终于火山爆发了，他饿虎扑食般扑到床上，紧紧抱住了凛子。

　　此时此刻，就连魔鬼、刽子手也会不由自主地玩忽职守，堕落为一介好色而淫荡的凡人。

　　尽管如此，魔鬼男人还没有完全丧失其统治者的地位。他命令蜷缩在床上被绑缚着的女人把圆滚滚的臀部撅得高高的，自己从前后左右各个角度欣赏着她那淫靡而美妙的姿态。同时，他也没有忘记在女人的耳边絮絮叨叨描绘着她臀部的形状以及乳头的颜色等等，用语言进行挑逗。

　　"哟，连这儿都充满了蜜汁。"

　　听到自己被比喻成了水果，女人真想掩住自己的耳朵，可又做不到，她现在一心只盼望男人赶紧做他该做的事，可是男人哪会那么听话。

　　男人输给女人最大的原因就是控制力不够强。只要再稍微忍耐一会儿，就可以建立起绝对的优势，可是男人往往做不到，在最后关头功亏一篑。

　　久木现在也已经到达了这一极限。

　　好不容易才把凛子捆上，再随心所欲地欣赏，不断用语言挑逗对方的过程中，他自己却无法抗拒体内疯狂喷涌的欲望，躺倒在那圆圆的臀部后面了。

　　尽管对美景还有些流连忘返，但终究压抑不住自己的欲火，他终于把心一横，侵入了那早已蜜液充盈的花园里。

就在他进入的一刹那，凛子"啊"地叫了一声，挺起上身，随即她感觉到自己已经紧紧箍住了男人，便配合男人的节奏，缓慢地伸缩起腰肢来。

从后面进入，即背后位姿势，无疑会有效刺激女人最敏感之处，而且女人越是向后挺起，结合得越是紧密。

男人只是在一开始进得很深，很快便放松了力度，改推进为后拉，反复刺激挑逗，最后拉起绑缚女人双手的十字结，像驾驭着马儿一样前后晃动起来。

久木此刻俨然成了操控女人的君主，然而其征服者的期限也到此为止了。

被蒙住双眼的凛子感受力更加高度集中，开始的时候，她还只是害羞地配合着节奏多变的刺激，但很快就由被动变主动，最后变成无法驯服的野马撒开腿狂奔起来。

结果，男人就这样被女人调动着、搅扰着、引诱着，直到连自己的主导地位也抛到了脑后，在女人身体里彻底溃败了。

其实在做羞耻事这一点上，男人女人没有不同，正因为女人刚才被逼到了无以复加的羞耻状态，一旦完全放开后，女人反倒能够抛掉所有羞耻和顾忌。

开始男人以为是自己在侵犯女人，等到一切都结束之后才发觉，被吸干榨尽的是男人。每次，男人都会像具尸体似的瘫在床上。

在一切生命仿佛都已灭绝的静寂中，先开口的是凛子。

"给我解开呀……"

久木这才发现凛子的双手还被绑在背后，蒙眼睛的毛巾在激烈的震动中早已自行脱落了。

久木把手绕到凛子身后，给她解开手腕上的结。

刚一解开，凛子就用双手噼啪噼啪狠劲儿捶打久木的脸和胸部。

"坏蛋，坏蛋，坏透了。"

她是在气手被反绑的事，久木由着她打，待她气消了之后才问道："可是，特舒服吧？”

凛子没回答，叹了口气，这轻微的颤动经由凛子的乳房传递到久木的胸脯。

“你不是让我欺负你吗？”

“谁知道你来真的呀。”

“下回还有更让你好受的。”

“你干吗要这样？”

“喜欢你啊。”

凛子突然伸头抵在久木胸前，保持着这个姿势说：“我最近有点怪怪的。”

“为什么？”

“被你那么折腾还觉得挺好……”

“比以前还好吗？”

“只要想到眼睛被蒙着、手被绑着，只能任你胡来，就兴奋了……”

“你不会是受虐狂吧？”

“去，我可不喜欢受罪啊。”

“怎么会让你受罪呢，我那么爱你。”

表面上看像是虐待，但还是以爱情为基础的，即便一时性起，真的变成了施虐被虐，只要有爱情的根基，就不能说成不正常。

“别人都这样做吗？”

“不会的，没有人像咱们这么相爱。”

倒不是看别人做爱，但久木在这一点上很有自信。

“只有我们两个……”

正因为两个人一起放纵情爱，两人因此更加情投意合了，双方都为自己在对方面前如此袒露无遗，如此亲密无间而感到无比的恬静怡然。

久木平躺着，凛子微微侧着身子，头枕在久木的肩头上。久木忽然问道：“我问个问题可以吗？”

“问什么？”

兴许是太过疲乏了，凛子的声音含混不清的。

“嗯，你和他之间……”

久木怎么也说不出“你丈夫”这个词来。

“还做这事吗？”

“说什么呐。”

凛子的声调突然严肃起来，“我不是说过早就没有了吗？”

“那，以前呢？”

凛子沉默着，不大想回答。久木也觉得问得有点过，可还是憋不住想知道。

“没这么舒服吧？”

“当然啦……”凛子淡淡地答道。

久木又在脑子里描绘起了凛子那位优秀的医生丈夫。实在难以置信，这样的男性却没能满足妻子。

“是真的吗？”

“他对这种事很淡漠的。”

“可是，他的确很优秀啊。”

“这是两码事。”

凛子的丈夫是医学部教授，这让久木无法释怀，但从目前的情形来看，这些优势与性似乎没有必然的联系。

在现实中，有地位、有经济实力的男人确实占有一定的优势。这些东西都是看得见摸得着的，人们自然会给予认可。

然而，还应该加上一条，即性方面的优势，这也是作为男人不容忽视的方面。只是这方面从表面上不易看出来，只能任凭人们去猜想。若是想要确认，最好去问问和这男人有交往的女性，当然，也未必能得到明明白白的回答。

结果，只能妄加猜测随各人想象力去发挥了。

刚才久木得到了凛子坦率的回答，尽管没有详细地描述究竟哪儿比他强，但久木那方面比她丈夫强是板上钉钉的事了。

"太好了……"

这一阵子，久木从凛子的态度上也能估摸出八九不离十，现在又得到她亲口证实，使久木悬着的心彻底放到肚子里了。

"起初，以为自己不行呢。"

"为什么？"

要问为什么，一句两句也说不清楚。说实话，刚一听说凛子丈夫的情况时，久木觉得自己凶多吉少。且不比社会地位，即便在经济实力上也不及人家，年纪又比自己小了不少。之所以能够明知山有虎偏向虎山行，乃是由于倾倒于凛子的超人魅力，抱着豁出去一搏的劲头儿，输了也在所不惜的决心使然。

现在回过头看，这种不顾一切的鲁莽居然神奇地奏了效。

久木论地位和经济实力虽然敌不过凛子的丈夫，却在性方面享有优势。地位和金钱方面占得上风却被偷走了妻子的丈夫，和金钱地位上处于劣势却夺走人妻的男人相比，究竟哪一方算胜出，还不好妄加评断，不过，久木作为后者已然十二分满足了。

归根结底，性这玩意儿真是神奇莫测，久木不禁慨叹不已。

男人和女人干的那事，所有人都大同小异。从身体构造，到牡侵入牝的身体，直至被包裹在花瓣之中，一泻而出的全过程差不多都是一个模式。

然而，在行事过程中，却因各人趣味不同，个体反应差异，而没有两对儿是一模一样的，正所谓千人千样。

大概动物越高级，性行为样式就越复杂多变。位于动物界尖端的人类，有着千姿百态、花样翻新的性嗜好，也是理所当然的了。

男女两人，从一见钟情到心心相印，从接吻到肉体结合，这一过程姑且不说，再接下去的恋爱过程直到分手，十个男人就有十种方式，十个女人也有十样喜好。

综上所述，可以说，性就是文化。

男人和女人，我们每个人从出生到长大成人，从所受教育到学识教养，从经验到感性认识，无不在性的场合赤裸裸地暴露出来。可是令人头疼的是，性的问题，从书本上和学校里是学不到的。当然通过阅读有关性的书籍，能大致了解男女的身体构造和机能，但是书本知识与现实之间还是有着一道鸿沟。

有关性的问题，还得在实际体验中各自去感受、去领悟。说穿了，对这个问题，无论毕业于什么名牌大学，无论智商多么高的人也有一窍不通的。相反，即使没上过什么学的人，也有特别精通的。

从这个角度说，没有比性更没有阶级差别，更民主的东西了。

就在他漫无边际地遐想时，凛子嘟哝道："你想什么呐？"

"没想什么，只觉得能遇见你，真是三生有幸啊……"

久木抱住凛子，在这无比温暖丰盈的肉体相伴下，沉沉地睡着了。

良 宵

十月最后一周的星期六，久木一上午都闷在家里看电视。也没什么特别想看的节目，不外是一周的社会动态追踪报道或高尔夫比赛，等等，不知不觉间已经下午三点了。

久木忽然想起什么似的，起身离开电视，到自己房间去，准备起外出的行装来。

以往都是妻子帮他准备，最近几乎都是久木自己动手了。他穿上花格西式夹克上衣，浅褐色的裤子，打好领带，便提着已装好包的高尔夫球袋回到客厅。妻子正在桌前摆弄电脑，眼看临近年底送礼季节了，这会儿她好像在估算成套陶器的价位。

"我走啦。"

听到久木的声音，妻子这才意识到似的，摘下老花镜，转过头来。

"今天晚上不回来，是吧？"

"嗯，先参加一个招待会，然后去箱根的仙石原饭店住一晚，明天在那儿打高尔夫球。"

说完，久木走到门口，妻子随后起来送他。

"我六点在银座也有个洽谈会，晚上回来晚。"

久木点了点头，背起球袋走出家门。

其实，他今天晚上是去和凛子幽会的。拿着高尔夫球袋出门，是为了给外宿一晚打掩护。

不过，久木刚才对妻子说的也并不都是假话。

今天傍晚出席在赤坂某饭店举行的颁奖酒会，以及晚上在仙石原的饭店住宿都确有其事，只不过，发奖仪式是凛子参加的书法协会举办的，而仙石原则是和凛子两个人去。

隐瞒了同行者，固然是为了瞒着妻子，但久木还是觉得不大合适。不过多年来形成的冷淡的夫妻关系，善意的隐瞒或许也是必要的。

从世田谷樱新町的久木家到赤坂的饭店，开车差不多需要一个小时。

久木一边开车一边想着刚刚分别的妻子。

坦率地说，妻子并没有特别值得挑剔的地方。年龄比久木小六岁，今年四十七岁，圆圆脸，显得比较年轻。刚出去工作时，她对久木说："年轻的男职员猜的年龄比我真实年龄小了五六岁还多。"看她那高兴劲儿，不像是瞎说的。

她长相普普通通，性格十分开朗，家务事以及养育独生女等都没得挑，而且与十年前去世的久木母亲也处得不错。综合分可以打到七八十分。不过，这种无可挑剔的安心感，有时也会因缺少刺激而成为一种缺憾。

其实，久木与妻子之间已有十年没有性生活了。当然，在那以前也不算频繁，渐渐地就自然消亡了。对他而言，妻子与其说是女人，不如说是生活的伴侣。

久木的同事中曾有人发表过一种奇谈怪论，说是"工作和性交不带回家"。久木和妻子的关系就跟这差不多。

这也许是男人们的信口托词，不过，面对二十多年来朝夕相处、彼此已了如指掌的妻子，要自己"兴奋起来"也是徒劳。这么长时间生活在一起，妻子更像是近亲。因此，也有人调侃"不准和近亲交配"。

总之，二十五年之久的婚姻，已不可能再产生什么浪漫或激情了，两人之间只剩下"安定"了。换句话说，男女之间，要么图安宁，要么求激情，二者都要简直就是一种奢望。

不能说完全出于这个原因，但现在久木寻求的是激情，并深陷其中，不能自拔，已是毫无疑问的了。

虽然是星期六傍晚，但道路格外拥挤。离家时久木还觉得出来得太早了，看现在这路况，五点以前能到就不错了。穿过车流堵塞的涩谷，沿青山路朝赤坂方向行驶，久木看了一眼副驾座上的高尔夫球袋苦笑了一下。

久木和凛子一起出去旅行过不止一次，每次他都是从公司直接去目的地，所以比较轻松。可今天是假日，不方便出门，想来想去就谎称是和朋友去住饭店打高尔夫球了。

昨天晚上跟妻子说了之后，她没有表现出怀疑的样子。今天，久木出门时她的表情也很正常。

这说明妻子还没有察觉，可久木又觉得妻子早已看穿了一切。

妻子原本不是个嫉妒心强、喜怒无常的人，什么都不往心里去，总是我行我素的。她真实的心态不得而知，至少在久木眼里是这样的。

妻子的好脾气纵容了久木，他不断地在外面结交女友。

妻子那麻木不仁的沉静态度里，似乎隐含着丈夫迟早会回到身边来，唠叨也是多余的想法。

但是，这次情况与以往不大一样，久木是全身心投入的，可妻子怎么还这么满不在乎呢？

可能因为这段时间她正热衷于陶器顾问的工作，顾不上久木吧。不过，也说不定有别的要好的男人了。久木想象不出哪个男人会去追求一个快五十岁的女人。可又一想，自己比妻子还大呢，看来也不是毫无可能的。

如果妻子移情别恋，的确是一件令人不快的事。然而现在的久木根本没有资格去责备她了。

到达饭店时已是四点五十分，离颁奖开始还有不到十分钟。

久木把车存在停车场，来到二楼会场，会场里已聚集了一些书法家和书法爱好者等相关人士。

久木从人群间穿过，在接待处签了到。这时，早已在此等候他的凛子走上前来。

凛子身着淡紫色和服，系一条白色绣花和服腰带，云鬓高高盘起，别着珍珠发簪。走近一看，和服胸前的图案是小朵菊花，越往下去底色越深，接近下摆时，变成了大朵绽放的菊花了。

久木情不自禁地看呆了，凛子惊讶地问他："你怎么啦？"

"哎呀，真是惊艳呐。"

凛子穿西服和穿和服时，给人的印象迥然不同。她穿西服时，显得聪明伶俐，惹人喜爱。穿和服时，则变成了秀外慧中、光彩照人的夫人。

"左等右等不见你的人影，真让人担心。"

"车堵得走不动。"

久木在凛子的引导下走进了会场，坐在中央偏后的地方。

"你就在这儿先待一会儿。"

"你坐哪儿啊？"

"我坐前边。颁奖会后在隔壁有个小范围招待会，你也参加一下。"

久木点点头，凛子转过身向前排的席位走去。她背后的腰带打的是鼓形结，鼓形结上有两个扇面图案。

在这次书法展览中，凛子获得了鼓励奖。其作品已在美术馆展出，一平方米左右的宣纸上，书写着"慎始敬终"四个字。

"慎始敬终。"久木读着。

"任何事情都要这样才对吧。"凛子曾经这样解释着。

话是不错，可是在久木看来，这几个字过于凝重古板了些；但他转念一想，这正是支撑凛子为人处世的支柱，就一个劲儿地点头，表示赞同。

先颁发大奖和优秀奖，然后才是鼓励奖，这回有三人入选鼓励奖。

"你一定得来参加啊。"

应凛子之邀而来的久木，不由担心她的丈夫也会来，按说她应该不会把两个男人同时请来的。

按预定时间，颁奖仪式五点准时开始。

书法家和相关人士共有近二百人出席，首先由主办单位——某报社和书法家代表讲话。久木这才知道，这个书法协会具有全国规模，传统悠久，已举办过近三十届书法展览了。

主办者讲话后开始授奖。从大奖开始，获奖者依次上台领取奖状和奖品。获奖者从书法家派头十足、身着盛装和服的老者，到妙龄女性，一位接一位地登台，每一位都得到了与会者的热烈掌声。

轮到获鼓励奖的凛子领奖了。和她同时获奖的还有两位，一位是五十岁左右的男士，另一位是更为年长的女性。正值盛年的凛子夹在两人中间，越发显得光彩照人。

被念到名字的人上前一步领奖，凛子是第二个。

霎时间，会场里掌声四起，似乎比对其他人都要热烈。

凛子恭恭敬敬地鞠了一躬，接过奖品。久木不由地充满了自豪感。

与会者仿佛都把目光集中到了凛子身上。凛子因紧张而脸色略显苍白，恰与浅紫色和服相互映衬，既大方，又不失姣妍和妩媚。

不知女宾们作何感想，男性们注视着台上的凛子，一定是从外表美一直想象到脱去衣服后的裸体美。

然而他们没有一个人见过凛子的真实形象。她有着怎样丰满的胸部，身体里隐藏着怎样美妙的花蕊，只有他们两人时，她是怎样的风情万种，这一切只有他久木才知道。

这种优越感也许就是拥有美丽的女演员或艺伎那样的妻子、情人的男人们所独享的快感了。

就在久木品味这感觉时，凛子在一阵热烈的掌声中走下了领奖台。评委作了讲评之后，颁奖结束了。

接下来，在隔壁大厅里有个庆祝酒会，大家站起来向那边移动着。

久木正犹豫着要不要去参加时，凛子走过来对他说："去一会儿没关系吧？"

"要很长时间吧？"

"待上三四十分钟就可以溜走了。"

"好吧，我先去一会儿。然后在一楼的咖啡厅等你。"

凛子点点头，又回到书法家朋友那边去了。

酒会的会场里，来宾比颁奖仪式来的人还要多，将近有三百人。还是先由主办方讲话，然后由一位德高望重的老先生致祝酒词后，酒会正式开始。

久木在离入口处不远的桌旁喝着啤酒，一边环视着会场。凛子正站在靠近主桌的地方，和一位上年纪的男人交谈着。

书法名人除外，一般的书法家以女性居多。在这众多女性之中，凛子的姿色非常引人注目。虽然不那么雍容华贵，但是典雅的气质中，透出成熟女性的动人魅力。

出席者们似乎也有同感，凛子的身旁聚集了很多男人，都笑容可掬地跟凛子说话。

久木不了解书法圈的事，现在才知道，原来凛子是这个圈子里的后起之秀。他正望着凛子出神，背后有人拍了一下他的肩头。

"你到底还是来了。"

久木回头一看，原来是衣川。

"你呀，是凛子叫我来的。"

"我本来不打算来，今天完事早，就来看看。"衣川说着，朝里边瞧了瞧，"看见她那么受欢迎，心里美滋滋的吧？"

这种时候遇到衣川，和凛子一块儿走不大方便了。不过一个人正无聊，有个人说说话也蛮不错。

"没想到书法协会里有这么多女性啊。"

"从事绘画的也不少，但不如书法的多。要说这也算是个问题……"

"热热闹闹的多好啊。"

"热闹是热闹，不过你也看见了，名书法家大多是男性，他们周围有这么多不同年龄、各种各样的女性围绕着，会发生什么呢？肯定会对年轻貌美的女性另眼相看啰。"说到这儿，衣川慌忙摆摆手，"这当然不包括她了。不过，弟子当中有位年轻女性，师父的态度会不自觉地亲切和蔼起来。这与其说是偏向，莫如说是男人的本能吧。"

还有这事？久木听着点了点头，衣川压低了声音说："有的先生在弟子当中选定一个样板，让其模仿自己写的字，因而入选的。"

"那么，是不是分各种流派或集团呢？"

"那是那是。流派掌门人的名气越大，弟子就越得势，否则就比较吃亏了。"

"这么说和舞蹈界、插花界相类似了？"

"基本上都差不多吧。"

衣川以前在报社干过，所以对书法界好像也相当了解。

"那些展出的书法，什么人买呢？"

"除有名望的先生或在传媒界挂了名的极少数先生的作品外，几乎都是被弟子买走的。"

"弟子买去做什么呢？"

"以此来表示对先生的忠诚啊。"

一想到凛子生活在这样的世界中，久木忽然同情起她来，同时，也很钦佩她。

会场最尽头的凛子好像注意到了久木在和衣川聊天。

衣川好像也发现了，就朝凛子招了招手，见凛子走过来，就笑着说："今天你可真出众啊，一进会场就看见你了。"

衣川平日总叹息自己太腼腆，不会对女人说好听的，现在可是一反常态了。

"刚才他给我讲了些书法界的内幕。"

久木转了话题。凛子有点紧张地问："什么内幕呀？"

"跟你没什么关系的。"

衣川摇着脑袋说。就在这时，一位记者模样的中年男子递给凛子一张名片，后面跟着的摄影师走过来，咔嚓咔嚓地给凛子拍起照来。

尽管不是优秀奖，却受到明星级的礼遇，想必是因为凛子的美貌吧。

久木退后一步观看着，衣川问他："待会儿你们有什么安排？"

久木支吾着："这个嘛……"衣川立刻明白了。

"行了，别为难了。今天晚上两人也该干杯庆祝一下噢。" 衣川善解人意地说道。

"她家里今天没来人吗？"

久木也正担心这个，又环顾了一遍会场。

"不过，你也真够大胆的，要是她丈夫来了可怎么办呢？"

听衣川这么一说，久木本想回一句"是凛子要我来的"，可是话到嘴边，又咽了回去。

"要说大胆的，应该是她呀。"衣川故意打趣地说，"你们不至于为了美女来一场决斗吧？"

衣川一个人想入非非地自得其乐，见久木没有反应，觉得无趣，又待了十来分钟就离开了会场。

又剩下久木自己了，招待会酒宴方酣。

凛子又回到主桌附近去，和与会者谈笑风生，或者和书法家朋友们一起拍照。

久木的目光追逐着凛子的身影，同时想起了衣川刚说的"大胆"这个词来。

听他的口气像是在讥讽久木，不是人家的丈夫，还来出席招待会。不过，本来凛子就没说她丈夫要来，再说，即使来了，他也不认识久木，不会有麻烦的。

久木一边自我宽心，一边喝着啤酒，看了下手表，已过了三十多分钟了。于是，他离开会场，来到一楼的大厅，穿过大厅往左手去就到了咖啡厅。他坐在里面靠墙的位子上，要了杯咖啡。

正是周末，到处是来出席婚礼的男男女女。

咖啡很快就端来了，久木又瞧了眼手表，已经六点半了。

照这趋势来看，到箱根时得九点了。

久木闲得没事干，一边喝咖啡，一边翻看起了笔记本。点燃第二根香烟时，凛子在大厅里出现了。

和一位上年纪的女性告别后，凛子拎着个大纸口袋向这边走来。

"对不起，让你久等了，咱们走吧。"

凛子大概是担心被人看见，想尽快离开这儿。

两人穿过大厅来到地下停车场，坐进车里，凛子才算放下心来，又恢复了平日温和的神情，说道："今晚把你弄得晕头转向的，真抱歉。"

"哪里，多亏了你我今天开了眼界，非常愉快。"

久木一边发动汽车，一边问："直接去箱根，行吗？"

"按说还有第二轮酒会呢，不过我事先说好不参加的。"

"衣服用不用换换？"

凛子还穿着出席招待会的和服。

"我带了要换的衣服了，到那边再换吧。"

车子开出停车场，立刻被笼罩在赤坂五光十色的霓虹灯之中了。

"今天你太美了。我现在才知道你有那么多崇拜者。"

"哪有什么崇拜者呀。"

凛子羞赧地把头掉向车窗，拿出了粉盒补妆。

"有不少人向你献殷勤吧？"

"我总是和大伙儿一起出去。"

"不过，先生和大人物好像净是男性吧。"

"虽说是先生，可都是老年人，而且也没有像你这么脸皮厚的。"

"男人可不好说噢。"

"人家全是绅士，放心吧。"

车子朝霞关枢纽驶去，从那儿上首都高速公路。久木望着前方明灭的灯光说道："衣川说你胆子很大。"

"为什么这么说？"

"他的意思是，万一你丈夫来了怎么办呐。"

"他不会来的。"

"有事出去了？"

"不是，他说了不来就不会来的。"

凛子的语气很果断，丝毫没有犹豫。

车子从霞关坡道上了首都高速公路，经涩谷去用贺方向，然后转入东名高速，直奔御殿场。

久木踩下油门开始加速，然后又问道："他知道今天的颁奖仪式吗？"

久木还是省掉了"你丈夫"这个词。

"知道他也不会关心的。" 凛子凝视着灯光闪烁的前方答道。

"难道也没说想来看看？"

"没有，什么表示都没有……"

"你今天晚上不回家的理由呢？"

"我说和协会的人一起出去。"

"可是他对你外宿不归就一点也不怀疑吗？"

"可能会怀疑的。"

这回答使久木有些意外，他紧握着方向盘问她："就是说他无所谓？"

"也不是无所谓，他不爱刨根问底的。"

久木越加不明白这对儿夫妻是怎么回事了。

"看来是有所怀疑的了？"

"他这人自尊心很强，不愿意知道不利于他的事。若是了解之后确有其事，多没面子呀。"

"不过，如果对你不放心的话……"

"有各种各样的男人。有的人什么都想知道，也有像他这样的，害怕知道了有伤自己的尊严。"

"可是，老是这样下去……"

"是啊，他难受，我也难受。"

凛子出神地看着前方。

星期六的夜晚，南去的高速路意外地通畅。

车子过了用贺收费口，进入了东名高速路，有三条车道。久木又加大了油门。灯光璀璨的大城市迅速远去，静悄悄的住宅区和黑黝黝的森林不断闪过。

对于凛子夫妇，久木再怎么想也没有用。本来就是夺人之妻的罪魁祸首，倒为人家丈夫担心，太不合情理了。

于是，久木把话题转到了书法上。

"一坐到桌前，拿起毛笔，心情就平静下来了吗？"

"即使不太平静时，研着研着墨，烦恼自然而然就被吸走了似的。拿起毛笔时，心境已经十分安宁了。"

久木还从未见过凛子写毛笔字的样子，但想象得出凛子研墨和铺开纸书写时的姿态，一定是非常端庄而优美的。

"字能反映出人的品格吧？"

"当然，字如其人嘛。"

的确，字写得帅气的人，性格也是很潇洒的。

"常有人说我的字显得妩媚。"

"这次的作品怎么样？"

"很遗憾，不怎么妩媚吧？我是尽量控制自己不写出那种感觉来的。"

"这也能控制？"

"写四个字以内还问题不大，我也说不好。"

这次凛子写的是"慎始敬终"四个大字。

"不知你妩媚的字什么样，不过，这几个字写得很有生气，很优美。"

"你这么说我真高兴。"

"不过我还是希望你写的是'慎始乱终'。"

"那是什么意思啊？"

"开始谨慎，最终迷乱。"

"别胡说。"

凛子瞪了他一眼，每到夜里，凛子就会由谨慎矜持变为疯狂迷乱。为了目睹这令人难以置信的变化，久木驱车飞奔在夜晚的东名高速公路上。

到达仙石原饭店时是八点半。离开东京时，以为九点才能到，没想到一路顺畅，提前到达了。

在服务台开了房间后，两人被引到了三层尽头的客房。

久木以前来这个饭店打过高尔夫球，知道白天从凉台可以眺望仙石原平原以及高尔夫球场。

凛子本想马上换衣服，一看时间不早了，就决定先去吃饭。

餐厅在一层，窗外已是漆黑一片。隔着落地玻璃窗，能够看见下面的游泳池，水下灯将池水照得湛蓝透明。

"真像仙境一样啊！"

从受奖典礼到酒会凛子一直紧绷着的神经，好容易才松弛了下来。

他们心情放松地又干了杯啤酒。酒会上已多少吃了点东西，所以只要了份清淡的菜肴。

"不知为什么，一到了这儿，就安心多了。"

正如凛子所言，一进入箱根山，久木就产生一种与世隔绝的安心感，这恐怕是因偷情而内疚的关系吧。

湖产的虹鳟鱼加奶酪的冷盘端了上来。两人再次举杯喝起了红酒，这时，久木又想起了刚才关于书法的话题。

"你作品上的署名'翠玉'，也叫作雅号吧，是你自己起的？"

"有的人是自己起的，我是先生给起的。"

"松原翠玉，这个名字不错。真希望你用这个雅号再写一幅妍丽的字呢。"

"那么，下次就写一首名人作的恋歌吧。"

"你听这首怎么样：'肌若凝脂颜如玉，满腔热血盼君顾。视而不见忙国事，君心不曾饮孤独？'"

久木朗诵了一首与谢野晶子[1]的和歌，凛子不禁苦笑了一下。久木接着又朗诵起了中城富美子[2]的和歌。这位战后不久和寺山修司[3]一起走红的女歌人，年仅三十二岁就英年早逝了。

"桀骜不驯若枭鸟，柔似蝌蚪惹人怜。美如鲜花夺人眼，爱栖女人一身兼。"久木朗诵完，问凛子："这首歌把女人的娇媚表达得淋漓尽致吧？"

"是啊，的确是好诗。"凛子随声附和着。

因晚餐吃得晚，吃完已过十点了。

凛子紧张了一天，显得有些疲惫。

从餐厅回到房间，关上门后，才真的成了两人世界。久木很自然地拥抱了凛子，凛子也早已期待这一刻，顺势靠在他的胸前，和他接吻。

1　与谢野晶子：(1878~1942) 日本女诗人。原名凤晶子。1901 年发表的第一部歌集《乱发》震惊了当时的日本文坛，是日本文学思潮史上一部划时代的作品，与谢野晶子由此成为浪漫主义的明星派代表诗人。1904 年日俄战争期间发表著名反战诗《你不要死去》，再次引起震动。在短歌、诗、小说、戏曲、评论等方面都有成就，在日本古代文学的研究上贡献甚大，是将日本王朝文学代表作《源氏物语》译成现代日语的第一人。

2　中城富美子：(1922~1954) 和歌诗人。本名野江富美子。出生于北海道。因患乳癌 1954 年住院治疗。入院期间创作《丧失乳房》，入选《短歌研究》第一届大奖赛。以其奔放的对生命的讴歌和客观冷静的自我审视引起巨大反响。入选 4 个月后便与世长辞，年仅 32 岁。

3　寺山修司：(1935~1983) 诗人、评论家、电影导演，前卫戏剧的代表人物。寺山修司热爱戏曲之余，将主要的激情投在电影上。20 世纪 70 年代初期，日本的小剧场活动达到高峰，寺山修司的楼座演剧实验室是其中之一。1983 年因肝病去世，年仅 48岁。戏剧代表作有《草迷宫》《狂人教育》等。

夜色笼罩的饭店里，悄无声息，静得能听得见凛子衣服发出的窸窣声。长长的亲吻之后，凛子拢了拢头发，走到窗边。

这里也是落地玻璃窗，外面的凉台上放着一张白色的桌子和两把椅子。

"出去瞧瞧可以吗？"

凛子想吹吹夜风，打开凉台门走到外面，久木跟在她后边。

"挺冷的。"

入夜时刮起的风，掠过了秋天的高原。

"你看，月亮好大啊……"

久木抬头一看，月亮高悬中天，亮如银盘。

从屋里看时，凉台前面黑黝黝的，现在借着月光可以依稀看到宽阔的草地和高尔夫球场，远处耸立着屏障般的外轮山。清新的空气，使人觉得连月亮都比城市里看见的更大更亮。

"这月亮真大，我都不敢看了。"凛子望着月亮小声说。

"五脏六腑都被它射透了似的……"

"今晚就来个月光浴怎么样？"

"你就不能想点别的。"

凛子缩起脖子说了声"好冷啊"，此时的久木已被突然涌起的淫亵念头占据了。

两人从凉台回到了屋里，里面的暖和气与外面袭人的寒气形成了鲜明的对比。

一边赏着月，久木忽然涌起了情欲。凛子打算先脱掉和服，再去淋浴。

久木换了浴衣，躺在床上等凛子。凛子关上了过道的灯。

屋里一下子黑了下来。只有月光照射在窗户上，微微泛白。

久木凝望着这宁静中的朦胧夜色。凛子好像开始脱和服了。

凛子站在床的左侧，紧挨着洗澡间的地方，弓着身子在脱衣服。久木只能听到丝绸摩擦发出的声音，腰带解下来，抽去了几条系带后，和服便长长地拖到了地上。

起初觉得暗淡的月光，渐渐习惯之后，能模模糊糊看见东西了。久木看见凛子背对着他，身上披着和服，朦胧中看起来很像过去贵妇人出门时披的蒙头披肩。

按顺序是先脱和服，再脱长衬衣，最后是贴身衬衣，这么一件件往下脱的。凛子在已有肌肤之亲的男人面前，仍旧背着他，披着和服脱衬衣。

久木之所以被凛子吸引，正是因为她具有这样的矜持和品味。

脱完后，凛子披着和服进了洗澡间，这时她完全一丝不挂了。

久木闻着这些衣物的香气，在皎洁的月光下沉思起来。

端庄而文静的女人变得迷乱使人心醉，若原本就迷乱的女人，再怎么迷乱也毫无情趣。

从洗澡间传来细碎的水流声。

久木关掉了所有的灯，以备凛子洗澡出来之需。表面上是为凛子着想，其实，自有久木的小算盘。房间里温暖如春，从两扇没有拉上窗帘的窗户那儿照进了一抹轻柔的月光。

设置好这般场景后，只等美丽的猎物上场了。

不知什么原因，凛子从洗澡间出来后，站在门边半天不动。久木奇怪地坐了起来，凛子这才问他："干吗不拉上窗帘？"

这根本用不着解释，久木不吭声。凛子走到窗前，就在她拉上窗帘的一瞬间，凛子绰约的风姿便袒露在淡淡的月光下了。

她那刚刚出浴的裸体上裹了一件白色的浴衣，腰带长长垂了下来，头发束在脑后，仰起脸眺望窗外的身姿，形成了一个朦胧的剪影。

久木看得入了神，翻身下床，来到窗边抓住了凛子的手。

"我刚才不是说要月光浴吗？"

"不要，不要。"

久木也不理会，把凛子拽到了床上。

凛子虽然顾虑窗外的月光，一旦被搂抱着躺到了床上，也只有顺从地就范了。

"月光下的解剖现在开始。"

"别玩儿花样啊，我可害怕。"

"你只要老老实实的，保管你没事。一动不动地把一切都交给月亮好了。"

久木发布完命令后，先拽开她浴衣的带子，然后，双手轻轻地解开前襟，丰满的胸部隐约显露了出来。

不知是久木的命令起了作用，还是清澈如洗的月色卸掉了凛子的抵抗力，她头一次这么温顺地躺在床上。

过于顺从倒让久木有些不习惯了，接下去他把浴衣全部掀开了，霎时间，女人完全裸露在月光之下了。

凛子微微扭动着下半身，但已无一丝可遮拦之物，一切都是徒劳。

久木像个盗贼似的，神情专注地从放弃了抵抗的女人身上剥下了浴衣。已毫无还手之力的女人，任凭盗贼在月光下为所欲为。

但凛子像要躲避从窗外射进来的月光似的，还是紧闭着眼睛，从上身到下身都是平躺着的，只将两手放在下身遮掩一下。

凛子的皮肤本来就很白，月光下更显得白皙，只留下一处阴翳。宛如一具白蜡雕塑。

"太美了……"

无论多么残忍的刽子手，看到绝色美人都会心旌摇曳，更何况久木这样速成的刽子手，不可能抗拒这美的诱惑。

久木本想立刻就对这一丝不挂的肉体进行一番猛烈的袭击，却不由自主地陶醉于这美的享受之中，于是改变主意，再继续欣赏一会儿。

年轻时他只知道不顾一切地去占有，随着年龄的增长，变得更喜欢用目光来欣赏了。这可以叫作"目淫"吧。他把自己当作月光，目光犀利地在这白皙的肉体上来回扫瞄着。

虽然没有触到身体，但凛子感知到了男人的目光正舔遍自己的全身。她忍受不下去了，正要蜷缩起身子，侧身背朝月光时，被久木双手拦住，并在她耳边轻声道："是月光要惩治你。"

苍白的女人肉体正是奉献给月亮的贡品。

不过，如果让清澈的月光侵犯女人的身体，就需要相应的品味。不能像野兽似的一味粗鲁地占有，而要伸出温柔之手从满面羞涩与迷茫的女人身体中诱出淫乱的感觉，这种刑罚更行之有效。

男人首先从胸部到腰间耐心而轻柔地来回爱抚，然后仿佛偶然触到她的手似的，若无其事地将她遮挡在下体的双手挪开。

在这瞬间，女人意图反抗，却遭遇了更强有力的阻挠，无可奈何地缩回了双手。

于是，一无遮拦的女人身体便完全暴露在了月光下，两腿间的黑色密林越发显得突出。

不可思议的是，从男人看到白皙皮肤上那处黑色阴影的瞬间开始，女人的身体便彻底抛弃了之前的纯净，显现出淫荡。

至此，男人已无法忍受只用眼睛欣赏了，终于伸出一只手去捕捉女人丰硕的胸部，另一只手去拨开繁茂之所，伸向潜藏在里面的花蕾。

在反复不断的爱抚下，凛子的花蕾很快就苏醒过来，与此同时，柔软的花园里也充满了爱液。

如果现在进入的话，则毫无新意可言了，今天晚上他想玩儿点新花样。

男人确认花园里已经充分湿润后，便抓起女人的右手，将其慢慢引导到那里。

女人惊慌失措地，像碰到可怕的东西似的往回缩手，但是男人毫不松手，仍旧继续迫使她的手指触摸自己的花蕾，并命令她轻轻滑动。

反复数次后，凛子无法忍受了，小声抗议道："我不要，不要啦……"

但久木已经打定主意，无论她说什么，今天也要让她看看潜藏在自己体内的淫荡本色。

"不准停……"

"不要……"

待她再一次停止动作的时候，久木取而代之，用自己的指尖去对付那可爱而敏感之点。

男人的手指以一定的频率，轻轻左右移动着，女人的花蕾即刻湿润、膨胀起来，临近崩溃的边缘。

凛子喘息着扭动着，最后歪过头去，比以往任何时候都更快速地达到了高潮。

只凭手指的动作凛子就能达到高潮，是进入今年才开始的。

等凛子全身的颤动平息以后，久木试探着问："我不要，不要啦……"

"不好，真没想到。"

久木想问的是她快速达到高潮的感觉，而凛子说的是自己爱抚自己的感觉。

"那以后你就经常自己……"

"我才不干呢……"凛子摇了摇头，撒娇似的说，"还是你的指头好。"

久木又抱过凛子，拿起她的右手。

"川端康成不是写过一部叫《雪国》的小说吗？内容是一个住在东京的姓岛村的男人到雪乡越后汤泽去会一个叫驹子的艺伎。"

"就是那句'穿过隧道就是雪国'吧。"

凛子还记得小说中的开头部分。

"在那部小说中不是有这样的场面吗？那个男人时隔很久再次见到驹子时说'这个手指还记得你'，驹子害羞地轻轻咬住男人的手指。"

"这个场面，在电影里看过。"

"那么他说的手指到底是哪根呢？"

久木一边说一边把凛子的右手举起来，对着月光看。

凛子纤细柔软的手指白净细腻，根本看不出刚刚触摸过那个地方。

"小说里说的是食指，在电影里扮演驹子的女演员也是咬他的食指。"

"那样不对吗？"

"要是摸那儿的话，还是应该用这个指头。"

久木握住凛子的中指，然后将它轻轻地放进凛子的花丛里。

"还是这个指头温柔、灵活。"

"那就是川端先生弄错了？"

"不太清楚，反正这个指头好用……"

久木握着她的中指继续在她自己的花蕾上轻轻滑动，凛子忍不住哼出声来。

"不行了，我快不行了。"

久木不理会，将自己的中指也加了上去，一边移动一边产生了奇怪的联想。

《雪国》这部小说写作于昭和十年（1935年）前后。从那时到现在，不，应该说从更早的时候，远在万叶时代[1]，男人和女人就在不断做着相同的事情。

所有的男人和女人都是以与生俱来的姿态，肌肤紧密接触，感受着对方的体温，相互寻求着秘处的交合。

此刻，久木是用中指抚触着凛子的小花蕾，也许有的男人用的是食指或无名指。使用的手指虽然有所不同，但所有的男人都在拼命取悦于女人，而女人也在作出回应，这一点却是毋庸置疑的。

上千年以来，人类都在重复着同样的行为，为同样的目的而打拼。久木觉得，我们现在做着的事，和几千年前的祖先是一脉相承的，我们身上流淌着和他们一样的血液。

"这种事不用学……"久木一边抚摸着凛子再次湿润起来的花园一边

---

1 万叶时代：指日本最古老的和歌集《万叶集》里收集的和歌自创作到成书的年代。一般分为四期，即从舒明元年（629年）到天平字三年（759年）。

说，"自然而然就会了。"

"可是每个人都不一样啊。"

诚然，没有比性更普遍的了，也没有比性更富于私密性的东西了。

无论是几千年前的古人还是现代人，尽管在重复同一件事，但仔细一分析，却有着千差万别，从感受方式到满足程度都大相径庭。

恐怕只有性的世界是无所谓进步与退步的。或许科学文明的进步使现代人更有技巧，古代人较为笨拙，但都是从各自的体验和感觉中慢慢摸索，并为之喜、为之忧的。

唯独这一领域，科学也好，文明也好，都难以介入，男人女人以其本来面目相互接触而得到，是仅此一代的智慧和文化。

"你说对不对？"

久木在心里问着，与此同时，把自己送入凛子那温暖湿润的身体中去了。

长时间的爱抚加上有力的拥抱，使凛子立刻燃烧了起来。

刚才还在月色下端着架子的女人，顿时化作一股冲天的火柱，她眉头锁成一线，在似哭非哭的表情中达到了高潮。

久木喜欢凛子此时的表情，又像饮泣，又像生气，又像撒娇。在这无从捕捉的万端变化里，蕴藏着女人无限的情欲和娇媚。

和以往一样，事过之后是出奇的静寂。凛子将余韵未消的身体倚靠着久木嗫嚅道："觉得又和上次不一样了。"

看着凛子羞怯地埋着头的样子，久木明白她说的是刚才最后那一瞬间的感觉。

"每次都感觉不一样。"

"感觉越来越强烈了？"

凛子点了点头，自言自语地说："我是不是有点不正常啊……"

"没有啊。"

女人性感强，并没有什么可羞耻的。这正是一个成年女性成熟、有风韵的象征。

久木突然来了兴致，一边去摸刚刚平静下来的花蕊与花蕾，一边问："这里和这里，感觉不一样？"

"感觉不一样。那里感觉深入而有力……"凛子轻轻闭上眼睛，描述着花蕊的感觉，"好像要被贯穿头顶……"

即使听她这样描述，男人还是无法想象女人的感受。

久木的手指又移动到了花蕾上。

"那里的感觉要浅一些，敏锐一些……"

这么说，这里和男人的那个地方感觉相近吧？

"不过，要像刚才那样一直刺激的话，就像被电击了似的，让人受不了，太残酷了。"

久木听着，渐渐嫉妒起来。

如此异彩纷呈、快感强烈的女人身体究竟是怎样的构造呢？

在此之前，久木一直想方设法使凛子有所感觉，得到快感，没料想，却在女人身体里培育出了可怕的怪物。

与女人的肉体相比，男人的身体显得过于平坦单调了，女人有花蕾和花蕊，还有乳房等多处性感地带，而男人只有胯下一处。

而且感觉方式也不同。男人如同涨潮般勃起，发泄出去后便平静下来，没有余韵可言。反之，女人的感觉，正如凛子所说："有的部位浅而敏锐，如触电一样，也有的地方感觉深邃而强烈，直冲头顶。"真是丰富多彩。

比较起来，男女之间的悬殊太大了。男人如果是一的话，女人便是一的两倍、三倍甚至十倍。

"女人就是贪得无厌呀。"

久木半是戏谑半是羡慕地说，凛子听了轻轻摇了摇头。

"最开始可不是这样的。"

的确，刚认识凛子的时候，她十分拘谨，感觉迟钝。

经过几次交媾后，凛子渐渐变得积极起来了，而原来久木一直作为指导者，有着君临她之上的优越感。

现在突然发现，曾几何时凛子已找到了感觉，满足她的要求倒成了久木应尽的义务了。不但不是操纵女人的指导者，反而成了为女人竭力服务的侍者了。

"没想到你的进步这么快。"

"这还不是你的功劳吗？"

被女人这样夸赞，是男人最为得意的事了。不过，凛子能够如此盛开，其自身条件的优秀是不容忽视的。换言之，无论怎样的育花名手，没有优良品种，也不可能培育出美丽的花朵。

"归根到底还是你有能力。"

"这也是能力吗？"

"说不太清楚，反正，这里相当棒。"

久木说着把手轻轻按在凛子余热未消的敏感部位上。

听到这个部位受夸奖，凛子惶惑不解。

近来，快感越来越强，凛子自己也模模糊糊地觉察到了，可是被男人明目张胆地这么说出来，还真不知所措了。

久木自顾自地往下说："妙极了，简直是日本第一。"

"别拿我开心了。"

"谁拿你开心了。事实归事实啊。"

"我不懂你的意思。"

久木没办法，只好寻找合适的措词向她解释："就是一种温暖的、被紧紧吸住的感觉……"

"女人不都是一样的吗？"

"那可不一样，每个人都不同。"

凛子还是不明白。

"女人自己当然不大知道，反正像你这样优秀的，到特别差劲儿的，什么样的都有……"

"不过这跟男人也有关系吧？"

"那倒是。不过有时候吧，好不容易对方接纳了自己，兴奋地进去之后，觉得不舒服，就早早撤退了。"

凛子忍住笑说道："男人也太任性了。"

"有那么点吧……"

"就是嘛，还不是喜欢这个女人，才追求的吗？"

"可是，不发生关系的话，还很难说。"

"我第一次听到这种论调。"

"男人们都明白的，只是对女性说不出口。"

见凛子沉思着，久木干脆把话题转到了平安朝时代。

"《源氏物语》里有位叫六条御息所的女性，她那个地方可能就不大理想。"

"真的？"

到调查室以后，久木看书的机会增多了。

为以后编纂昭和史做准备，他主要看的是现代史，偶尔也重新翻翻以前看过的书，其中就有《源氏物语》。在研究昭和史上的恋爱事件时，想起了光源氏，于是重读了一遍，不料发掘出了一些新意。

久木自我解嘲地想，这还得多谢被降职了。年轻时没留意的东西，现在有了新的发现。六条御息所就是其中的一位令人感兴趣的女性。

"她不仅身份高贵，而且美丽端庄，品味优雅。从表面上看是一位毫无瑕疵的理想女人，谁知，重要的那个地方，似乎不怎么样。"

"你说得明白点好不好。"

"这有几种情况，比如松弛、太滑溜、不够温暖，等等。"

"真的假的呀？"

"非常遗憾，极少数人是这样……"

"治得好吗？"

凛子渐渐变得认真起来。

"如果特别爱她的男人拼命努力，她自己也积极配合的话，不是完全没有可能。但男人很难做到总是这样，而且这种事也是有局限的。"

"他不是喜欢这个女子吗？"

"即使喜欢，差劲儿的话，欲求就得不到满足，当别的女性出现时，感情就可能转移。"

"说到底，还是男人太任性。"

"那我问问你，女人也不愿意和性能力差的男人发生关系吧？"

"当然不愿意啦。"

"这不是一回事吗？男人也不愿意和差劲儿的或迟钝的女人做爱呀。"

淡淡的月光洒在床上，男女两人并排躺着，探讨着性的奥妙。

《源氏物语》里有"雨夜品评"，现在算是"月夜品评"吧。不，两人都赤裸着身子，还是"裸体品评"最恰如其分了。

久木将一只手置于凛子的秘处，说："六条御息所的悲剧，除了她太清高、嫉妒心强等原因外，最大的问题还是在这里。"

"连这都写在书上了？"

"紫式部是女性，所以没有写明或者不好写明吧。不过，从前后内容来分析，有这个意思的。"

凛子饶有兴致地望着久木，听他讲下去。

"源氏看上了这个女人，追求她，终于如愿以偿，同床共枕了。可是，好不容易结合了之后，没多久又疏远起她来，后来再也不主动去找她了。"

"那是因为源氏太狠心了。"

"不错，女人都会这么想的。事实上，女性评论家们几乎一致谴责源氏的薄情寡义。"

久木轻抚着凛子的后背。

"六条御息所也憎恨源氏的薄情，以至于化作冤鬼附体在源氏钟爱的正妻葵上及夕颜身上，使两人命丧黄泉。"

"真是个刻毒的女人呐。"

"表面上稳重、娴静，实际上却是个钻牛角尖的人，一旦嫉恨起来就非常可怕。"

"是源氏先冷落她的呀！"

"那倒是，可也够难为源氏的。男人实在不愿意和那方面不行的女人交往，而对方还逼着他回答为什么不喜欢她。"

"女人哪知道男人怎么想的。"

六条御息所失去了源氏的爱，原来因为她的秘密之处缺乏魅力，凛子很在意这个问题。

"如果被男人说自己不怎么样的话，女人肯定会受不了这个刺激的。"

"男人是死也不会说出来的。源氏虽然不满意六条御息所，却什么也没有说过，还时常寄一些优美的和歌和信笺给她，她去伊势时，源氏还到野宫去探望了她。"

"不是不喜欢她了吗？"

"可是她那么爱慕自己，不能过于冷淡了。即使有什么不满，表面上也要尊重女性，恭恭敬敬的，这大概就是平安贵族的温文尔雅吧。"

"这么说来，源氏被女性褒贬，挺可怜的了？"

"他尽力温和地对待她们，但并不为人所理解。"

"那是自然啦，正是他那假惺惺的和蔼可亲，女人才意识不到这个问题的。不喜欢人家的话，就不该采取让人家误会的态度呀。"

"但是，如果源氏接触一两次后便完全置之不理的话，会怎样呢？那更得被女人责骂为冷酷无情的男人吧。"

凛子寻思了一会儿，说："你说有的女人那儿不行，有没有不问男人也能知道的方法？"

"要是像源氏那样接触一两次后，不再继续的就有问题了。"

"这样就能说明不行了吗？"

"不是说绝对不行，可以理解为在性的方面不合拍。"

在皎洁、清澄的月光下谈论这类话题似乎并不协调，谈点高雅些的事更恰当。然而深究起来，对于人而言，没有比性的问题更重要、更根本的事了。

"以前的男女之间几乎从不谈及这种事，完全没有这样的沟通。"

凛子对久木的话表示同意，欠起身问他："还有一个问题想请教一下，有许多恋人或夫妻开始阶段非常亲热，中途好像才明白过来似的，变得冷漠了，这种情况也说明那儿有问题吗？"

"不见得，只是厌倦了对方，不说明别的什么。"

"那么，这种情况和六条御息所的情况怎么区分好呢？"

凛子的提问越来越尖锐了。

"刚才说了，源氏和六条御息所只接触了一两次，尔后源氏再也没有主动提出过要求。而一般的恋人或夫妇的情况则是多次发生关系，厌倦之后，男方变得不积极了，性质完全不一样。"

"就是说，连续几次以上就算合格啰？"

"差不多吧，否则，一般家庭主妇就都不合格了。"

凛子总算明白了，于是又问了个新的问题："为什么男人会厌倦呢？"

"这是另一个问题了。"

"常听男人说，在家里对妻子不大上心，不想搞新花样或没什么热情，这是怎么回事呢？"

凛子的尖锐提问使久木有些警觉起来。

"不好说，妻子老在身边，太频繁了，男人怕自己吃不消，才半开玩笑这么说的吧。"

和凛子如此深入地探讨性的问题还是头一次。这么袒露男人的隐私，使女人对自己了如指掌，久木有点不好意思，不过亲密无间的恋人应该是无话不谈的。

久木暗自思忖着，凛子又换了个问题。

"据说欧洲王室有位皇太子，结婚前就和一位年纪比他大的夫人关系密切，真有其事？"

从《源氏物语》突然谈到了外国的王室，久木一时不知如何回答。

"而且，皇太子结婚之后还一直和夫人保持关系，皇太子妃成了三人家庭中的一员了，这怎么解释呢？"

"你觉得奇怪吗？"

"这么说对那位夫人或许有些不敬，无论从年龄上还是外貌上，皇太子妃都占有绝对的优势，皇太子为什么还不和夫人分手呢？"

"这是个很难回答的问题，这背后恐怕还是存在着一个性的问题。"

"那么出众的皇太子妃也不行吗？"

"不是不行，皇太子和夫人在一起时精神上更能得到安宁，加上性方面更有魅力，所以难以割舍吧。"

"可是年龄大那么多，也不怎么漂亮。"

"这你就不懂了。"久木把手搭在凛子的肩头，"性与年龄和外貌没什么必然的联系，有的人到了夫人的年龄还充满魅力，也有的人年轻漂亮却没有性感。总之一句话，没有比性的问题更为私人、更为秘密的了，外界是无从窥测的。正因为如此，才显得神秘莫测，别有情趣。"

"别有情趣？"

"如果女性都是以年轻漂亮取胜，就太没意思了。为防止这一点，上帝就在男人和女人之间加上了性这种不易看到的、具有威力的东西。"

"月夜品评会"快要告一段落了，久木也困了，可是凛子还不肯罢休。

"听你说了半天，还是觉得女人吃亏。因为男人就没有这类问题呀？"

"不对，男人也有难处。女人的问题属于身体构造上的差异，而男人有阳痿、早泄等烦恼。这些都和精神方面的影响有关，所以情况更复杂。"

"能治好吗？"

"首先得有自信，女方的鼓励是最有效的。然而，无论外表看来多么风流倜傥的男子，在性接触时没有情趣或笨手笨脚，都是会被女性厌倦的。"

"那倒是。"

"和女性一样，男子在性方面受埋怨最伤自尊心了。"

"女人会埋怨吗？"

"就算当面不说，从事后的态度上也觉察得出来，而且女人吵嘴时什么都敢往外说。"

"你被说过吗？"

"托你的福，还没有过。"

"是完全没有吧。" 凛子逗他。

"照你这么说，看来男人和女人都不容易啊。"

"很少有精神、肉体都那么和谐的情侣。"

"咱们还行吧，都这么多次了还想见呀。"

"那还用说，你是日本第一呀。"

凛子扑到他怀里，久木紧搂着这柔软光滑的躯体，沐浴着月光沉沉睡去了。

黎明时分，久木做了一个梦。

一个男人站在一片芒草丛生的荒野上，正瞧着自己这边。不用问也知道，这个男人是凛子的丈夫。凛子也在旁边，却若无其事地顶着寒风朝大路方向走去，只留下久木和那个男人面对面地站在芒草丛中。

久木只记得这些梦境，至于那个人的表情以及什么时候到哪儿去了都忘得一干二净，只剩下了被看穿一切般的冰冷感觉。

久木从梦中醒来，立刻瞅了瞅身旁，凛子还在熟睡中。

本来两人是光着身子睡的，不知什么时候凛子起来穿上了浴衣，领口捂得严严实实的。

久木看了一下枕边的手表，已经五点半了。天快要亮了，只见厚厚的窗帷下端，已透出了一缕晨曦。

久木望着微微泛白的窗子，脑子里还在回想刚才的梦境。

最开始梦见的白色芒草，可能是来这饭店的途中，仙石原满山遍野的芒草给他的印象太深的缘故吧。而凛子的丈夫，是因为自己一直难以释怀才出现在梦中的吧。没有见过他，所以看不清他的长相和表情。

只是凛子侧着身从他们两人中间穿行而去，让久木百思不解。

久木放弃继续回忆这不着边际的梦，起身走到窗边，掀开窗帘向外张望。外面笼罩在浓雾之中，外轮山只露出了峰顶，远远看去宛如一幅淡淡的水墨画。

距离天大亮还有一段时间，平原上覆盖的雾霭正迅速浮动着。

久木又迷糊了一会儿，再次睁开眼睛时，已过七点半，窗帘下边的晨曦又明亮了许多。

凛子还在甜甜地睡着。久木一个人下了床，从窗帘缝隙里看见天已放亮，碧空如洗，外轮山的群峰仿佛近在眼前。

但山腰以下依然雾霭蒙蒙，就像一个椭圆形的棉花团悬浮在半空里，可见这一带是群山环绕的盆地。

久木以前也是秋天来这里的，等到清晨的浓雾散去之后，平原才得以显露出来。今天也一样，透过薄雾，依稀可以看到高尔夫球场的一角，发球练习场那边已有人影在晃动。

这时，久木想起了离开家时，对妻子说在箱根打高尔夫球的事来。

妻子真会相信自己的话吗？久木突然感到有愧于妻子，便拉严了窗帘，想驱散这些不愉快的念头。凛子听到动静，睁开了眼睛。

"该起床了……"

"不着急。我醒了，睡不着，就起来了。"

久木又想起了刚才梦见凛子丈夫的事，他回到床上，但没有把做梦的事告诉凛子。

"咱们再躺会儿吧。"

在晴朗的秋日里打高尔夫球也够有趣，但什么都比不上凛子那柔软曼妙的温馨皮肤。

久木伸手去解她的浴衣系带，凛子咕哝着："你要干嘛……"

这还用问，当然是想浸泡在晨欢之中啊。

"时间还早着呢。"

虽如此说，对短暂一夜的幽会而言，可就是一刻千金了。

久木就像被时间驱赶着似的，吻着从浴衣前襟里露出来的乳头，双手将她的下半身揽到了自己怀里。

外面的雾早已散尽，而两人的良宵还未过完。

黎明时分久木在梦中见到了凛子的丈夫，却看不清他长得什么样。

久木虽然没有告诉凛子，可是那冷冰冰的、令人厌恶的感觉更加刺激了久木的欲望。

在晨曦被遮蔽的床上，久木比以往更拼命地折腾凛子，让她在将要登顶却还未登顶之间持续徘徊着，凛子实在忍受不了，不停地乞求他"快一点吧"，可久木依然故我地让她悬在半空。

凛子怎么会想到，久木这么冷酷地折磨她是因为黎明时做的那个梦呢？

好不容易凛子才攀上了顶点，她嘟哝着："真坏！"看着她那含嗔带怨的娇滴滴的样子，惹得久木再度发起了攻势，不知不觉间，两人又相拥着沉沉地睡了过去。

久木醒来时凛子还在睡。难道说这次也不例外，女人得到充分满足后，睡得更深沉吗？

已经九点半了，从窗帘下边泄露出来的晨曦更加明亮了。窗外小鸟在呜哇，想必外面的雾已经散了，蓝天白云，高尔夫球场上，人们正追逐着小白球吧。和这些健康的人们形成对照，久木还躺在床上，享受着凛子暖融融的肌体。

一想到只有自己一人沉迷在怠惰、淫荡、不健全、不道德的世界里，久木就感到无比惬意。

他更贴近了凛子的身体，这时，凛子轻轻扭动了一下脖颈，慢慢睁开了眼睛。

"我又睡着了呀。"

"因为你刚才太辛苦了。"

"不许你胡说……"凛子捂住了久木的嘴，不让他往下说，然后看了看枕边的表，"哎哟，怎么都十点了。"

今天的计划是上午游览芦湖的秋色，下午返回东京。淫乱而放浪的幽会时间正一点点接近尾声。

"赶紧起床吧。"

在凛子的一再催促下，久木才松开一直爱抚着女人的手，懒洋洋地下了床。

窗帘还未打开，房间里黑黑的，凛子一下床就奔进浴室去冲澡。

趁着这工夫，久木打开了电视。当两人沉湎于意乱情迷之中时，外面的世界还是老样子。

不一会儿，凛子洗了澡出来，坐到镜子前梳妆。轮到久木进浴室去泡澡。尽管一整夜和凛子肌肤相亲，却没觉得被她的体香熏染，久木很喜欢凛子身上那股淡雅的气味。

久木快速地泡了个澡，就从洗澡间出来了。这时，窗帘已敞开，凛子在窗旁的梳妆台前盘着发髻。

望着凛子雪白柔嫩的脖颈，久木冲着镜子里的凛子说："好女人呐……"

"说起来不好意思，认识你以后，比以前上妆多了。"

"这种事有利于荷尔蒙的分泌，连你这儿都滑溜溜的。"

久木说着偷偷地摸了一下她的臀部，凛子慌忙扭着腰肢，嗔怪道："别闹别闹，头发要弄乱的。"

"乱了怕什么。"

久木从后面轻轻亲吻着凛子的脖子。

"性的满足使女人的皮肤越来越滋润，男人却越来越干瘪。"

"净瞎说。"

"这就是牝的和牡的与生俱来的宿命，最后牡的被牝的吃掉。"

凛子觉得"宿命"这个词很有意思，不禁笑了起来。

"可怜的牡君，快穿衣服吧。"

在凛子命令下，久木磨磨蹭蹭地脱掉浴衣，换上了出门的衣服。

在饭店的餐厅吃了顿不当不正的早饭，两人出了饭店。稍觉一点点秋凉，不算太冷。在满目秋色中，他们先来到湖尻，从那里乘渡船去游览芦湖。

星期日游人很多，中途他们在箱根园停靠了一下，在那儿坐缆车上到驹岳山顶。站在这里，箱根的群山、远处的富士山直至骏河湾的美景尽收眼底。

海拔一千三百米的驹岳山上，满山遍野覆盖着火红的枫叶，这美景倒映在湛蓝的湖面上，山水一色，红彤彤连成一片。

两人饱览了高原的湖光山色之后，乘缆车下山，回到湖尻时已是下午四点。

不早点下山，回东京就该堵车了。

"怎么办？"

凛子没有马上回答，看样子不大想回去。

"晚回去行吗？" 久木又问道，凛子点了下头。久木决定在箱根再逗留一会儿。

"驹岳山上有个能看见芦湖的餐厅。"

两人再次穿过开始拥挤的公路,上了山。餐厅位于不到驹岳半山腰的地方,脚下方的芦湖仿佛近在眼前。

赶着吃完晚饭后,他们才注意到,外轮山已被晚霞染红了。

也许因为在山上,才会觉得日落早吧。从暗云缝隙间泄漏出的光线,斜射在山冈和湖面上。

久木来到凉台,眺望着晚霞映照下起伏的群山,对凛子低语道:"在这儿待下去该多好啊。"

凛子没吱声,轻轻点了点头。久木下决心提议道:"咱们再待一晚吧。"

远望着暗黑下去的湖面,凛子微微点了点头:"好啊……"

久木虽然这么提议,其实没有抱多大期望。估计凛子不会同意,只是随口一说。

"你真的行吗?"

"你呢?"被凛子这么一反诘,久木一时无言以对。

当然,想住也能住,只是,为此要和妻子联络,还得现编理由,而且明天还要上班。好在工作清闲,没有要紧的事,不过,最晚也得十点左右到公司。

然而,最让他担心的还是凛子的家庭。

虽说凛子借口招待会后和大家一起出去住,但两个晚上不回家会不会有问题呢?再说明天是星期一,凛子的丈夫也得去上班了。

"我这边怎么都好说,可你那边……"

久木咽下了"你丈夫怎么办呐"这句话,窥视着凛子。凛子凝望着太阳落山后通红的天际低语道:"只要你没事,我就行。"

夕阳西下后,群山环绕的湖水霎时失去了光辉,沉入了黑暗之中。

望着沉寂的湖面,久木脑子里又浮现出了清晨那个梦里见到的凛子的丈夫。

已经过去一天了，梦的轮廓已不大清晰了，只有那冷冰冰的印象一直挥之不去。

他猜想,凛子很可能是明知道会和丈夫发生冲突,也不顾一切要住下的。

"真的可以吗？" 久木追问道。与其担心凛子，不如说是在问自己，因为说不定要为不能回家的凛子承担责任。

"真的没关系？"久木又问了一遍。凛子凝视着渐渐幽暗下去的远山，一动不动。

见凛子心意已决，久木就到餐厅门口用公用电话给白天住的饭店打电话。

幸亏今天是星期日，饭店比较空，所以还能订上。还是昨天住的那一间。

然后，他又提着心往家里拨了个电话，没人接，只听见电话留言的声音。久木觉得很万幸，留了句"同伴邀我再留宿一晚，明天回去"，就挂断了电话。

自己这边暂时没什么了，凛子会怎么样呢？

久木回到餐厅，告诉凛子订了房间，然后问她："你不打个电话？"

凛子稍稍思忖了一下，站起身来，几分钟不到就打完回来了。

"他没说什么？" 久木不安地问。

凛子淡然地答道："管他呢。"

"可是明天是星期一呀。你不方便的话回去也行。"

"你想回去？"

又一次被反诘，久木忙不迭地摇起头来。

"我是怕你为难。"

"我会有办法的。"

凛子的语气里含有豁出去的味道。既然本人这么说，久木也不再瞎操心了。

"好的，那今天一晚上，咱俩就得彻底撂在一起了。"

凛子都做好了最坏的准备，男人也不能胆怯。无论后果如何，有凛子和自己在一起，就没什么可怕的。

"咱们走吧……"

久木忽然有些激动，抓住凛子的手说道："多谢你了。"

这与其说是对凛子下决心留下来的感谢，不如说是对她给予自己勇气的谢意更准确。

决定再住一晚后，两人又回到了饭店。

上午刚退了房，现在又回来了，两人觉得不大自在。前台值班的服务生若无其事地领他们去了昨天那个房间。

四周已昏暗下来。服务生打开门开了灯，屋内的陈设一如昨日。

服务生放下手提箱离开后，两人站在房间当中没有挪地儿，互相刚一对视，便不约而同地紧紧拥抱在了一起。

没有任何语言交流。

但久木和凛子的心是相通的。

"你到底还是没回去啊。"

"你为了我又住一晚呐。"

尽管两人都没有说出来，但实实在在的身体接触，已使对方感知了一切。

久木更紧地拥抱着凛子，一边吻她，一边在心里问："被丈夫责骂，你都不在乎吗？"

凛子也以接吻问他："你妻子生气，也无所谓吗？"

两人又以一番热吻互相作了回答。

"妻子说什么我都无所谓。"

"丈夫怎么说我也不在乎。"

久木搂过凛子的头，他们的脸颊紧贴在一起，感受着彼此的情感。此刻，久木断定，两人已越过了那条鸿沟。

无论多么爱慕凛子，久木也不曾想越过那条沟壑的，而现在他们正越过这最后一道沟壑。

到了这个地步，恐怕再难回头了。前面就是枪林弹雨的最前线，弄不好两人会双双中弹倒下的。

"你没事吧……"

久木想用语言再确认一下，却发现凛子已泪流满面了。

这突如其来的眼泪是怎么回事呢？是担心两天不归会引起可怕的后果呢，还是觉得自己居然这样胆大妄为而心情激动呢？不管怎样，这会儿是什么也问不出来的。

久木用手为凛子擦去脸上的泪珠，脱掉了她的外套，解开了衬衣的扣子。

凛子闭着双眼，衣服一件件落到了脚边，最后裙子也落下了，凛子像个木偶一样纹丝不动地站立着。

昨夜苍白的月亮静悄悄地将清辉从凉台洒到了床头。可今夜云层很厚，凉台周围也一片黑暗。

当凛子身上只剩下了文胸和内裤时，久木脱掉了自己身上的衣物，抱起凛子上了床。

床的大小、弹性和昨天一样。两人一下子倒在床上，随即紧紧拥抱起来，胸贴着胸，腰挨着腰，四肢互相缠绕着。久木渐渐感觉到了凛子身体的温热，刚才还萦绕在头脑中的家庭、妻子、工作等等，顿时消逝得无影无踪了。

现在久木正一点点融化、陶醉于凛子的温馨之中，他产生了一种错觉，仿佛自己正在被无边无际的空间慢慢吸进去。

这可以说是孤独感，也可以说是堕落感吧。

做这样的事不会有好结果。这样下去，会被同事们唾弃，陷入无法挽回的境地。久木这么想着，心里反复念叨着，却仍旧迷恋那坠落下去的感觉，全身心地沉醉于那坠落的惬意之中了。

"危险……"

这个词在久木脑海里一闪而过，两人已朝着放纵情欲的快乐花园坠落了下去。

短 日

　已进入十二月了，天气依旧温暖如春。

　清晨还有些寒意，到了中午，天晴日朗，柔和的光线洒满了街衢。趁午休时，甚至有人远远走到千鸟渊或皇宫附近去享受日光浴。

　所谓小阳春天气指的就是这种天气。久木记起了《徒然草》[1]中的一节来。

　"十月乃小阳春之候。"

　兼好法师这句记载，说明在中世纪，人们就已经体会到初冬时的风和日丽了。

　当然这里记载的十月是阴历，按阳历计算，应该是十一月初。

　不过，小阳春是个可爱的名称，和真正的春天相比，它显得短暂而无常，故得此名。比起现代人来，亲近自然的古代人对季节怀有更多的爱怜之情。

　现代人虽然继承了这个说法，但从古时来看，现在的季节稍稍有些偏差。按说进入十二月份，就是"朔风"季节了，可现在还是小阳春天气，难道说日本的气候正在变暖吗？

　久木任思绪驰骋着，穿过了天气晴朗的街道，走进一家咖啡店，水口吾郎已先到一步，在等他了。

　"用过饭了吗？"

1　《徒然草》：日本南北朝时代（1332~1392）的文学经典。和《枕草子》并称日本随笔文学的双璧，代表着日本古代随笔的最高成就。著者兼好法师（1282~1350）本姓卜部，属于京都之吉田，故统称吉田兼好。初事后宇多院上皇，为左兵卫尉，1324年上皇崩后在修学院出家，后行脚各处，死于伊贺，年68岁。

"还没有，吃饭不着急。"

久木和水口对面而坐，要了杯咖啡。

"让你特意来一趟，抱歉。"

水口比久木年长一岁，同年进的公司，当过月刊杂志的主编，现在居于领导职位，所谓同期里的成功者，不过今天他好像有些忧郁。

"找我有事？"久木问道。

水口点着了烟，深深吸了一口，说："是这么回事，从明年起我就要到马隆社去了。"

马隆社是现代书房出版社的分社，设在神田。

新社长上任后，人事变动很大。可是水口任现职时间不长，与新社长关系也不错，他的调职使久木大感意外。

"是社长亲口跟你说的？"

"昨天社长把我找去，跟我说，天野君身体不好，人手又不足，要我务必到那儿去。"

天野是马隆社的社长，比水口大两三岁，得了糖尿病，三天两头上不了班。

"看样子，你是去当社长啰？"

"是副社长，天野君暂时不动。"

"那不是早晚的事吗？"

"难说。其实，当了社长也不过如此。"

马隆社主要出版总社不经营的实用书籍，有二十人左右，听说经营状况不太理想。水口一直期望由常务理事升为董事，当然不会满足于这么个分社社长了。

"你同意了？"

"我又没有什么失误，哪能轻易答应啊，你说呢？"水口烦躁地吸了口烟说，"我只说让我考虑一下。不过，社长心里早就定了。"

"这叫'并非夏去秋才至'啊。"

"怎么讲？"

"这是《徒然草》里'十月乃小阳春之候'中的一句。意思是说，并不是夏天过去秋天才来到，而是夏季之中已经孕育了秋天的征兆。"

"有道理……"

"自然也好，人事也罢，看起来是某一天突然变化的，其实，暗中早已蠢蠢欲动了，只不过没有意识到而已，对吧？"

说到这儿，久木忽然联想起凛子和自己的事来。

他们目前的关系如果相当于盛夏的话，其中已潜藏了秋天的气息了，以后就会走下坡了吗？

水口不知道久木在想什么，愤愤不平地咂着嘴说道："说来说去工薪族就是可悲呐，一旦认为你没用了，就像废纸一样被扔掉。"

"你别太悲观了，如果管理有方，马隆分社会有起色的。"

"再努力也是白费。我现在才体会到了你当时的心情。"

"你可别跟我比哟。"

"早知现在，还不如以前和你一起玩儿个够呢。"

水口自入社时起，就一路顺风，踌躇满志。他既有编辑杂志的才能，又具有管理人员的素质，是个办事干练、能说会道、手脚勤快的人。也许正因为他太精明能干了，倒使社长对他敬而远之。

和他比起来，久木一直耕耘在文艺这块地盘儿上，接触作品和作者的机会较多。说不想升迁，那是假话，但他并不厌倦这充满魅力的文艺世界。可以说，久木的手艺人禀性决定了他甘于一辈子做个普通的编辑。

"我得学学你的生活方式了。"

水口的话酸溜溜的，他这类人是不会甘于寂寞的。

"一般人到了分社后就老老实实在那儿待下去了，我可不行。"

尽管水口还未丧失豪情，但男人的情绪往往会受到职位升降的影响。

"你可不能泄气啊，我们这拨人就指望你了。"

"看来我得找个女人鼓鼓劲儿了。"

水口虽然是开玩笑，久木却是听者有意。

说到底，恋爱在水口眼里，仅仅是刺激工作欲望、增添生活情趣的添加剂。可对于久木来说，恋爱要沉重深刻得多。

一想到和凛子的爱情，久木内心涌起的不全是喜悦，更多的是苦恼和痛楚。

"你真行，去了调查室也没变，还是那么悠哉悠哉的，比过去显得更精神了。"

不用说，水口根本不了解久木现在的苦衷。

"我第一次摊上这种事，只能和你说说。"

"别想得太多了。"

久木刚被解职时也苦恼过一阵，可总不能老想不开呀。能不能调整好心态，关系到以后的生活。

"以后还能找你聊聊吗？"

"当然，只要你愿意的话。"

诉说了心事后，水口显得平静些了。两人又聊了聊社内的几件人事变动，就分手了。

久木去附近的荞面馆吃了午饭后，回到办公室，这时衣川打来了电话。

"怎么样，最近你还好吗？"

从上次招待会后，久木就一直没和衣川见过面，差不多有一个月了。

"老样子，你呢？"

"还是穷忙活。"

衣川说的"穷忙活"是指文化中心的经营。

"最近增加了讲座次数，可是学员人数却没有增多，真不景气。"他对久木诉了一通苦后，突然话题一转，"你想不想去别的公司干干？"

久木一时摸不着头脑，不知该怎么回答。衣川解释道："我以前工作的地方，正筹备要加强出版部门，还要拓宽文艺种类呢。"

衣川工作过的地方是个有名的报社，以发行报纸为主体，其他部门只是辅助性的。出版部门也是其中之一，以一般出版社的标准衡量，力量是比较薄弱的。

"今后报社要发展，单靠报纸是不行的。所以，在出版方面也准备投入力量，将来还计划出文库本呢。"

"可是，起步太晚了点吧。"

"所以找你帮忙来啦。"

久木大致听明白了，衣川是问他愿不愿意到他以前待过的报社的出版局去工作。

同期的一个同事刚刚被降职到分社，自己却可能被其他公司聘任，真是世事难料啊。久木问道："为什么找我呢？"

"电话里说方便吗？"

衣川担心往公司打电话谈这事不合适，久木看看屋里只有铃木一人，被他听到也无关紧要，就说："没事……"

衣川放了心，详细向他作了解释："是这么回事。现在的出版局长宫田，是比我早两年入社的前辈。前几天，见到他时，我跟他提到了你。他对我说，可以的话，务必问问你有没有来的意思。"

"这可真难得。只是太突然了，我没有思想准备。"

"不用马上答复，等一切就绪也得来年开春了，不着急。不过局长对你相当感兴趣，还说有机会想和你见见面呢。"

"他一直搞出版工作吗？"

"不是，原来在社会部，是个很有魄力的人，总是闲不住。"

久木现在正闲得无聊，所以十分感谢衣川这份好意，可又不便马上答复。

"多谢你的好意，让我先考虑一下。"

"当然，没问题。"衣川忽而压低嗓音说，"近来她好吗？"

他指的肯定是凛子。

"还好……"

最近他们几乎天天通电话，却很少见面。

自从在箱根住了两晚之后，凛子就难得出门了。即使见面，一到九点她就急着回家。

凛子只是说"再忍耐一段时间"，其他什么也没解释，但久木猜测她和丈夫之间多半是发生了冲突。

久木正担忧着凛子，所以衣川神秘兮兮的口吻引起了他的警觉。

"难道发生了什么……"

在久木的催促下，衣川顿了顿说："她不至于离家出走吧。"

"为什么这么说……"

"也没什么根据，只是三天前，她特意到中心来找过我。"

久木昨天还和凛子通过电话，她一点也没提到这件事。

"起初她吞吞吐吐的，问了半天，才说出希望能在中心继续担任讲师。"

"这可不是她一个人能决定的呀。"

原来凛子是代替老师，是作为临时讲师来中心教楷书的。原先的讲师是凛子的老师，没有老师的认可，凛子很难继续担任讲师。

"是先生提出，要她替代的吗？"

"没听说，我估计是她自己的意思。"说完，衣川又用揶揄的口吻问："她没跟你透露过？"

"好像提过，可是……"

"据她自己说，是想正式钻研钻研书法，不过，也说不定是为了挣钱。"

"挣钱？"

"想长期当讲师，不就是为了钱吗？"

表面看是这么回事，可是凛子不像那么缺钱的人，而且如果真有困难的话，也会跟自己说的。

"只是为了钱吗？"

"不清楚，她是特意为这事来的，所以我猜她多半想离开家独立生活。"

这消息真是晴天霹雳。久木万没想到凛子会有离家出走的打算，就连她想继续任职的事也一无所知。

"那么，中心会聘请她吗？"

"问题不大，讲师由中心聘请，只要中心聘请她一个人，就可以了。"

"可是，不经过老师同意，不太合适吧？"

"这个我说不好，反正她是个敢作敢为的人。"

"你这话什么意思？"

"我这么说你可别见怪，我总觉着她是个认定了一条道就不会回头的人。"

尽管久木不愿意听衣川说三道四，但凛子的确有点爱走极端。

不管怎样，这么重大的事，她为什么不和自己商量一下呢？久木不了解她的真实想法，沉默不语。衣川试探地问："看样子你是蒙在鼓里啰？"

事到如今也不必再隐瞒了，久木"嗯"了一声。

"最近感情不大融洽？"

"没有啊。"

虽说不像前些日子那样出门旅行，但每周总要见一两次面。由于凛子的时间有限，每次约会都是惜时如金地缠绵一番，连享受余韵的工夫都没有，便匆匆而别。

"你们两人的事，我不想插嘴……"衣川顿了一下，"如果她一定要工作，我可以满足她的愿望，不过，至少应该先和你打个招呼呀。"

"我倒无所谓，多谢你告诉我这件事。"

"你最好再和她好好合计合计。"衣川说完，忽然又补了一句，"她瞧上去很焦虑的样子。"

一瞬间，不知为什么，久木脑海里又浮现出凛子兴奋到极点时那紧锁眉头、窒息般的表情。他攥着电话闭上了眼睛。

和衣川通完话后，久木想马上跟凛子联系，可是在办公室里打这样的电话毕竟不方便。

久木点燃了一支烟，思考着该怎么和凛子谈这件事。

先问问她为什么要去中心当专职讲师。衣川认为她是为了挣钱，难道就这么简单吗？衣川还说凛子一副苦恼的神色，也许有离家出走的打算。

无论如何，这么大的事为什么事先不跟自己说一声呢？

必须先问问清楚这件事。为此，先要约她出来见个面。

久木翻了翻笔记本，进入十二月份以后，忘年会和招待会接踵而来，今明两晚都有安排了。

不过，只要凛子能安排出时间，自己不参加这边的招待会也得去见凛子，直接听听她本人的想法。

待心情平静下来后，久木熄掉香烟，拿起手机，走出了房间。

和以往一样，他还是到楼梯过道那儿去打电话。看了看四周无人，便按了凛子家的电话号码。

现在是下午两点半，只要没有特别的事情，这个时间凛子应该在家。

嘟……嘟……铃声响了好几遍，到第五遍时才有人来接电话，他还以为是凛子，没想到话筒里传出一个男人的声音。

"喂，喂。"

久木不由自主地拿远了电话，屏住了呼吸。

毫无疑问，是一个男人的声音。

"喂，喂……"

又听到几次这样的声音后，久木赶紧挂断了电话。

凛子没有孩子，家里只有他们夫妇两个人，那么这个人会不会是她丈夫呢？

听说他有四十五岁了，可是，听声音挺年轻的。

问题是，这个时候他怎么会在家呢？

他是医学部的教授，今天又不是节假日，怎么会在家呢？也许临时有急事回来，或者患感冒在家休息吧？可是，说话声又不像感冒，也许是凛子家里发生什么事了吧？

总之，电话铃响了半天，一个男人来接电话，说明凛子要么不在家，要么就是在家也不能来接电话吧？

久木越想越不安，极力想象着种种可能发生的情况。

难道两个人正在家里争吵吗？

说不定是丈夫一再追问妻子最近为什么总是外出时，争执起来。结果，妻子痛哭流涕，不能接电话，丈夫才来接的。

偏偏打来电话的人没说话就挂断了，于是丈夫更加怀疑了，又训问起妻子来。

就像自己亲临其境一样，久木一个劲儿地往坏处想象着。

无论如何也要跟凛子取得联系，可是，一想到凛子的丈夫会接听，又不敢打电话。

"再等等看吧……" 久木安慰自己说。

久木现在心烦意乱，暂时不想回办公室去，就到地下的公司食堂喝了杯咖啡。

午饭时间已过，饭厅里空空荡荡的，有个过去的同事朝他点了下头就离开了。

大白天独自一人百无聊赖地喝咖啡，别人一定会在背后议论他，说那个人闲得没事干了，等等。

久木的脑子刚一开小差儿，马上又被凛子的事给占据了。

又过去三十分钟了，这回可能是凛子来接电话吧？万一又是她丈夫接的话，一听见声音赶紧挂掉就是了。这么一想，他便走出食堂，又躲进楼梯间，往凛子家打电话。

这回久木做好了随时挂电话的准备，和上次一样，响了半天没人接。

刚才是第五遍时那个男人来接的，可是这回第六遍也没人接，响了七八遍，直到第十遍还是没人来接。久木挂上电话，等了一分钟，又拨了一次，这回同样响了十声也没人接。

这么说，凛子的丈夫后来出去了，而且凛子也不在家。

久木半是放心半是失望，倚着墙沉思起来。

到底凛子到哪儿去了呢……

久木一向以为，只要想和凛子说话，随时都能联系上的。

可是，凛子和自己之间的联系只靠着一根电话线，一旦这条线断了，就摸不着对方的行踪了。假如凛子得了病或去向不明的话，她本人若不和他联系，就无从寻觅了。

原以为两人之间的纽带是十分牢靠的，没想到竟如此脆弱，可见婚外恋就是这么不堪一击啊。

想到这儿，久木比以往任何时候都更加思念凛子，渴望能见到她。

可是到哪儿去找呢？自己再着急也白费呀。还是再等一等，熬到傍晚以后再打电话，或者等她给自己的手机打来。

久木沮丧地回到屋里，接着看起摊在桌上的资料来。

最近为编纂昭和史，他主要收集从昭和初年至十年代的社会风俗方面的资料。在收集资料的过程中，久木渐渐对这方面的史实发生了兴趣。

尤其是昭和十年代，言论和思想受到压制，"二·二六事件"[1]那样的血腥事件增多，男女之间的痴缠案件也增加了。

1　二·二六事件：指昭和十一年（1936年）2月26日，在日本发生的1483名陆军青年军官反叛的事件，是一次由皇道派军人发动的未遂军事政变。政变失败替以东条英机为首的统治派清理敌对的皇道派陆军军人政治势力提供了机会，方便了统治派将日本推向军国主义和对外全面侵略的方向。

"阿部定事件"即是其中之一。当时在东京中野区开料理店的石田吉藏，被借住在该店的女招待阿部定用腰带勒死，并被割去了阴茎。这宗前所未闻的奇案轰动了当时的社会。

久木感兴趣的不仅仅是事件的内容，还包括对这一罕见杀人案的判决。检察官方面的量刑是监禁十年，最后法院判决则是六年。而且阿部定服刑后又因成为模范囚犯得到减刑，实际上只服了五年刑，她便出狱了。

透过这一温情判决，看得出法官并没有把这个事件看作一般的杀人案，而是因爱到极点导致的情杀，或者说是爱得过头引起的疯狂。

当时正值"二·二六事件"之后，军部势力抬头，整个日本一步步走向战争的黑暗时代。可是这个与军国主义毫无关联的情杀案件被如此轻判，究竟是什么原因呢？

久木感兴趣的正是这一点。他打算通过收集律师的辩词，以及一般民众对事件的反应，等等，站在一个新的角度上来观察昭和这个时代。

久木的思路越来越拓展开来，要完成这个工作更是遥遥无期了。

他就这样边看资料边想凛子，一晃就到了五点，冬季日短，天已擦黑了。

编辑工作时间常常不固定，有时候上班时去采访或取稿子，等到了公司已过了中午。下班也一样，赶上校对样稿几乎是通宵达旦的。一句话，上班时间有等于无，工作主要是由内容决定的。

好在久木所在的部门不需要太多的采访，所以，一般上午十点来上班，下午六点左右就回家。

今天晚上有调查室的忘年会，下午五点一过，大家都停下了手头的工作，准备出发。

久木把看了一半的资料整理好，放回书架，和同事横山一起出了公司。

地点是新桥的中国料理店。两人上了辆出租车，快到银座时，道路拥堵起来。

一到十二月，街上就热闹非常，每个餐馆和料理店都是顾客盈门。不过，这种繁荣的景象只是表面上的，很多人都是烦恼于长期的不景气，借此机会开怀畅饮，来忘却黯淡的一年。

两人比约定的六点早到了一些，上了二楼，进小包间一看别人还没到。久木又折回楼下，用门口的公用电话给凛子打电话。

快六点了，凛子到附近买东西的话也该回来了。

久木还是顾虑她丈夫接电话，离话筒较远。还是响了半天没人接，只好等到第十声时挂断再打，还是没人接。

看来不光是凛子，连她丈夫也没回家。

到底去哪儿了呢？不会是两人一块儿出去旅行了吧。

久木站在电话旁正发呆时，另外几个同事也进了店，他只好放弃了打电话，随他们上楼去开忘年会了。

调查室形式上下属于总务部，所以，往年一直参加总务部的忘年会，从前年开始室里自己单独召开了。

他们这个忘年会，加上女秘书总共才五个人，平均每人出八千元聚餐费。

室长铃木首先站起来致祝酒词，先说了通老一套的开场白，"今年即将过去，大家辛苦了"之类，然后，以"明年要以新的气象进一步推动各自的工作"结束了致词。

久木头一回参加室里的忘年会，觉得铃木说得在理，同在调查室每个人的工作内容却各不相同。

接下来，往各自的杯子斟满了啤酒，大家碰了杯，忘年会正式开始。

起初，话题集中在社内的人事变动及各部门的最新消息上，说着说着就转了向，有的人喋喋不休地发着牢骚。

酒过三巡，众人逐渐放开了一些，嘻嘻哈哈地说笑起来。今晚最有人气的是调查室唯一的女性——秘书小姐。她虽然算不上美人，却很有气质，大家都跟她开起玩笑来。

她今年三十五岁，结过婚，现在单身一人。有人询问她找到新的意中人没有，由此谈论起了各自所喜欢的女性类型，等等。一进入这类话题，连一向不苟言笑的铃木也加入了进来。问她："你看我们几个人里谁最招女人喜欢呐？"

"还真说不好呢。"秘书小姐看了一遍在座的几个男人之后说，"说不准谁招女人喜欢，不过，我觉得久木好像有情人。"

满座顿时发出了"噢……"的起哄声。

"这是打哪儿说起呀。"久木忙不迭地否认，可还是挡不住满怀妒意的男人们接二连三地向他发难。

铃木首先发难："我一直纳闷儿你为什么用手机，原来如此啊。"横山说："怪不得你每次离开屋子时都带着手机呢。"比久木小的村松也说了句："我觉得你最近老是喜滋滋的。"

久木拼命地否认，可是越描越黑。

从好像久木有情人，说着说着就成了久木已经有了情人，于是，问题转到了幽会方式等细节问题上。

"我可得跟你好好学学哟。"

与恋爱无缘的铃木嘟哝着。据说最近交了个女友的横山问他约会时选择什么场所。

"你也是去情人旅馆吗？"

"如今这年头，情人旅馆早就过时了。既然跟喜欢的女人幽会，要去就去大饭店，不然，多没面子啊。"

铃木充内行似的说道。村松立刻反驳道："可是每次都去饭店的话，太费钱了。"

"只要女人高兴就值得呀。"

铃木又扭头瞧着久木说："他有房子，独生女也嫁出去了，妻子在陶器制造厂担任技术指导，钱的方面毫无问题。"

不愧是调查室主任，什么也瞒不了他。

"他不像我们背着分期付款的包袱，生活悠哉悠哉的。"

"再换个店喝酒，钱包就空了，光担心这些哪能尽兴地玩呀。"

"要想找好女人，先得有金钱和时间。"

"在座的各位，时间是不成问题的。"

横山这么一煽动，大家的兴致越来越高涨。

就在这时，久木发现自己放在手包里的手机响了。

和同事吃饭时他向来是关机的，今晚为了凛子的事就没关。听见声音后，他也不便在同事们面前接电话。于是，久木慌忙站起身来，拿着响个不停的手包离开房间，一直走到楼梯口，才接了电话。

"喂，喂……"

刚一听到对方的声音，久木眼泪都快出来了。手机声音不清晰，咝啦咝啦的杂音里传来凛子的说话声，声音听起来很远。

"太好了……"

久木不禁脱口而出，差点和上菜的女服务生撞上。久木慌忙一边退避，一边问："你现在在哪儿？"

"在横浜。"

"稍等一下。"

这儿离房间太近，通道又窄，人声嘈杂，久木把话筒贴在耳朵上下了楼梯，在入口处宽敞一点的地方站定后，赶紧又"喂，喂"了几声。

"我在呢。"

听见凛子的声音，久木安了心，接着便诉起苦来："我往你家打了好多次电话，都没人接。"

"对不起，我父亲去世了。"

"你父亲？"

"今天早上，家里打电话来，所以心急火燎地回娘家来了。"

久木知道凛子的娘家在横浜，父亲经营一个家具进出口公司。

"什么病？"

"心脏病发作，昨天晚上还好好的，早晨就突然……"

没想到发生了这么大的事，自己净往别处想了。

"真没想到……"久木不知该怎么安慰凛子才好，只好咕哝了一句，"别太难过了。"

"多谢。"

"能听到你的声音真让人高兴。"

这是久木的真实感觉。久木明知这种时候约见凛子不妥当，还是憋不住说道："我想见见你。"

今天一整天，先是听水口和衣川说东道西了半天，后来寻找凛子时又听到了她丈夫的声音。也许是这个关系吧，和凛子通了话，久木心里还是忐忑不安的。

"今天、明天都行。"

"我没时间呐。"

"什么时候有空？"

"下个星期吧……"

今天是星期三，到下周还有四五天呢。

"我有话得和你当面说。"

"什么话呀？"

"电话里不方便说。你要在娘家待多长时间？"

"明天守灵，后天是葬礼。所以这两天离不开，我再跟你联系吧。"

"等一下。"久木固执地紧握着话筒，说，"把你那边的电话号码告诉我行吗？"

"有什么用吗？"

"说不定有急事找你。"

凛子只好告诉了他，久木记下后，随意问了一句："你丈夫也在那边……"

冷不丁听久木这么问，凛子停了一会儿才说："在啊。"

"他也不回家吗？"

"不，他回去。"

凛子声音很干脆，久木这才完全放下了悬着的心，挂上了电话。

知道凛子平安无事，久木舒了口气，接着又担忧起她的丈夫来。今天下午，接电话的男人无疑是凛子的丈夫了，大概是回家来换丧服的。夫妻两人赶回娘家，跟前来奔丧的亲戚们寒暄。凛子身穿黑色丧服，姿态优雅，身旁站着聪颖潇洒的丈夫，大家都在羡慕这对般配的夫妻吧。

这使久木感到夫妻关系是一种实实在在的存在。

夫妇可以双进双出，可以去任何地方，见任何人。

可是，情人关系的男女，不用说公开的场合，即使不公开的私人聚会也是不能轻易参加的。

以前，和久木相好的女人就抱怨过，没有和他一起在大庭广众中露过面。现在久木才意识到自己和凛子也处在同一境况里，无论怎么相爱也是秘而不宣之事，公开场合是万万去不得的。

久木总算知道了没有婚姻关系的男女之间的联结是那么不牢靠，可是，这又能怪谁呢？

收起了电话，久木满腹心事返回了热闹的忘年会场，刚一进门，大家一齐拍起手来。

"恭喜你和她取得联系。"横山取笑道。

"不，不。是家里有事找我。"久木只好又否认了一番。

"看你拿着手机飞奔出去的样子，特别兴奋似的。"

到了这个地步，辩白也是多余的。久木横下心，准备当一回大家的下酒菜了，他呷了一口别人给他斟上的绍兴酒。

开完忘年会还不到九点。铃木、横山和秘书小姐要去卡拉 OK。久木不会唱歌，就和村松两人去了银座的一个小酒吧。酒吧里只有一条长长的吧台，充其量能坐十来个人。

各人要了一杯加水威士忌，谈了会儿工作上的事，村松忽然问道："瞧这意思，你老兄真有心上人啰？"

久木老老实实地点了点头。村松又问："这么说和她已经发生关系了？"

"说是纯情的恋爱也未免有点可笑吧。"

"其实，我也有个相好的女人，可这段日子总觉着体力不支，到底岁数不饶人呐。你怎么样？"

对这样露骨的问话，久木很为难，村松借着酒劲儿追问道："每次你都能让她满足吗？"

"不一定。"

"我也想控制节奏，就是不行。我老实跟你说，近来，好容易有机会两人在一起时，老是力不从心，不如从前劲儿足了。" 村松很认真地说。

"其实不见得越深就越好啊。"

"是吗？"

"靠前面那儿，也有敏感的地方……"

"我也这么想过，就是找不准地方。在她腰底下垫个枕头比较好吧？"

"那样也行，或者采取侧位，比较省力。"

久木并不是情场老手，全凭他自己的感受，村松听了不住地点头。

"也许我们是受了色情片的误导了。"

"说到底，技巧是次要的，最重要的是感情。"

村松表示完全赞同。

可见，在性的问题上，男人们也有他们的烦恼和思考。

久木忽然感到和村松的距离拉近了，两人又要了杯威士忌，直喝到十一点多才分头回家。

失 乐 园 ┃ わたなべ じゅんいち

今晚大概是受了过多的性话题的刺激吧，久木一个人走在街上，突然强烈地思念起凛子来。

凛子刚才说一个星期左右见不了面，可是要一直等到下周，久木实在情难自禁。他也知道这种办丧事的时候约她出来不大合适，可还是想再听听她的声音。

久木正犹豫不决时，看到路旁有个电话亭，就身不由己地走了进去，拨通了凛子娘家的电话号码。

只有借着酒劲儿久木才敢这么做。

不大工夫，话筒那头传来一位上了年纪的女性的声音。

久木报了自己的姓名后，恭敬地问道："请问，松原凛子小姐在吗？"对方大概以为是吊唁的客人，立即应道"请稍候"。时间不长，凛子接了电话。

"喂，喂……"

一听到凛子的声音，久木激动得难以自持。

"是我，听出来了吗？"

"发生什么事了？"

深更半夜把电话打到娘家来，使凛子感到意外。

"跟你通过话后，越喝酒越想你，实在忍不住了，我知道不合适，可是……"久木壮着胆子问道，"能见见你吗？"

"那怎么行，家父刚刚……"

久木明知自己提的是无理的要求，还是不死心。

"那，明天怎么样？"

"明天要守灵啊……"

"完事以后也可以呀，我在横滨某个饭店等你。"

凛子没有言语，久木又说："明天晚上，我从饭店给你去电话，哪怕一个小时或三十分钟都行。"

久木一个劲儿地说服凛子，连自己都觉得奇怪，什么时候变得这么死乞白赖的了。

　　忘年会的第二天，久木比平时晚了一个钟头才来上班，头还是昏沉沉的。

　　昨天忘年会后，和村松两人喝酒的时候还没醉，喝醉是后来给凛子打了电话，跟她说了自己无论如何想要见上她一面之后的事了。

　　凛子正沉浸在突然失去父亲的悲痛之中，自己怎么会提出这么强人所难的要求呢？真是莫名其妙。难道是因为嫉妒凛子和她丈夫一同在娘家吗？久木一个人又喝起闷酒来，回到家中时，已是后半夜了。

　　这个年纪居然喝到午夜一点，第二天当然打不起精神来了。

　　久木自知不该放任自己，可心里又庆幸工作这么清闲。

　　久木好歹坐到桌前，刚浏览了一会儿资料，就沏了杯茶提提神，再接着看资料，没二十分钟又想休息了。就这么凑凑合合地熬到了下班，久木才算清醒了些，有点精神了。

　　昨天晚上，凛子虽然没有明确答应，但久木既然说了要去横浜，就得守约。

　　久木在公司附近的小店里简单吃了点东西，就从东京站坐上了开往横浜的电车。

　　至于会面的地点，还没有说定，自然应以好找为准。

　　左思右想了一番，久木进了一家位于"未来港口"的高层饭店，久木曾和凛子在那儿吃过一次饭。

　　本来想在饭店里的酒吧等她，考虑到凛子守灵时间长，一定很疲劳，再说，自己也觉得有些疲倦，就干脆开了房间。

　　房间在六十四层，窗户面向大海，可以一览美丽的夜景和由灯带点缀的海湾大桥。

　　这里离凛子在山手的娘家应该不会太远。

　　久木站在窗前，望着眼前一片璀璨的灯火，心里想象着将要与从灵堂赶来的凛子拥抱的情景。

他不清楚凛子娘家的守灵几点结束，更担忧凛子的丈夫什么时候回东京。

明摆着，丈夫不走的话，凛子就出不来。

十点时，久木拿起了电话，觉得早了点，又放下了。挨到十一点，再一次拿起了电话，拨通了凛子的娘家。

他要在这守灵之夜，约见别人的妻子。

对这一不道德之举，久木既感到内疚，同时也不无自我陶醉。

接电话的是位男性，听声音不像是她丈夫。

久木说话的语气比昨晚还要客气，请对方叫一下凛子，男人问了句"是找小姐吧"。

从口气判断，大概是凛子父亲公司的人。久木正琢磨着，凛子接了电话。

"喂，是我呀，我现在在横浜饭店呢。"

"真的？"

"昨晚我不是说了要来的吗？我在'未来港口'的饭店里等你。"

久木把房号告诉了凛子后，又催促道："你能不能马上来呀？"

"你可真是说风就是雨，我可……"

"守灵结束了吧，他在吗？"

"刚走了一会儿。"

"那还等什么呀，这儿离你家挺近的。"

凛子要是不来，这房间就算白订了。

"求你了，我有重要的事跟你商量……"

央告了好半天，凛子才勉强应允了。

"好吧，我这就去。不过，事先声明，光是见个面噢。"

"那是，那是。"

到底凛子是穿着丧服来呢？还是换了衣服来呢？反正，只要来了，就不会轻易放她回去了。

久木坐在沙发上，边看电视边等凛子。

从位于横浜山手的凛子娘家到这里，坐车也就十五六分钟的距离。加上准备的时间，约摸得 一个小时。久木心不在焉地瞧着电视屏幕，从酒柜里拿了瓶白兰地，兑着水喝了起来。

快到十二点了，夜间节目已经接近尾声，剩下的频道都是新年以后要开播的节目预告。

关掉电视，久木走到窗前，眺望起夜景来。回顾过去的一年，从头到尾好像全是为凛子度过的。

春天和凛子发生关系后，就像正负电极相吸，久旱逢甘霖，一发而不可收拾，两人简直如胶似漆，难舍难分。

这一年是久木一生中最热情奔放的一年，被遗忘的青春仿佛又复苏了。

他一杯接一杯地喝着白兰地，从六十多层的高处向下俯瞰夜晚的阑珊街景，更觉醉意朦胧，恍惚觉得每一个闪亮里都有凛子的身影。

此刻，凛子一定正穿过一座座高楼大厦和一个个明灭的信号灯，走进饭店，跑进电梯。

他期待着这个时刻的到来，刚刚将额头贴在厚厚的玻璃窗上，门铃就响了。

他一跃而起，一打开门就情不自禁地嚷道："哎哟，可把你盼来了。"

眼前站着的正是凛子。她身穿黑色府绸丧服，系着黑腰带，一只手里拿着件外套，头发盘了上去，雪白的衣领里露出纤细的脖颈。

久木握住凛子的手走进屋里，又说了一遍："你可来了。"

他张开两臂，把凛子紧紧地揽到了怀里。凛子顺势倒在了久木胸前。

此时此刻，什么守灵、丧服统统都被久木忘得一干二净了，他热烈地吻着凛子的嘴唇。

长长的接吻之后，久木放开了凛子，仔细打量起她来。

"真是别有风韵。"

"净瞎说……"

把这种悲哀的服饰说成有风韵，的确不甚妥当。

"我还以为你不来了呢。"

"谁敢违抗你的命令呀！"

凛子靠近了窗子向下俯瞰。

"这个饭店是第一次来？"

"进房间是第一次。"

久木也挨着穿丧服的凛子站在窗前。

"我刚才就这样一边看一边等你。"

说着久木攥住了凛子的手，凛子的手冷冰冰的，也许是初冬深夜里一路赶来的缘故吧。久木给她焐着手，低声问："你丈夫回家了？"

"嗯，回去了。"凛子的口气十分冷淡。

"我刚才一直在吃他的醋呐。"

"为什么……"

"你们是夫妇，我根本不该吃醋，可我就是嫉妒你们从守灵到葬礼都能肩并肩地和人们交谈，受到他人的称羡。"

"所以才难受呢！"

"难受什么？"

"就因为是夫妇才没处躲没处逃的。刚才姐姐还问我：'你们俩怎么样啊？'叔叔也问：'不打算要孩子了吗？'什么都问……"

"他们也太爱操心了吧。"

"他们知道我们关系不怎么融洽，都为我们担心。"

"他们要是知道你上这儿来，可不得了。"

"那可不是一般的不得了了。"

凛子身上飘散着一股淡淡的线香味儿，使久木产生了错觉，以为自己来到了仙境里，不觉搂着凛子往床边走。

"不行！"

凛子断然摇了摇头，双手要推开久木的臂膀。

"什么也不做，就躺一会儿。"

"那也不行，头发要弄乱的。"

久木仍然不松手，拽着凛子坐到床头上。

"就这么坐坐总可以吧。"

被抓住胳膊的凛子无计可施，抬手拢了拢头发。

"你非得回去吗？"

"那当然，说好就待三十分钟的呀。"

坐在床头可以望见辽阔海面上的夜色。过了一会儿，久木突然说道："昨天衣川打来电话，说你想要当专职讲师。"

"他到底告诉你了。"

凛子早有预感。

"为什么不事先和我说一声呢？"

"不想让你担心嘛……"

"可是不经过你的老师能行吗？"

"如果中心打算聘用我的话，我去请求老师同意。"

"衣川还说你也许打算离家单过。"

"能离家就离家。"

凛子的表情异常严峻，目不转睛地注视着窗外的夜景。

久木看着她的侧脸，把右手放在凛子的膝头。

"那我也离家出走吧。"

"你就算了吧。"

"那怎么行……"

"你做不到。"

"能做到。"

久木的语气越来越坚决，同时，倏地把手伸进了凛子的丧服里，触到了里面的内衣。

凛子想要挪开他的手，他却执拗地继续潜入其两膝之间。

"你打算正式工作？"久木继续问着，手该干什么还干什么。

"这也是为了离开家？"

"没有收入一个人怎么生活呀。"

"我不会让你受苦的。"

久木的手继续向纵深侵入，凛子慌忙紧闭膝盖。

想要阻止的力和想要侵入的力如相扑选手争夺优势般僵持了一会儿，随着阻挠之力耗尽，久木的指尖摸到了凛子的大腿。

"我就放在这儿。"

现在久木只想感触一下凛子肌肤的温暖。

两人并肩坐在床上，像是在观赏夜景，好似一幅安静的画面。但仔细一看，女人的和服前襟已经敞开，男人的手正悄悄潜入丧服下面的内衣里去。

女人完全明白男人的手在企求、寻找着什么，也知道眼下这种时候，这么做非常淫亵而不道德，是无论如何不能允许的事，然而却屈服于竭力想接近它的欲望而默认这一切。

男人觉察到了女人的宽容，便在女人大腿内侧的空间里来回游动着手指尖，脸上却一本正经的。

这一套全是男人的作战策略，是巧妙的圈套，女人明知不该上钩，身体却不由自主地开始湿润了。

这会儿，女人的身体已游离了她的心，独自前行了。

男人的手突然像挣脱了束缚般向里伸去，指尖触到被柔软的褶皱包裹的女人秘处。

"啊。"穿着丧服的女人轻轻叫了一声，伏下了上身。

可是，男人的手指一旦接触到那令人爱怜的部位，便再也不肯离开。

突然间男人铤而走险，直到刚才还在犹豫不决的手，现在竟然大胆地覆盖了整个花园，随后伸出中指，准确地置于那娇小而敏感的花蕾之上。

　　就在他不急不躁、稳步前进的过程中，凛子的花园早已变得柔软而湿润。

　　仿佛受制于一个至高无上的命令一般，两个人面对着前面的窗户，保持着这种姿势，而男人的指尖非常准确地摸到女人的花蕾，轻柔而缓慢地在上面画着圆圈。

　　女人的花园早已爱液充润，因而更加如鱼得水的手指，开始从花蕾向周边转移，进而分开褶皱侵入中心地带，忽而又改变主意退了出来。

　　就在这似进非进、似退非退、起起伏伏的爱抚中，女人再也忍受不了了，随着一声压抑的低吟，按住男人的手。

　　"不要了……"

　　男人的指头还意犹未尽地蠕动着，但立刻放弃了似的停了下来，对着女人耳朵，低声提出了交换条件：

　　"我想要你……"

　　见女人没有反应，男人又说道："一会儿就行。"

　　听到这儿，女人仿佛刚刚意识到问题的严重性，慌忙摇头说："不行啊，在这种时候。"

　　"马上就好。"

　　"不行，我得回去了。"

　　男人不理睬女人的反对，若无其事地说："你最好转过身去。"

　　女人不明白他什么意思，扭脸瞧他。久木低声说："你背过身去撩起下摆，头发也不会弄乱。"

　　"那怎么行……"

　　女人终于明白了男人的意图，想要逃掉，男人早已抓住她，最后通牒似的命令："别说了，转过身去……"

　　这一切，并不是久木事先计划好的。

失 乐 园 | わたなべ じゅんいち

以前他就听说过这种方式，总想体验一次，又觉得过分就放弃了。换句话说，只是在梦里空想过，没想到会真正实现。

这个梦想现在正在眼前呈现出来。

裹着黑色丧服的凛子低下头去，两手撑在床上。从前面看像是趴在床上，但是绕到她身后，只见两腿站在地上，膝盖弯曲，顶着床边，和服下摆一直撩到和服腰带以上。在淡淡的灯光下，和服的黑色和衬衣的雪白对比鲜明，从这两层衣服之下，露出了雪白而浑圆的双丘。

他一边安慰着几次反抗拒绝的凛子，一边大大地吐出了一口气，在自己的强迫之下，终于到了这一步，真是不容易。

该怎么来形容这奇异的妖艳性感呢？

所有男人都梦想过这种登峰造极的淫乐之景，梦想掀开那穿着华丽和服女人的裙摆看一看。正因为这几乎是所有男人们都怀有的邪恶、粗暴的愿望，因此极少有人如实向女人和盘托出，仅仅把它作为一种传说中的美而传承下来。

然而，这种淫亵的姿势有时也是必要的。

比方说，从前走红的艺伎们到了正月，身穿盛装和服，梳着高岛田发髻，出入各个酒宴时，想要趁着这转瞬即逝的工夫与心上人亲热，又不致弄乱装束的话，这种姿势是再合适不过了。

在守灵之夜这样短暂的时间结合的话，这也是唯一的姿势。

现在凛子为接纳久木，像美丽的孔雀一样展翅开屏。

尽管她觉得羞耻，拼命拒绝，却在不知不觉中也被这种淫荡的姿势激发出了情欲，而且越燃越旺了。

当然，这也是受益于久木慢慢给她预热、使她兴奋，以及反复诉说的赞美而感人的台词奏了效。

"太棒了，太美了，美极了……"

男人不住嘴地赞美着，嗓音有些嘶哑。

男人和女人都清楚，眼前这无与伦比的美，发源于稀世罕见的粗俗和淫靡，而他们却甘愿堕入到那淫荡的世界中去。

男人再次以少年般的目光望着从撩起来的和服里面露出的白皙圆润的臀部，抚摸着温暖而润滑的肌肤时，再也无法自控，一气贯入。

"啊……"与此同时，女人发出哀鸣般的叫声，身体不由自主地向前倾倒，男人赶紧双手扶住她的臀部，使她腰部得以稳定。

此刻，两人宛如野兽在交合。

然而这令人羞耻的猥亵姿势，才是人类生存在这个世界以前的，从动物时期就传承下来的，原始的也是最自然、最能诱发快感的姿势。

回归本来的野性，任何惶惑、羞耻、怯懦都是不必要的。

什么文明、教养，什么道德、伦理，自人类诞生以来，每一个毛孔所渗透的一切虚饰、伪装都被统统抛到了九霄云外，他们完全回归了自然的本能，像雌雄动物般拼命动作，终于在声嘶力竭般的吟唤声中结束了一切。

疯狂之后是异常的静寂，他们重叠在一起，纹丝不动，仿佛已经僵死了一样。

这死一般的沉寂，昭示了笼罩在爱的极致下的死亡的阴影。

两人就这样一动不动地沉浸在死一般的静谧中。一会儿，男人先抬起了瘫软的身体，接着女人也渐渐苏醒了过来。

男人一旦释放后便很快可以恢复，女人则不同，还沉浸在绵长的余韵里，苏醒得很慢，好久她还趴在床上没起来。

凛子这时才意识到自己犯下了不可饶恕的罪过。

这从她进了浴室后久久地待在里面不出来便可察觉。

五分钟，十分钟，直到十几分钟后，门无声地开了，凛子终于出来了。

她垂着眼帘，脸色苍白，一副懊悔至极的神情，但和服领口和腰带已整理如初，发型也一丝不乱，俨然一位身着丧服的端庄妇人。

凛子面无表情，默默走到沙发前，拿起叠放在那里的外套。

见凛子这副神态，自己再不开口，她就会这样回去了，久木慌忙问道："你要回去？"

凛子声音似有似无，从她微微点头的动作可猜到她是要走。

由于自己的强迫使得凛子这么后悔，久木真不知该怎么向她道歉才好。

两人面对面站在门口，久木低下头说："我很抱歉，可是……"

一度像野兽一样疯狂的男人，恢复了理智之后，为自己的寡廉鲜耻而震惊、骇然。

"都是我不好，可是……"久木喘了口气，"实在太想要你了。"

这是发自肺腑的毫无矫饰的表白，可凛子听了，缓缓摇了摇头，以不容置疑的口吻说道："不，是我的错。"

"不是你的错。"

"今晚做这种事，我要遭到报应的。"

"要是那样的话……"

久木紧紧抱住凛子，喃喃道："要遭报应，咱们一起承受。"

既然爱是双方的，那么女人的罪孽也就是男人的罪孽。

可是凛子并没有被这甜言蜜语所动，仿佛什么也没有听见似的，律己似的又一次正了正衣襟，神情木然地打开了房门。

久木想再吻她一下，她却头也不回地走了出去。

凛子一直没有回头，也许是想要与不堪回首的羞耻行为诀别吧。

忽然，久木的手指触到了一个别针样的东西，拿起来一瞧是凛子的发卡。

对了，刚才凛子半跪半卧在床上时，她头部的位置就在这儿。

刚才那鲜明的一幕又浮现在久木眼前，屋子里非常静，只有失落的发卡留下了纵情欢爱的痕迹。

久木一手握着发卡，想象着凛子到家后会怎么向大家做解释。

现在也许到家了吧？凛子会找什么借口来解释呢？

在这儿待了差不多一个小时，加上路上的时间大约需要一个半小时。

别人一定会猜想这段时间她的去向。

服饰和发型都整整齐齐的，应该不会引起怀疑，也可能有的女人会多想的。

再怎么想也没有人能想象到他们会在守灵之夜，以那样的体位结合吧。

关键在于凛子如何表现。

由于罪孽意识作怪，会使凛子不自觉地有所流露，引起别人的怀疑，但愿她能装作若无其事。久木一想到她临走时那木然的表情，就坐立不安起来。

"不会出什么事吧……"

久木惦念着凛子，内心涌起了对她的满腔爱怜，他情不自禁地把发卡贴到了嘴唇上。

初 会

从大年夜到元月二号，久木一直老老实实地待在家里，这是从未有过的。

当然，并不只是和妻子两人过年，女儿知佳携丈夫来与二老共度除夕，笑语欢声，过了一个热闹的元旦。

可是，二号女儿、女婿一走，家里立刻冷清了下来。

虽说随着年纪的增加，夫妻间的对话日益减少，可是，怎么会这么安静呢？

久木现在没有那份心情主动跟妻子说话，妻子当然也很体谅他，从不表现出特别的亲热。

三号下午，和妻子两人去参拜神社，这是一年之始的习俗，仅此而已。

神社位于开车十分钟左右的居民住宅区里，来这儿参拜的都是住在附近的人。

久木和妻子并肩站在神前，各自祈祷各自的。

久木首先祈愿今年一年能平安健康，其次希望和凛子的恋情能进一步加深、持久下去。

身旁合掌祈祷的妻子想的是什么呢？一定是希望自己身体健康、工作顺利，或者早日抱上外孙子，以及久木所不知道的秘密。

然后抽了签，妻子抽了个大吉，久木是小吉。

妻子难得抽到一回大吉，满面笑容，久木对小吉也不在意。

这就算尽了做丈夫的义务了，回家后久木马上又要出门。

"我到董事家去拜一下年。"

久木换上了崭新的西服，告诉妻子说是去董事家拜年，其实只是个幌子。

他和凛子约好了今晚六点在横浜饭店见新年第一面。

去年岁末丧父的凛子，正月应该是在娘家过的。

长兄继承了家业，母亲孤单单的，所以凛子得去陪伴她。

电话里听凛子这么一说，久木就想问问她的丈夫，话还没出口，凛子就告诉他："就我自己回去的。"

看这情形，她丈夫也回自己家过年了，得知她没和丈夫在一起，不管怎么说，久木轻松了不少。

只是凛子不同意元旦头两天见面。

开始的时候，她借口"没有时间"、"特别忙"等打马虎眼，其实恐怕还是对去年年底守灵时那次的强行约会耿耿于怀。

"那次都怪我。"

久木一再地道歉之后，好不容易才约好三日晚上，在上次去过的"未来港口"的饭店大厅里碰面。

然而久木还是放心不下，刚到元旦，又打电话给她，确认了一遍。但既然她说"知道了"，就不会不来的。久木这么安慰自己，草草拜访了董事长，就急忙告辞，提前到达了横滨的饭店。

正值正月期间，大厅里身着节日盛装的女性花枝招展，洋溢着新年的热闹气氛。今天又是新年第三天，有的家庭正在准备退房回家。

新来的人和要走的人混杂在一起，大厅里熙熙攘攘，久木坐在靠边的一张沙发上，不经意地看着门口。

快六点了，凛子该到了。

今天凛子会是什么打扮呢？

久木惴惴不安地又看了一眼入口处，只见旋转门那边出现了一位和服装束的女性。

久木蓦地站起身，看见凛子从旋转门里走了出来。

今天的凛子穿着白色打底的和服，配着豆沙色的腰带，手上搭着貂皮披肩，走近一看，从和服的前胸到底边上，点缀着一枝枝梅花。

久木迎上前去，问了句"新年好"，凛子也轻轻问候了一句。

"你穿这件和服真是美极了。"

凛子羞涩地微微低着头，从凛子的脸上已看不出守灵之夜离开时那凄然憔悴的表情了。

"咱们到楼上去吃点东西吧。"

久木对横浜不大熟悉，所以就在饭店的餐厅订了座位。

上到顶层的餐厅，两人面对面坐在靠窗的座位上。

还是新年期间，一家一户来吃团圆饭的比较多。久木根本不在乎周围的目光，凛子也满脸无所谓的样子，他们已经习以为常了，或者说胆子越来越大了。

久木点完菜后，和凛子喝起了白葡萄酒。久木道："我以为你不会来呢。"

"怎么这么想啊？"

"我也说不清，总觉得……"

那天晚上久木强迫凛子做那件事，也许让他心有余悸吧。既然凛子现在来了，也就没什么可担心的了。

"新年在娘家过的吧？"

"嗯，去陪陪我母亲。"

看来新年期间凛子和夫君是不在一起了。

"差不多安定下来了吧？"

"差不多了，就是妈妈还没过那个劲儿。"

父亲去得太突然了，凛子的母亲一时不能接受这个事实。

"那你就住下去吧。"

"我当然可以啦。"

凛子简洁地回答了这一微妙的问题。

先上了个清蒸牡蛎，席间立时飘散着香槟酒的馥香。

久木在董事长家几乎没吃什么，感觉肚子有点饿了。他又要了杯白兰地。

"咱们认识有一年了。"

久木是去年正月认识凛子的，那时只是一般关系，偶尔见个面，吃吃饭而已。

回顾这一年来，两人之间的关系发生了意想不到的变化，至少去年正月的时候，他没有料到会和凛子发展到这么亲密的程度。

"同为一年，却全然不同啊。"

有的一年令人刻骨铭心，也有的一年平淡无奇。从这个意义上讲，过去的一年是久木一生中最难忘的一年了。

"再暖和一点，咱们还去热海怎么样？"

和凛子最初的结合，是去年到热海去看梅花之后。

久木早就想去看梅花，便随口约了她，没想到，她也一直就想去，于是他们尽情观赏到了早春绽开的梅花。后来回到东京，吃完饭，在酒吧喝酒时，久木不想放凛子回家，直接带她去了旅馆。

不知是此前两人已见过多次面，还是鸡尾酒的作用，凛子稍稍抵抗了一下就顺从了他。

回想着那时纯真无邪的凛子，久木深情地望着她的脸。

"你穿这和服真好看。"

从左胸一直到和服腰带，点缀着朵朵梅花，和华丽的樱花相比，梅花的淡雅文静和凛子十分相配。

"这是年底做的，为了在今年过年的时候穿。"

赏梅之后他们定的情，新年伊始，凛子穿着这梅花图案的和服来赴约，更撩动了男人的心。

西餐汤端上来后，凛子悠然地喝了起来。那优雅的坐姿，喝汤的架势，举手投足都给人以美感。

久木看得着了迷，小声说："还是觉得梅花比樱花更适合你啊。"

"怎么讲？"凛子停下了喝汤，问道。

"樱花当然美丽，但是太过奢华，咄咄逼人。比较起来还是梅花娴雅温柔，让人喜爱。"

"梅花太素朴了吧。"

"不，梅花气质高雅，特别清纯。"

"古代人说的花，就是指梅花吧？"

"奈良时代以前是梅花，到了平安时代，樱花被捧了起来。不过梅花不仅仅花好看，花枝造型也很美。"

凛子点点头，低头看了看和服下摆。

"这套和服下面只有枝，没有花。"

"用画匠的话来说，叫作'樱花画花，梅花画枝'，梅花是以凛然不俗的枝丫之美取胜的。"

久木由此想到一句和歌。

"有一首咏梅的好诗句，就是石田波乡[1]的'梅花一枝犹如仰卧之死者'。"

说完，久木才意识到凛子的父亲刚故去，便道："这首和歌并不是意在用梅花描绘死者，而是要表现梅花所具有的那种清冽、庄严的韵味。樱花含有流于人情的脆弱感，而梅花则清雅闲寂、充满张力，能够传递出其人的真情实态。"

"是有这种感觉。"

"太不可思议了。"

"什么呀？"

"没什么，突然想起来了。"

一瞬间，久木脑海里浮现出了凛子那缭乱的身姿。应该将其比作梅花好呢，还是樱花好呢？若是比作梅花的话，就是一簇上下腾挪、癫狂乱舞

1　石田波乡：(1913~1969)昭和时期的俳句作家。本命哲大。作为战后俳坛的领军人物，对俳句文学的发展做出了巨大的功绩。与中村草田男，加藤楸邨被称作人间探求派。代表作《石田波乡全句集》(1954，获读卖文学奖)、《春岚》(1957)等。

的梅花了。

　　这些妖艳的念头一闪而过。久木为了拂去这些杂念，一边用刀叉吃着烤鸭肉，一边问：

　　"今天去参拜神社了吗？"

　　"还是居丧期间，没去，你呢？"

　　久木没提和妻子一起去的，只说道："去了一趟，抽了个小吉。"

　　"去年你好像也是小吉吧？"

　　"你的记性可真好。"

　　一年前的正月，久木和凛子去了赤坂的日枝神社，那天是一月十日，已过了参拜的时候，就在两人一起拜神、抽签之后，觉得一下子亲密了许多。

　　"那么，今年就不去了？"

　　"去是想去，但今年还是不去为好。"

　　久木点头同意，又随口问道："你丈夫呢？"

　　"他不去。"

　　久木一听凛子这口气，不由地停下了手里的刀叉。

　　"他是女婿，没那么严格吧？"

　　"不是因为这个，他从来就不做没用的事情。"

　　"没用的事情？"

　　"在他眼里，参拜神社、抽签之类都是无聊的事。"

　　"也是，他是科学工作者，所以……"

　　"也许吧。"

　　凛子的语调相当冷淡，久木转了个话题：

　　"你打算在横浜待到什么时候？"

　　"明天回去。"

　　"那么快就……"

　　久木以为她还得再待两三天呢。

"你丈夫的大学还没放假吧？"

凛子微微摇了摇头，提高了声调："可是，猫在家等着我呢。"

没想到凛子是专门为了猫才回家的。

"这么说你丈夫他不在家了？"

"元旦回他父母家了，两天后就在家了。"

"就他自己……"

"他要是不待在自己的书斋里，就没着没落的，整天泡在书堆里他才觉得幸福呢。"

"他是科学工作者……"

凛子没再说什么，久木喝了口葡萄酒，说道："有你丈夫在，还怕猫没人管吗？"

"当然了，他对活物从来就没有一点兴趣。"

"他不是医生吗？"

"所以才不待见猫呐。去年有一次莎莎尿不出尿来，我还带它去医院看过病呢。"莎莎是那只猫的爱称。

"你猜当时他怎么说，他说去医院也是白搭，最多凑凑合合看看哪儿有病，又治不好，甭管它算了。可是，我带它去医院看了看，好点了。这回他又嘀咕医疗费太贵了。"

"猫狗都没有健康保险一说，医疗费就特别贵。" 久木说道。

凛子皱起眉头说："可是猫也难受呀，不给它治病多可怜呐。"

"那是，猫也是家庭成员之一呀。"

"交给他的话，弄不好会拿去做动物实验呢。"

"不至于吧。"

"反正他和我是两个世界的人。"

服务生来给久木和凛子的杯子里斟满了葡萄酒。

窗外是一片灯海，久木一想到每个灯光底下都住着人家，都有一对对男女在颠鸾倒凤，不由产生了莫名的恐惧。

可以肯定地说，这些情侣有的情投意合，有的貌合神离。

凛子和她的丈夫算是其中一对儿貌合神离的夫妻吧。

眺望着眼前的金灿灿的灯火，一个想法渐渐在久木心中清晰了起来。

以前他一直不明白凛子为什么会跟自己要好，总以为她是厌倦了自己的丈夫，想要找点刺激，才红杏出墙的。

可是听了凛子的这番话，发觉她并不是出于消遣或轻浮的心理。凛子的丈夫冷漠而清高，对参拜神社、抽签等完全不屑一顾，对猫狗之类的宠物冷若冰霜，根本不去理解凛子的心情。

听起来都是些微不足道的琐事，然而对当事者而言，就不是小事了。在这些问题上，没有大道理可讲，它涉及人的感性认识和价值观，不是那么轻易就能妥协和沟通的。

凛子的丈夫外表潇洒，年轻有为，早早当上了副教授，但是，在性格和感觉方面和凛子似乎不大合拍。

或许是对丈夫的不满和抵触感，使凛子向外寻求，这才和自己亲近起来的。

久木沉思的时候，凛子也轻轻地倚着窗边向外眺望街景。

久木忽然觉得自己的心思已被凛子看透，便转过身不再看窗外，凛子也收回了视线。

"真是无奇不有。"

久木就像在概括刚才的谈话，凛子听了，说道："对不起，净跟你说些鸡毛蒜皮的事……"

"哪里，这正是我想听的。"

久木并不是幸灾乐祸，而是因此放宽了心。

"好了，今天是新年，不谈那些了。"久木端起酒杯跟凛子碰了碰杯，"祝你今年交好运。"

两人又碰了一下杯，久木一本正经地说道："今年会是什么样的一年呢？"

"你是说我们吗？"

"今年想要更多地在一起，更多地去旅游。"

见凛子赞同的样子，久木说了句："希望能更长久地待在一起。"

他顿了一下，又叮问道："你能行吗？"

"那还用问。"凛子答道，忽然又反问他："可是照这么下去会有什么结果呢？"

"你的意思是……"

"我们俩……"

对这样直截了当的问话，久木一时答不上来。如果拣好听的说当然容易，可是对于现在的凛子来说，那种暧昧的回答是行不通的。

男人要求更频繁更长久地来往，女人也愿意交往下去，于是海誓山盟、情意绵绵，陶醉在恋爱之中。可是一旦冷静下来，面对残酷的现实时，就会遇到一个又一个的难题。

或许有人认为，陶醉在爱河里时不必探究这个问题。

显然这是好幻想的浪漫主义者的想法，什么实际问题也解决不了。因为根本就没有现成的答案，所以不愿正视这个问题。

可是，热恋中的女人是不喜欢这种暧昧态度的，因为性在本质上是要求黑白分明的，模棱两可的回答是不能说服人的。

如果两人就这么继续热烈相爱下去会有什么结果呢？

随着更多地一起出去约会、旅游，两人不在自己家的时间也就越来越多，那么最后呢？

最后两个人会更牢固地结合呢？还是落个惨不忍睹的下场呢？或者一起堕入地狱的深渊？

如果继续追问到底会是哪种结局，久木是没有精力和勇气来面对这个难题的，他干脆换了个问题："今天不回去行吗？"

"……"

"就在这儿住一晚吧。"

虽然对于女人提出的问题未作出任何回答，但男人告诉自己，先住上一晚再考虑刚才那个问题也不迟。

主菜撤下之后是沙拉和奶酪。以往每到快结束就餐时，都是赶紧考虑下一步的安排，心里老不踏实，可是今天晚上早已安排就绪了。

对久木的建议，凛子不置可否，内心很矛盾。久木知道在这种情形下，不必非要问得那么清楚，自己决定就行了。

他默默站起身来，去入口处的结账台给服务台打电话预订了房间。

"我要一个朝海的双人房间。"

去年年底在这个饭店见面那次，凛子是夜里回去的，久木不久也离开了旅馆，都没能看到清晨的大海景观。

"我订了房间，今晚就住这儿了。"

"我没说要住啊……"

"可是已经订好了。"

要是让凛子走掉，久木就太被动了。

"这可是今年的初次约会呀。"久木悄悄抓住了凛子的手，"今天你也穿的是和服，太好了。"

凛子想起了上次那一幕，不好意思地低下了头。

"放心，我不会像上次那样的。"

那次是由于时间有限，今天则是长夜漫漫，有充裕的时间。

"现在就去房间好吗？"

"不住行不行？"

"我不会放你走的。"

"今年我也逃不了了，对吧？"

凛子虽然是冲着男人说的，其实也是说给自己听的。

饭后要了红茶和白兰地，凛子不想喝，久木非要她喝一点。

"这酒劲儿不大，没事。"

凛子不能喝酒，喝一点就醉，是那种最好灌醉的类型，这样的女性喝这种白兰地最见效。

既然决定在这儿过夜，就可以放开喝了，只要她能从这儿走回房间就行，剩下就是久木的事了。

"对面是千叶县吧？"

凛子不知道久木在想这些，指着窗外问道。只见隔着黑漆漆的大海，远远的彼岸闪烁着一条光带。

"大概太阳就是从那边升起吧。"

从横滨方向看，千叶在东边。

"今年的第一次日出看了吗？"

"遗憾得很，没看着。"

"那好，明天咱们一块儿看吧。"

久木在心里描绘着和凛子拥抱着迎接朝阳的情景。

"可能从床上也能看到。"

"这样会遭报应的。"

躺着迎接喷薄而出的清纯的朝阳，的确有些不敬，却也不失为一种有悖道德的魅力。

"咱们走吧。"

久木越来越心里发痒，催促着凛子，凛子说了句"等一等"，就朝电话走去。

不知她是给娘家打电话，还是给东京的家打电话，反正多半是解释今晚有事回不去了。

不多久凛子回来了，脸色不太好。

"我非得住下吗？"

"是的。"久木断然答道。

凛子想了想说："明天五点回去可以吗？"

那样的话两人就不能一起看日出了，但久木想，等到明天早上再说，就站了起来。

凛子似乎还在犹豫，跟在久木后头进了屋，服务生放下钥匙就走了。

久木立刻把凛子抱在怀里。

"好想你啊……"

去年岁暮匆匆忙忙只幽会了一个小时，今天一定要补回来。

一边接吻，久木的手一边触到了和服的腰带。

久木听说要想使穿和服的女人就范，必须先解掉和服的腰带。他不会解，好在拥抱时，腰带已被弄开，长长的，拖到了地面。

凛子也意识到了，说了声"等一下"，就进了卧室，开始解腰带。

现在，久木总算可以松口气了，她不会再说"我要回去"了。

久木放心地坐在沙发上，凛子把和服收进壁橱里，就去洗浴了。

久木自己也换上了浴衣，看了下表还不到九点。

即使凛子明天一早就走，也有的是时间。

久木环顾房间。这是个套间，外间是起居室，靠墙有长沙发和桌子，窗前摆了个书桌，沙发贴靠的墙上，镶嵌着一面镜子，把房间照成了两个。里面的卧室里，放着一张大大的双人床，正对着窗户。现在是夜晚，海面黑沉沉的，明天太阳将和黎明一起从那里升起。

他们为了看日出才要的这个朝海的房间，所以应该尽量把凛子留到日出时分。久木关掉了所有的灯，只剩下光线很暗的床头灯和外屋的壁灯。

男人像个少年似的忐忑不安地等待着激动时刻的到来，为此做好了一切准备。

久木正猜测着凛子一会儿出来时的模样，只听咔嗒一声门响，凛子洗

失 乐 园 ｜ わたなべ じゅんいち

完澡出来了。

只见她穿一身白色和服内衣，系着腰带，头发高高地挽了上去。

"我可喝多了。"

凛子步履蹒跚地走了过来，久木站起身轻轻地一把抱住她。

"不要紧的。"

他觉得凛子稍稍醉酒之后再一沐浴，越加显得妖媚动人了。

久木搀扶着轻飘飘的凛子，移到沙发旁的镜子前面。

大概嫌灯光晃眼，凛子把头埋在久木的臂弯里，却不知道自己此刻正背对着镜子。

久木当然也不作声，就这样欣赏起她的倩影来。

高高盘起的发髻下面露出了纤细的脖颈，从圆圆的肩头到苗条的腰肢，再到丰满的臀部，曲线十分优美。白色长内衣薄纱般透明，身体的轮廓清晰可见。

久木看着看着，忽然冒出一个鬼主意。

凛子醉意朦胧地依偎在久木的臂弯里，久木趁机将一只手从她的长内衣前襟里慢慢伸进去，一直绕到后腰，一遍又一遍地爱抚着，渐渐地内衣被掀到了膝盖以上。

凛子内衣里什么也没穿。

再继续往上撩，凛子赤裸的背影暴露在了夜晚的灯光下，久木目不转睛地看着镜中的倩影。

凛子虽然醉了，还是感觉到了背后的动静。

依偎在久木怀抱中的凛子，忽然仰起脸，回过头。久木慌忙放下衣襟，但为时已晚。

"不要……"

挣脱了男人的搂抱，凛子回头一看，才发现背后有一面镜子。

"你太过分了。"

原来刚才温柔地抚摸她的腰部，是为了从镜子里看她的裸体，对男人的这套伎俩女人怒不可遏。

凛子劈头盖脸地朝久木打来。

"别打，别打。"

绵羊一样温顺的凛子，突然狂怒起来，久木只有招架之功，他一直后退到了卧室的门口，才好容易站稳了脚，双手挡住了凛子的拳头。

"太卑鄙，太狡猾了。"

凛子还是不依不饶的，久木也不理会，径直把凛子抱到了床上。

前一半是女人的进攻，现在攻防转换，男人要开始反击了。

他先把怀里的女人抛到床上，等她陷入了弹簧床后，便压了上去。

"放开我……"

女人叫嚷着，然而搏斗的结局已显而易见，女人事先已被灌够了葡萄酒和白兰地，越挣扎醉意越浓，徒然消耗着体力。

"好了，别再闹了。"久木凑到她的耳边说道。

凛子心里有气，恼羞成怒地折腾了一通之后，酒劲儿上来，全身酥软无力，已没有反抗的气力了。

对于一个纤弱女子来说似乎残酷了点，可是，这也许正是凛子所企盼的状态呢。

这一点，从吃完饭时凛子问的"非得住下吗"到决定住下后，她又说要在明天五点以前回去等便可看得出来。

尽管没有明说，但凛子对今晚从家里出来会面，好像有些抵触情绪似的。

岁末在为父亲守灵之时，来饭店幽会，以淫亵的姿势接纳了男人，这回又来会见这个提出罪恶要求的男人。

凛子为这样的自己而惊骇，而羞愧。

自己也拒绝过，但最终屈服于对方的强迫，凛子只好用这个理由来安慰自己。

"这是今年的初会。" 久木在全无抵抗力的凛子耳边低语着，"你知道把这叫作什么吗？"

"……"

"叫作姬始。"

各自都有家庭，却在新年之始和别人结合，两人既有罪恶感，其中也夹杂着背叛的快感。

而且，结合之前心理挣扎越强，结合后的亢奋也越烈。

凛子呻吟着、扭动着，摇动着散乱的头发，逐渐到达了高潮，之前那激烈的抗拒仿佛从来不曾有过似的。

被女人欢愉的姿态煽动着，久木极力控制着最后时段的节奏，继续进攻，她嘴上说着"不行了"，而实际上却一次又一次攀上峰顶，连她自己都为如此激烈的反应而恐惧起来。待男人终于鸣金收兵后，女人才筋疲力竭地软绵绵地瘫在床上。

然而，快乐的余韵似乎还未消退，她的身体仍在轻轻地颤动，仿佛在贪婪地回味着刚才的快感。

久木搂着余韵未消的女人，不禁倒吸了一口凉气。

每次相聚时都变化万端的女体实在令人百思莫解。在最初的阶段男人尚能感动、惊叹其绚丽多姿，然而现在已超越了这个界限，女人那旺盛的情欲使人不安，让人生畏。

凛子似乎也同样感觉不安。

"我想咱们今年不要再见面了。"

"你说什么？"

"我一直是这么想的，只是身不由己。"

这么说今晚能见面，多亏了凛子的身体了，久木觉得很滑稽。

"心里想着这样不对，要尽快结束这一切，却管不住自己又来了……"

凛子像是对久木说，又像是对身体里的另一个自己说道。

"心里想着不要再见面，可最终还是……"

联结男女的因素多种多样，其中肉体的联系与精神的联系具有同等的力量，甚至超乎其上。

仅仅和女性保持关系的话，只要有身体的魅力就足够了，然而，恋爱则是身心两个方面的，缺一不可。

凛子当然很清楚这些，才这么说的，久木却故意挑衅道："以前你不是这样吗？"

"没有过……"

"和你丈夫的时候……" 久木一时语塞。

凛子转过身来问道："你愿意听这些？"

"愿意。"

"真的？"凛子又叮问了一句后，说，"我们也不是完全没有性生活，偶尔也有。我一直以为性就是那么回事，不懂什么满足不满足，这时你突然出现了，从此我就变了一个人。"

"后来和你丈夫还……"

"我说过没有了。"

"那你丈夫能满足吗？"

"不清楚，我不愿意，他也没办法。"

明知再问下去不太礼貌，久木还是试探道："你不喜欢他哪一点呢？"

"这个嘛，他说话的声音，他的皮肤，反正一句两句也说不清楚。"

"他怎么要求你也不答应？"

"女人的身体很挑剔，不像男人那样见一个爱一个的。"

在性的方面，女人确实比较专一一些。

"那你丈夫怎么解决呢？"

"我不知道。"凛子淡淡地说道。

"都是因为你我才变成这样的。"

久木默然无语。男女接近后自然而然会有性的结合，把责任全推给男方有失公允。

"那是因为我们合得来呀。"

凛子使劲地点了点头，说："从第二次开始，我就感到要坏事了。"

"要坏事？"

"嗯，就觉得好像掉进一个深不可测的不可知的世界中去了，好可怕。"

男人倒没有这种感觉。

"这么说，这儿也……"

久木轻轻地触摸着凛子的乳房，这美丽的乳房与以往虽没有两样，对触摸的反应却比一年前有了长足的进步。

"女人的身体会变的。"

"谁想到会变化这么大呀。"

"这样不好吗？"

"不好，以前的我什么也不懂，现在却变成这样了。"

"不过，你的感觉可是越来越敏锐了……"

"托你的福，再也回不去了。"凛子说完，抓住了久木正揉弄她的乳房的手，"你得负责任噢。"

"什么责任？"

"现在我只能和你做了啊。除了你以外没有人能满足我了。"

凛子猛地掐起久木的手来，久木忍不住叫出声来。

"好痛。"

女人突然说出"只能和你才能满足"的话来，无论哪个男人听了都会欣喜万分，加倍爱恋她的。可是要男人负起责任，就有点不通情理了。

不言而喻，性爱是男女双方共同营造的，不该一方被追究什么责任。再说，久木自身也同样沉溺在与凛子的情爱之中不能自拔。男人虽然不像女人那样喜欢固定某一个对象，但此刻他确实沉迷于和凛子的性爱，并已深陷其中了。

这样的话不就是共同作案吗？

久木正想这么说，但又一想，终归男人要多负些责任吧。

这是因为女人的性感是由男人挑起、开发的。换言之，没有男人的亲近、刺激，女人几乎不可能懂得快感。与此相反，男人天生就具有性感受，少年时期，大腿间的东西不知不觉开始蠢蠢欲动，触摸它时觉得很舒服，于是，自然而然学会了自慰。

男人不需要女性的协助同样可以获得快乐，比起笨拙地和挑剔的女性做爱来看，还不如一个人独自享受快感更好。精神方面暂且不论，单纯就快感而言，是不需要女性引导启发的。

和男人的性的自行成熟相反，女人的性则是靠男人来开发、启蒙，逐渐成熟的。

从这些角度来考虑，凛子要久木对她变成现在这样的身体负责，也不是没有道理的。

久木故意夸张地揉着被抓痛的手背，说道："搞突然袭击，你可真厉害。"

"谁厉害呀。"凛子看也不看久木的手，说："我说只能和你才能满足，你是不是幸灾乐祸了？"

"岂敢，岂敢，我很高兴你能变成这样。"

"我可不好受啊，像个被你操纵的木偶似的。"

"这是从何说起哟。"

"就是，这么下去不成了你的奴隶了？"

凛子说着，倏地坐起来，伸出涂着淡粉色指甲油的手指，戳着久木的喉咙说："我问你，你怎么样，也是非我不行吗？"

"当然啦。"

"骗人。"

说着凛子双手扼住了久木的脖子。

"是真的，我发誓你是最棒的。"

"不许哄我。"

"绝对没哄你。"

突然间，凛子十只手指用力掐紧了久木的喉咙。

"你干什么，干什么……"

开始还以为凛子在闹着玩儿，没想到她不管不顾地更加使劲地掐起久木的喉咙来。

女人力气小，不至于窒息，只是用力过猛，久木憋得直咳嗽。

"松手啊……"

"就不……"

"别这样。"

久木好容易才掰开凛子的手，止不住一阵咳嗽。

"好狠心呐，我没准儿真得被你给掐死。"

"死了倒好了。"

久木轻轻地摸着喉咙，还有点不好受。

"你吓了我一大跳。"

久木嘟哝着，一边揉脖子，一边咽唾沫。这样反复了几次后，久木心中涌起莫名的异样感觉。

刚才凛子说"我好难受"时掐住了他脖子，久木以为她是闹着玩的，没想到凛子会来真格的。被她扼住喉咙时，久木真切地感受到了被带往遥远的世界去的不安，也品味到了某种甘美的感觉。

久木既害怕这么被掐死，又自暴自弃地想，就这么昏死过去算了。

这种怪念头是怎么冒出来的呢？真是莫名其妙。这时，只听凛子小声道："我恨你。"

"以前你说喜欢我的。"

"没错，喜欢才会恨呢。"凛子的口气认真起来，"你知道吗？去年年底我有多惨呐。"

"守灵的时候？"

"那种时候做了那样的事……"

"被家里人发现了？"

"我母亲有点怀疑，不过没人会往那儿想。我只是觉得对不起父亲……"

久木无言以对。

"父亲生前那么疼爱我，可是他的守灵之夜我却那么做，我算完了。为了这件事，我宁愿受到任何惩罚，宁愿下地狱……" 凛子背朝着久木，声音哽咽。

"我怎么会干出那种事来。"

"都是我不好。"

"先不提你了，关键是我怎么也不相信自己会那么做……"

"你这么懊悔，你父亲会原谅你的。"

事到如今，也只能这么安慰她了。

"别多想了。再说，那次的感觉不是挺好的吗？" 久木戏谑地说。

凛子一下子背过身去嚷道："不许再说了，做了那么可耻的事，还说得出什么感觉好……"

当时，凛子确实是摇动着可爱的雪白臀部，疯狂地达到了高潮。

"你那时真是兴奋到极点了。"

"不要再说了……"

女人越是羞愧不已，男人越是想要蹂躏她。

"今天还是从后边来？"

久木在她背后柔声道，呼出的热气使凛子缩紧了脖子。

"别瞎想……"

"不，我就要想。"

到这个地步，说什么都没有用。

既然守灵之夜已做了那样的事，现在反省也来不及了。

久木突然产生了一种施虐的心态，他轻轻咬着凛子的肩头，说："我真想吃了你。"

"不许你乱来。"

凛子一个劲地摇头，久木从后面搂住她，双手将她柔软的臀部拉向自己，而凛子也主动配合着他的动作，略微撅起了臀部。

她嘴里面拒绝再次亢奋，身体反而在挑逗。

久木轻抚着她那柔软的肌肤。

"真滑溜啊。"

"讨厌……"

"这么滑溜，摸着特别舒服。"

"真的？"

凛子有了些自信，将臀部更贴近过来。

刚才与凛子结合的时候，久木拼命控制住了自己，没有释放出来，所以，现在派上了用场。

要应付像凛子这样的女性，男人每次都释放的话，根本应付不过来。为了让女性充分燃烧，充分满足，即使到了顶点时也要忍耐控制住。

有的男人认为没有必要那么克制自己，性交的目的是快乐，不释放出来就毫无意义了。

久木却不以为然。

如果性单纯为了生殖也就罢了，但现实中的性交是爱的表现，是快乐的共享，也是两人共同营造的爱的文化。

久木用手指去触摸再度兴奋起来的女人。

"不要……"

凛子嘴上还在抵抗，但她那贪婪的身体早已湿润了。

正所谓身不由己。心里想的是不应该这样，必须停止，却又不由自主地败在身体的诱惑之下，投身淫乐之中。

有人严厉地谴责这一行为，也有的女性嘲讽说："再冷静、理智一些的话，是不会到那个地步的。"

这种说法是有它的道理，然而，人的行为并不都是用道理可以讲得通的。

凛子并非不理智和冷静，然而一到实际中却不能自控。心里明知不应该，仍旧屈服于身体的诱惑，究其原因，一个可能是自我反省的能力不足，或者是由于性的愉悦具有压倒一切的无穷魅力。

现在的凛子可以说属于后者。

纵使将所有的懊恼、忏悔都抛掉，也要为近在咫尺的爱而燃烧。

这时不再有什么道理可讲，既非说教也非理智，而是潜藏于身体深处的本能在觉醒，在发狂。

对于这样欲火熊熊的女人而言，伦理和常规都毫无意义。

明了一切，而自甘堕落的女性眼里，有一个快乐的花园。只有她才知道那些讲求理智的人们所不了解的、令人眼花缭乱的快悦。这么一想，她便自豪起来，觉得自己是个百里挑一的性的佼佼者。

此时的凛子正处于这一转变之中，她梦呓般的嗫嚅着："不要……"

良心的最后壁垒即将陷落了。

世间所有的胜败争斗，最痛苦的并不是失败之际，而是承认失败之时。

现在凛子已知道了身不由己这个道理，一旦承认了它，便无所顾忌了，飘飘然飞向空中那愉悦的花园去了。

一旦体验到快乐的刺激，就不会满足于此，又想寻求新的刺激。

现在他们两人就处在这样的状态之中。

守灵之夜，女人穿着丧服接受了男人，在这无比难堪而羞耻的结合之后，再没有什么可以让他们不敢为的了。

虽然凛子起初一再抗拒，但还是奉献了美妙的臀部，并在久木用语言百般挑逗之下，完成了一切。

才经过高潮不久，凛子的感觉反而更加敏锐，像干柴被烈火点燃一般燃烧起来，最后在低沉的呻吟中再一次达到高潮。

先是拼命压抑自己，结果却是放纵不羁地享受快乐，凛子的这种自相矛盾实在可爱，久木紧紧地把她搂在怀中。

女人最不满的就是男人一完事，就马上背过身去，不理不睬了，似乎女人已经用完了。事前，表现得那么殷勤而迫切的男人，事后就像变了个人似的冷淡下来，简直太失礼、太任性了。

虽然女性对男人这样做感到惊讶、失望，其实只要懂得男人的生理特点，就不会奇怪了。因为一旦释放，男人便会迅速萎缩，失去精力的。当然，男人是不会坦白告诉女人这个落差之大的，女人自然理解不了。

幸亏久木好容易忍住了，还残存一些余力。

因此，久木没有背过身去，而是把凛子抱在怀中，等着她平静下来。凛子嘴上没说，但他的这种悉心体贴，恐怕也是凛子喜欢他的原因之一吧。

虽然久木没有确认过，但凛子亲近他，恐怕正是缘于他这份体贴和耐心。

久木耐心等待着凛子心身渐渐平静下来。过了一会儿，凛子睫毛忽闪随即睁开了眼睛，好比是池中绽放的睡莲，她直直地盯着久木的喉咙咕哝道："我又有了新的感觉。"

她的意思好像是说，刚才那次和这次虽然同样达到了高潮，感觉却完全不一样。

久木一听，又一次感到女人身体的深不可测。

柔软温馨可以容纳男人的一切的女体，眨眼间变成了面目全非的魔怪了。

此时也是如此。凛子说她不止一次地达到高潮，而且感觉各不相同。

"比以前好？"

"应该说是新的感觉。"

无论她怎么解释，久木仍体会不到那种感受。

凛子在说女性最敏感的地方。

"喂，你是怎么知道的？"

"也没什么，只是凭感觉。"

久木依然把右手放在凛子的敏感处。

"是前边这儿吧？"

久木知道在花蕊当中，前面那部分感觉最敏锐，不过，凛子的最敏感带似乎在逐渐扩大。

"刚才你不是稍稍向后抽拉来着吗？那种感觉也特别刺激，舒服极了……"

从前只知道越深越好，自从懂得了前边也有敏感之处后，他开始改变做法，在入口附近徘徊，时而轻轻向后抽拉。

"你猛一进来，我简直就不行了，仿佛有种压倒一切的东西把我和你连在了一起，感受你的存在，什么都顾不上了……"

在她那温暖柔软、有着吸盘般粘合力的肉体里潜藏着无数的快乐之蕾，难道它们被挑动起来，要一起造反吗？

"感受力变得这么好，可怎么办呢？"

"不知道。"

凛子自言自语道："就是死了也心甘情愿。"

的确，在性感的极致，有的女人是会喊出"我想死"来的。

可是现实中没有女人真的去死，可见，这是一种恨不得去死那样强烈的快感，或是以在愉悦的顶点死去为最高幸福的愿望。不论是哪一种，都仅仅是女性单方面的感觉，男人终究是体验不到的。

久木虽然沉溺于和凛子的性爱，却没有体验过宁肯死去的感觉，也没有获得过那么强烈的快感。

唯有和女性同时释放出来之后，才感受到某种近似的感觉。

那一瞬间，与迅速涌上来的失落感一起，全身不断地萎缩下去，对现世的所有欲望和执着都消失不见，觉得自己就要死去了。

可见，在性快感的顶点出现死的幻觉是不分男女的。

不同在于，女子是在无穷尽的深广的快乐之中想到死，而男子则是在释放出一切后的虚无中想到死。两者相比，女人的性更加丰富多彩。久木怀着隐隐的嫉妒问道："刚才你说情愿就这么死去，此话当真？"

"当真。"凛子毫不犹豫地断然答道。

"可是，那又死不了。"

"那就掐我的脖子。"

"让我掐吗？"

"让啊。"

凛子爽快地点着头。

"你不想死吗？"

"死也行啊……"

久木想起了刚才被凛子掐住喉咙的事来。

"可是，掐脖子的话，只能死一个人。"

"我还是愿意一块儿死。"

"那就只能同时互相掐脖子啰。"

凛子把脸贴到久木的胸前，久木亲吻着她那宽展的前额，渐渐睡意袭来，闭上了眼睛。

夜里，久木做了一个梦。

看不清楚是什么人的一双雪白的手掐住了自己的脖子，缓慢而用力地掐着，这么下去会窒息而死的。要赶紧弄开那双手，可他又希望这么气绝身亡算了。

睡觉之前，被凛子扼住脖子，后来又谈到了死，所以才做的这个梦吧？

他可以猜到为什么做这个梦，可是那双雪白的手又是谁的呢？

联想到昨晚的事，应该是凛子的手，可是，梦中的凛子待在宽敞的客厅里，笑吟吟地看着久木。由此可见，那是其他女人的手。总之，梦中只看见雪白的手，却没看见关键的手的主人。

更不可思议的是，自己怎么挣开那双手的呢？并没有使劲儿反抗就被放开了，难道是凛子的手勒住过他的脖子？

久木忽然害怕起来，扭头一看，凛子正安详地沉睡着。

久木继续回忆着梦境，怎么也弄不明白前因后果，看了看床头的电子表，显示着6：30。

突然，久木想起了凛子说过要早点回去，要不要叫醒她呢？看她睡得那么香甜，久木不忍心，就一个人下了床，穿上白色的睡衣，走到窗前。

拉开窗帘，在漆黑的夜空下面，隐约浮现出一缕微光，黎明即将来临。离天亮还有一段时间，久木又回到床上，拍着凛子的肩头小声说："六点半了。"

凛子像要逃避似的别过脸去，想继续睡，很快又回过头来，半醒半睡地闭着眼睛问道："你说什么？"

"已经六点半了。"

凛子这才睁开眼睛，问："真的？"

"你昨天不是说要早回去吗？"

"哦，是啊……"她自己又看了一眼电子表，"麻烦了，我忘了上闹钟了。"一边叫着，一边掠了一把头发。

昨晚的两度云雨之后，凛子昏沉沉地睡去，难免会忘记的。

"外面很黑吧？"

凛子不安地看着窗户。

"开始放亮了。"

"我该回去了。"

"等一下。"

久木慌忙捉住了正要起床的凛子的手。

"这会儿回去，也会引起别人的怀疑。"

"我本想趁天黑回去的，天一亮的话，会遇见熟人的。"

一大早穿着和服回去的确太显眼了。

"可是，现在回去有点迟了。"

日出一般在六点四五十分左右，紧赶慢赶也得天快亮才能到家。

"不如十点或十一点的时候再回去为好。"

"那哪行啊。"

久木从背后揿住了凛子的肩头，把她拉到身边。

"不要这样……"

不管凛子怎么反抗，久木还是掀开了她的衣襟。

"现在走和待会儿走是一样的。"

"可是……"

"不要紧的。"

久木继续爱抚她的胸部，凛子忍受不住，又一次沉入了床榻之中。

久木暂且放下心来，将窗帘向左右拉开。

刚才远处地平线上的那一缕白色微光，现在越来越亮，与此同时中央开始发红膨胀，太阳就要喷薄而出了。

"天快亮了。" 久木一边低声道，一边将一只手伸到了凛子的秘处。

"我得回去……"凛子还在咕哝着，但很快就受不住久木手指的戏弄了，嘴上说"不要"，身体却向久木缠过去。

天空渐渐发白，此时的光线最适于男女欢爱。

久木掀开床单，确认凛子已经充分湿润了以后，才一只手托住她的腰，从侧面缓慢进入。

凛子已不再反抗，甚至主动配合起来轻轻将腿左右分开。男人躺在女人右侧，伴随着每一次进攻和后退，女人的胸部就会微微挺起或下落。从窗户射入的光线，越来越清晰地照出了凛子那起伏不停的肉体。

燃烧中的凛子早已忘却了太阳正在升起，天色逐渐放亮，积极扭动起了身体。

　　不久，太阳出来了，窗外红彤彤一片时，凛子轻声道："我不行了。"紧接着挺起上身，大声道，"快点啊！"

　　久木一时没有领悟，但他马上意识到她是想要和自己一起攀上顶峰。

　　"快来呀……"

　　随着这又一次呼喊，所有的黏膜都紧紧地纠缠住、吸附住男人，与此同时，他终于将一直忍而不发的东西，倾泻而出。

　　凛子发出的叫唤声犹如临死前的惨叫，伴着轻微急促的痉挛达到了高潮。那是吸干男人所有能量的满足的叫唤，也是击垮了负隅顽抗的男人的胜利的呼喊。

　　两人终于在日出的同时共同结束了一切。

　　开始做爱时，才刚刚泛白的窗际，此刻映着火红耀眼的晨曦，更加明亮了。

　　与升起的太阳背道而驰，久木耗完了精力，木头人一样趴在床上。

　　外面已开始了忙碌的一天，但这个高层房间里却鸦雀无声，久木的腿和凛子的膝盖挨在一起，互相感受着对方的体温和血脉的流动。

　　两人就这样沉浸在瘫软的感觉之中。凛子悄悄靠过来说："谢谢你的赏赐……"

　　听到她爽朗的声音，久木睁开眼，凛子笑嘻嘻的。

　　"你也彻底了结吧？"

　　"……"

　　"这回没忍住吧？"

　　望着笑眯眯的凛子，久木再次品尝了失败的滋味。

　　从昨晚到今早，久木一直竭力控制住了自己，这次遭到了女人的反击，被彻底打败了。

"太好了。"凛子得意地说，"这么一来，你也不想动了吧。"

真的，现在就是叫他起来回去，也倦懒得不想动窝。

"我也不走了。"凛子说完，像只小猫钻进了久木的怀里。感受着凛子那温暖的身体，久木又发现了她的新变化。

虽然凛子没说出来，但久木知道她心里在想什么。

她似乎不允许男人只让女人前行，自己后退一步欣赏这样冷静的自我陶醉。

凛子是在宣告，要由以前的被动的性变为主动的性了。

筋疲力竭的两个人又双双沉入了梦乡。

久木再次睁开眼睛时窗户大亮了，床边的表是九点半，趁着黎明日出时和凛子做爱后，睡过去的时候是七点多，差不多睡了两个小时。

现在做什么好呢？久木正发呆时，凛子也醒来了。

"现在几点了？"

久木告诉她已经九点半后，凛子望着窗户说道："这可怎么办呐？"

本想在天没亮时回去，现在日头这么高了，更回不去了。

"你怎么打算？"

"我正琢磨呢。"

久木忽然想到了自己的家。

昨天晚上跟妻子说去董事长家拜年，晚点回来，却没说在外面过夜。这叫夜不归宿。久木心里有数，一晚上去向不明，妻子不至于兴师问罪。不过，一想到今天回去后，要跟妻子作出解释，多少有些惴惴不安。

"我还是得回去。"凛子对久木说着，坐起身来。

"硬把你留下，是我不好。"

"没错，是你不好。"凛子说完，转过身来，"不过，很高兴能见到你……"

"你那边没事吧？"

"不知道。你也不好办吧？"

久木暧昧地点点头，凛子朗声说道："不光是我，你也一块儿为难，所以这回就饶了你吧。"

"一块儿为难？"

"是啊，你也不好交代吧？这不就和我一样了，所以我也能忍受了。"凛子说着下了床，朝浴室走去。

飨宴之后往往会留下空虚。

久木和凛子结束了一夜之宴，快乐越深，其后袭来的空虚感越甚。欢爱之后，除了感官的满足外，一无所得，留下的只有懊悔。

为什么要这么做呢？应该适可而止的。久木反省着自己的所作所为，同时又庆幸有凛子和自己做伴。

仔细想来，这说明现在他们作为同谋者已被驱赶到了同一个苦海之中了。

只有女人或男人某一方苦恼，另一方悠然自得的日子早已过去了。

女人的苦恼也是男人的苦恼，反之亦然。

这时，凛子从浴室出来，开始穿和服，一边对久木说："热水放好了，你去洗吧。"

久木正要进浴室，凛子系着腰带说道："我下决心了，以后不管别人怎么说都不理睬。"

久木不解地问："你指家里人？"

"是我丈夫。" 凛子简洁地答道。

"不然，就不能和你见面了呀。你也把家里的事忘掉吧……"

女人的态度如此坚决，叫人无法反驳。

"从今往后，我就只想你一个人了。"

从年底到正月，男人一再强迫女人做这做那，他已满足于女人服从他了。可是不知从何时起，女人成长起来，态度之决然令人刮目相看。

"你说好不好啊？"

久木点头同意，深深感到，新的一年，他们的爱情将经受真正的考验。

失 乐 园｜わたなべ じゅんいち

冬 瀑

进入新的一年，人事、世事都在变，久木和凛子的感情也比去年有了明显的变化。

变化之一是凛子开始主动和久木约会了。

当然不是说她以前消极，但一般都是久木发出邀请，凛子仅仅顺从而已。

但自从进入了新的一年，凛子要求久木必须每天给她打一个电话。有时她在电话里主动提出"我想见你"。

对于一向谨慎的凛子来说，由被动变为积极主动，是个不小的变化。

而这一变化，与元月三号见面时，她宣布"从今以后，我只想和你见面"的事不无关联。

此事的好坏姑且不论，进入新年之际，凛子决心在恋爱方面向前跨进一步。

配合着凛子的这种变化，两人约会的场所也跟着有所改变。

迄今为止，他们常去的是大饭店或东京郊外的旅馆。偶尔也光顾一下情人旅馆，但这种地方好像是专为做爱去的，感觉有点别扭。

结果只好经常利用大饭店了，可是，不住宿觉得可惜，半夜三更退房也不太体面，而且，房间不固定，让人心神不宁。再说，每次的费用累计起来的话，也是相当不可观的。

不如索性租一间房，随时可以见面，又省钱。

久木跟凛子一商量，她也很赞成。

久木也想过应该拥有只属于两人的秘密房间，只是没说出来，因为他有些担心会因此陷得太深。

不过既然凛子也赞成，久木就下了决心。

找来找去，最后定在了涩谷。这里无论是离世田谷樱新町的久木家，还是离住在吉祥寺的凛子家都不太远。从车站徒步十分钟的距离，是个一室一厅的单元房，月租金十五万日元。

交通方便的地方，房租就相对贵一些，但比起去饭店来说还是合算的。

一月中旬签了租约后，两人开始采买新房所需的日用品。在商场和超市买东西时，他们仿佛又回到了新婚时代，心情很愉快。家具、床单、窗帘以至餐具，所有用品都经过两人精心挑选，置办齐备了。

把买来的这些东西摆放在房间里之后，两人终于第一次在这舒适的安乐窝里约会了，那天是一月底的大寒之日。

日历上虽是最寒冷的一天，但白天气温有摄氏十度，不算太冷，屋里又有空调，温暖如春，加上初次在新家聚首，两人更是如痴如狂。

一番缠绵过后，凛子用事先买好的蟹肉、豆腐和青菜做了火锅，两人围着圆桌吃起来，宛如居家过日子的夫妻，两人不由对视一笑。

"我真想就这么住下去。" 凛子半开玩笑地说，久木点着头。

"明天还到这儿来吧。"

"你可不许到别处去啊。"

两人愉快地调笑着，目光突然碰到了一起，久木有些局促不安起来。

真有可能从此陷在这里拔不出来了。久木一直梦想着和凛子两人单独生活在一起，可是，一旦变成现实后，又产生了新的不安和困惑。

"我白天随时都能出来。"

"我考虑考虑。"

久木的优势就是白天时间较为自由。编辑部的工作不用按时来，按时走，这一点和搞营销的差不多，不必死坐着不动。

久木虽说是编辑，却不像杂志编辑那样需要去采访，在调查室工作一般用不着出去。当然，由于比较清闲，多少有点理由的话，出去也无妨。同僚都是降职的人，同病相怜，相互庇护，外出很方便。

并非久木有意利用这一点，但自从租了房子后，下午出去得越来越频繁了。只要在记录牌上写上为收集昭和史的资料去"国会图书馆"，就万事大吉了。

周一至周五凛子容易出门，所以，两人先约好时间，然后去涩谷那儿见面。

每人一把钥匙，有时久木先到，有时凛子先到，每次一见面，两人就立刻拥抱在一起。

以接吻代替问候之后，便倒在床上抱作一团。

虽说是大白天偷偷和情人幽会，可久木居然是堂而皇之地去赴约。他既有罪恶感，也有一种在别人工作时自己不断去约会的快感。

凛子的心情也同样复杂，嘴里说着"这样做没关系吧"，心里却陶醉在这心神不宁之中。

租了房子后，见面是方便多了，不过，新的问题也出现了。

久木下午的外出增多了。

外出的理由虽然写上了"国会图书馆"、"采访"，等等，可是他原来不太外出，所以有点显眼。其他人倒没说什么，只是秘书木下小姐一句"这一阵，您好像在忙什么吧"，令久木吃了一惊。

"没忙什么……"久木否认道，但他那狼狈的表情似乎已引起了秘书的怀疑。本来他不在时，都是木下小姐帮他接电话，替他找理由掩饰的。她手上已经握着他的把柄，要是再被她发现破绽，可就麻烦了。

后来他们就把约会压缩到每周一次，其他改在下班之后。几乎每次都是凛子先到，有时做饭吃，也有时到附近的饭馆去吃。

每次他们一起出门时，都要和管理人照面。管理人年纪和久木相仿，总是用狐疑的目光打量他。

租房时，他借用了衣川的名字，管理人不知道久木的真名实姓。可是看他不常住在这儿，还时常和一位女性一同进进出出，大概也猜测到了这个房间的用途。

任何解释都是多余的，每当听见管理人叫他"衣川先生"时，久木就有点不知所措。

即便如此，这里还是比饭店要轻松自在得多，不过，由此引起了另外一个问题。

每次和凛子两人关在房里时，他就觉得身心舒畅，不想回家。

他也想过干脆就两个人这么生活在一起吧。虽说只要打算这么做，就可以做到，但那样一来，只会把彼此逼入更为窘困的处境。

实际上每次一进房间，他们就有一种夫妻般的感觉，这也反映在日常的琐碎小事上。

比如，凛子洗洗涮涮时，总是顺手把久木的手帕或袜子给洗干净，甚至给他买好了内衣。久木并没有要她这么做，可是一到早上，凛子就会很自然地说一声"穿这件吧"，久木便穿上了给他准备好的新内衣。

久木脑子里也闪了一下，被妻子发现了怎么办？好在是同一牌子的，不会露馅儿的。

自己也太放心大胆了，不过近来与妻子处于冷战状态，几乎没有亲热地交谈过。

当然，责任全在久木，自己心里也觉得对不住妻子，可是心思已扑在凛子身上了，实在无能为力。

妻子也很敏感，并不主动亲近他。

这种冷战状态，更确切地说是双方都没有争吵欲望的冷漠状态。所以，久木以为偶尔外宿不归，不会有什么麻烦。一次，外宿回家后，早上去上班时，刚走到门口，妻子从背后甩给他一句"你出去玩我无所谓，只是别闹出什么事来，让人看笑话"。

久木一怔，回过头来，妻子已一言不发地回屋去了。

她这话是什么意思呢？难道发现了什么吗？可他又不好直问。结果，就那么不了了之了。

新年过后，和妻子的关系更加恶化了。

久木和妻子的关系越来越紧张。同样，凛子和丈夫之间的裂痕也在日益加深。

尽管凛子从未说过和丈夫之间的不和，但从她平常的言行举止中也能猜个八九不离十。

比如，以前一起过夜时，凛子担心家里，曾偷偷给丈夫打过电话。久木没问过她给谁打，看她那慌张的样子，就明白了。

可是最近，临时决定住下，也不见她往家里挂电话。倒是久木直担心，想问问她"不给家里打电话行吗"，又觉得多此一举，就把话咽了回去。

到底是凛子豁出去了呢？还是事先讲好了可以不回家呢？虽说是别人家的事，久木仍然放心不下。

这一变化，租房以后，从凛子的话音里也听得出来。

比方说，两人围着餐桌吃晚饭时，凛子感慨道："还是两个人吃饭香啊。"

久木心想，凛子在自己家时难道不和丈夫一块儿吃饭吗？就问："你在家呢？"

"基本上一个人吃。他回家晚，我也不想一起吃。"

凛子说得淡淡的，久木反倒不安了。

"可是，节假日总在家吧？"

"我老借口书法协会那边有事，尽量不在一起吃。不得不一起吃的时候，我就没有食欲了……"

这么一说，凛子是消瘦了。

"我快弄不清哪头是自己家了。"

听她这么说，说明凛子和丈夫的关系已经到了相当紧张的地步了。

既然双方的家庭都面临崩溃，两人又这么难舍难分，那么双方都离婚，正式生活在一起似乎更合理。久木偶尔这么想象着，设想两人美好的未来，可是，一回到现实当中，就又踟蹰不前了。

原因之一是，久木觉得即使凛子愿意，把她的丈夫逼到离婚的境地也太残酷了。虽说夺了人家的妻子，还莫名其妙地说什么同情人家的丈夫，有点猫哭耗子之嫌，但是，久木的确不忍心从老实宽厚的丈夫身边把他的妻子夺走。

再说，凛子本人又是怎么想的呢？不爱她的丈夫这点没有疑问，可是有没有勇气离婚呢？从社会地位和收入上来说，现在的丈夫都比久木更胜一筹，到了关键时刻，这些问题就成为羁绊了。

具体涉及离婚，久木自己这边也有不少问题。

最棘手的问题是离婚的原因完全在久木。

和妻子的关系现在虽说冷若冰霜，然而，一年半之前是很正常的夫妻；再往前推，是十分恩爱的一对儿；若追溯到新婚时期，则是自由恋爱结合的情侣。

这对儿夫妇之所以变得这么疏远，唯一原因是久木面前出现了凛子这样充满魅力的女性，所以说完全是久木造成了婚姻破裂。

有了喜欢的女人，就甩掉了没什么过错的发妻，这合适吗？

再加上久木还担心女儿。正月里女儿曾对他说："您对妈妈亲热一点。"久木不明白她为什么这么说。女儿是不是察觉什么了？自己怎么能不顾女儿的想法决然离婚呢？

总之一句话，已结婚二十年的夫妻，哪能说离就离呢。当然，如果两人真有心在一起生活的话，也没有办不到的事。

关键是能不能正视这个问题，至少目前，久木的心情还没有完全调整好。

失 乐 园 ｜ わたなべ じゅんいち

在涩谷租房一个月后，即二月十四日，是凛子的生日。

那天下午六点，久木在涩谷车站附近的花店买了白玫瑰搭配郁金香、西洋兰的花束，来到了他们的住所。凛子已在此等候他了。

"祝你生日欢乐。"久木献上了花束。

"好美的花啊。"凛子嗅着花香，"这是送给你的。"说着递给久木一个饰有彩带的礼盒。

一看便知是情人节巧克力，打开包装后，里面有一张卡片，上面写着："送给最爱的你。"

简短的话语、娟秀的字体里饱含着凛子的一片柔情。

"你今天收到好多巧克力吧……"

"你送的最让我高兴。"

今天，久木收到了木下小姐以及以前出版部的女性们送的巧克力，但没人能和凛子的相媲美。

"怎么给你庆祝生日呀？"

"有你这束花就足够了。"

前些日子，久木也问起过她想要什么生日礼物，凛子总是说今年租了房子，已经够破费的了，什么也不肯要。

"总想要点什么吧？"

"我都三十八岁了。"

比起生日礼物来，凛子更在意自己的年龄。

"不管到多少岁，也得过生日呀。"

凛子想了想说："我有个请求，可以吗？"

"当然可以。"

"带我去旅行好吗？到一个看不到人影的地方去。"

说实在的，久木有时真想逃出这个封闭的密室，到一个杳无人迹的地方去。

"到哪儿去好呢？"

"北边寒冷的地方也行。就我们两个人一起看一整天雪景,怎么样啊？"

久木脑海里映出了他们双双伫立在雪中的身影。

情人节后的一个星期六,久木和凛子一起去了日光。

为了满足凛子"两人一起看雪景"的愿望,久木思考了一下去处。东北和北陆太远,万一遇上大雪恐怕一时回不来。而且,听说从周末开始,北陆地区有大雪警报,于是,他决定去离东京不远的日光的中禅寺湖。

十年前,久木曾在大冬天去过那里一次,白雪皑皑的群山、幽静湛蓝的湖水使他至今记忆犹新。

和凛子两人一起去那静谧的地方,该有多么惬意啊。

"我只是在夏天去过日光一次。"

"什么时候？"

"很早以前了,还是高中生的时候。"

久木暗自想象着凛子那时的模样,一定是个清秀的美少女。

"那次是坐车去的,路上特别拥挤,人多得不得了。"

"现在这个季节,没什么游人。"

凛子点点头,忽然问道:"明天几点能回东京？"

因为回东京的时间还没有定,久木反问道:"你有事？"

"也没什么事……"

"十一点左右从那边出发,直接下山搭电车的话,大概两三点就能到。"

凛子愣愣地想了一下,没再问什么,轻轻点点头。

从浅草到日光,乘特快需要两个小时。

下午一点多从东京出发时,还天晴日朗,半路上开始阴沉下来,过了栃木以后,下起了雪。

久木穿着毛衣、西式夹克,外面还穿了件黑大衣,围一条深红色围巾。

凛子是黑色高领毛衣，下配同色筒裤，外套红色短外衣，头上戴着银灰色的帽子。两人站在一起，怎么看也不像夫妻，更像是情人。大概是因为凛子气质不俗、打扮入时的缘故吧。

雪花随风斜着飘落下来，枯干的农田和农家的房顶，以及环绕房屋的树木枝头都落满了积雪，宛如一幅灰白相间的水墨画。

"感觉就像来到了一个遥远的地方。" 凛子望着窗外轻声说道。

的确，置身在一派银白色的世界里，使人产生了错觉。

电车三点多到达东武日光，从那里坐出租车去中禅寺湖。

车子开上了蜿蜒曲折的"伊吕波山路"，高耸的山峰逼近眼前，大雪纷纷降落到山上。越往高处走越寒冷，雪花已变成了雪粒。

"湖周围也在下雪吗？" 久木问道。

司机直视着窗刷不停扫动的前方答道："上面和下面可大不一样。"

他介绍说："中禅寺湖前面有白根山作屏障，挡住了从日本海方向来的降雪，所以南面的降雪量很小。"

"这么说吧，即使下雪也没有多大。"

久木点了点头，悄悄握住了凛子的手，凛子也握紧了他的手。

右边又有一座山峰逼近了，就像在偷看他们俩，这就是男体山，山形雄伟壮观，真是名不虚传。

他们眺望着那陡峭的山岩时，山上的朔风卷走了雪云。来到山路尽头时，雪小多了，天空霎时阴转晴，温暖的阳光洒满大地。

还不到四点，离天黑还有一些时间。

"趁着天晴了，看完瀑布再去旅馆吧。"

久木请司机先开到华严瀑布去。

"瀑布可能结冰了。" 司机说道。

不过结冰的瀑布也别有一种情趣。

为了看到九十六米高的瀑布全貌，他们要乘电梯下到一百米的地方，再从那里穿过隧道，瀑布便呈现在眼前了。

正如司机所说，瀑布最上面约十米宽的倾泻口，无数根冰柱连成一片，一部分覆盖着白雪，一部分形成一个清澈透明的巨大冰块。

不过仔细一瞧，只见冰块儿里面依旧生机盎然，细细的水流汩汩地沿着岩石流向一百米之下的深潭中。

"冬天的瀑布有一种庄严神圣的感觉。"

凛子把双手插在大衣兜里，望着瀑布，过了一会儿，指着右边岩石上突出的支柱问："那是什么？"

"是救命栅栏吧，万一有人从上面掉下来，可以把人接住。"

只见支柱之间铺有扇状铁丝网。

"因为这儿是有名的自杀场所啊。"

以前常有人攀着山岩到瀑布出口，从那里投身水潭，所以现在装上了防护网，防止人靠近。

"过去，有一位十八岁的高中生，留下一句'无法理解'，便跳下去自杀了。"

"他说的无法理解是指人生吗？"

"或是人生，或是人，或是自己，总之是指怎么也想不明白的事吧。"

凛子点了点头，仰望着冬天的瀑布，她的侧脸在阳光下熠熠生辉。

看过华严瀑布之后来到旅馆，已四点半了。他们被领到了一个和式套间，带有十个榻榻米大的起居室。宽大的凉台外就是中禅寺湖。

此时的湖面已被落日染红，两人被它吸引到了窗前，凝神注视着神秘而令人向往的湖面。

面对中禅寺湖的右面，紧挨着陡峭的男体山，杉树林和地面上覆盖的积雪，辉映着红灿灿的斜阳。男体山以及与之相连地伸向远方的白根山脉及左边的重重山峦都是白茫茫一片。冬天的中禅寺湖被环抱在群山之中，清寂而幽静。

湖面上不仅看不见船的影子，连一个人影也没有，仿佛早在远古时代就已是这样静寂的世界了。

"真神奇啊……"凛子不由发出了赞叹。

这赞叹不是"太美了"，也不是"真好看"，而是"真神奇啊"，久木觉得实在太贴切了。

眼前这个景象确实只有"真神奇啊"才能表述得出来。于美景中蕴藏着静谧和庄严，令人望而生畏。

两人一动不动地凝视着日落时分变化万千的湖面。

刚刚还是红灿灿的山峰渐渐暗淡下去，不久化作了单调的黑白世界。除了夕阳映照下的山峦外，整个湖面也从冷冰冰的苍白逐渐转蓝，再变成暗灰色，最后只剩下湖畔四周白晃晃的雪地，一切都笼罩在了黑沉沉的夜幕下。

湖面就这样缓慢地、一步步地被暗夜吞噬进去了。

久木一边凝望着眼前景色的变幻，一边轻轻地把手搭在凛子的肩头，等凛子回过头来，两人静静地深吻起来。

在众神栖息的湖边接吻似乎是对神不敬，不过也可以看作是在众神面前的爱的盟誓。

然后他们并肩坐在凉台的椅子上。四周更黑了，冬天的湖面也沉入昏暗的夜色中，只有湖畔的一处灯光，映出了圆圆的一圈儿雪地。

"过去，这一带是不许女人靠近的。"

久木想起了以前读过的一本书。

"那时候，女人会在上山途中被赶下山来，男体山就更别想上去了。"

"是因为女性污秽吗？"

"也有这个原因，不过，很可能是惧怕女人所具有的魔力。"

"有那么大魔力吗？"

"大概有吧。"

"我也有吗？"

凛子问得十分突然，久木点了点头。凛子瞟了他一眼，说："那我就把你拽走吧。"

"去哪儿？"

"去那个湖底……"

久木把目光投向了窗户，雪花飘舞，打在黑漆漆的玻璃上。

"那座山上和那个湖面上都在下雪吧？"

久木点点头，脑子里还回味着凛子说的"要把你拽到湖底去"的话。当然凛子不可能真的这么做，但是，久木觉得这个女人心里潜藏着要把男人一步步拽入湖底的欲念。

"瀑布那边也在下雪吧？"凛子想起了不久前去过的华严瀑布。

"在那种地方死，还是太冷了点。"

"不过，听人家说在雪里死挺舒服的。"

久木给她讲了个故事，是从一位北海道的朋友那儿听来的。

"据说那人脸朝下趴在雪地上，被人发现时，脸一点没有变样。"

"同样是死的话，还是脸色好看点好啊。"

这样聊着聊着，久木感觉到某种鬼魅气息，就离开了窗边，回到小客厅。

预订的晚餐六点半送来，他们打算利用饭前的时间，换上浴衣去泡个温泉。

虽说房间里也可以泡，但是凛子觉得既然到了这温泉之乡，还是去泡大浴池更好。于是两人来到一楼，沿着弯弯曲曲的回廊往前走。

给他们带路的女招待说："今晚人少，也可以泡鸳鸯浴。"但他们还是分别去了男浴池和女浴池。

一般傍晚六点之前人最多，可是今天空无一人。久木伸展开四肢，泡在宽大的池子里，尽情享受了一番奢侈的感觉。

泡完澡，久木回到房间里，打开了电视，不大工夫，凛子也回来了。

"静悄悄的，真不错。"

看来女池也空着。凛子把头发盘在脑后，从脸颊到脖颈都红扑扑的。

"我还去泡了一下露天浴池。"

男池前面也有一个小门，从小门出去之后有个露天浴池，因为下雪，久木就没有去。

"我是光着脚踩雪走过去的。"

久木想象着赤裸裸的凛子在雪中走路的样子，觉得很狐媚。

"下到池里后，水特别热乎，舒服极了。周围下着雪，身子却泡在温泉里，实在太神奇了。"

"看来待会儿我也应该去泡一下。"

"我仰起脸看见从黑沉沉的天空飘下来无数的雪花，落到睫毛上就融化了。"

凛子正说着，女招待送来了晚餐。

"冬天是淡季，没什么可吃的……" 女招待抱歉地说。

不过晚饭还算丰盛，有小菜、生鱼片和天妇罗，还有什锦烤鸭火锅。

"有什么事的话请按铃。"

女招待走后，凛子给久木斟上了烫酒。直到此时，久木才终于感受到了冬天旅宿的温馨。

两人交杯换盏地对酌起来，渐渐醉意上来，心情也舒展多了。

在涩谷租的房里，两人也一起吃过饭，现在竟在这冬天的旅馆里共进晚餐，他们不禁为这远游之趣感慨不已。

"到这儿来太好了……"

这次旅行是按凛子的希望计划的，算是送给她的生日礼物。

"谢谢你。"

凛子道了谢，她眼神迷蒙，温柔之中闪烁着火热的光芒。

听到凛子正儿八经地道谢，久木有点不好意思，站起来从冰箱里拿出了威士忌。

"到那儿去喝好不好？"

久木转移到凉台前的椅子上，往酒中加了冰水。凛子打电话告诉服务台已用过晚饭，然后走了过来。

"雪还下着呢。"

大概是入夜后风势有所加强，刮到窗户上的雪粒顺着玻璃滑到屋檐下，形成了一个小小的雪堆。

"下一夜才好呢。" 凛子自言自语着，夹起冰块儿放进玻璃杯。她向前倾身的时候，久木正好从敞开的浴衣领口窥见了她那丰满的胸部。

久木忍不住刚要把手伸进去，这时门声一响，女招待进来了。

"对不起，打扰一下。"

两位女招待收拾完餐桌，又进来一位男服务员给他们铺床。

在男服务员铺床时，久木一边观赏雪花霏霏的窗外，一边喝着兑水的威士忌。等服务员刚一离开，就迫不及待地对凛子说："终于就咱们俩了。"

他扭头朝卧室里一看，地席上铺了两个床铺，中间稍稍隔开了一些，枕边放着一个小小的纸灯笼。

旅店里的人怎么看我们呢？这念头只在久木心里一闪，便不再去想它，继续喝起威士忌来。晚餐时喝了啤酒和清酒，现在加上威士忌，已是醉意朦胧，浑身飘飘然了。

这舒适感来自晚上不用赶回去的安心感，还因为远离东京来到雪乡，得以忘却工作和家庭而生的松弛感。

"再开一瓶吧。"

久木又从冰箱里取出一瓶威士忌，凛子担心地瞧着他。

"别喝多了。"

"这可说不准。"

久木一边往加了冰块儿的杯子里斟酒，一边说："没准儿不能和你那个了。"

凛子听出了久木的意思，就说："随你的便，我无所谓。"

她那愠怒的样子着实可爱，久木见她还要往杯子里倒酒，就急忙拦住了她。

凛子本来就不能喝，和久木交往以后，尝到了喝得微醉的甜头。

"到那边去吧。"

久木刚才就被凛子隐约可见的胸部所撩动，可这样对面坐着没法碰她，于是，久木拿着酒瓶和杯子，换到了已挪到角落的桌子那边，然后叫凛子到他身边来。

凛子似乎没有意识到久木的企图，老老实实地在他身边坐下，正要往杯子里加冰块儿时，久木的手倏地一下滑进了凛子的胸前。

凛子立刻躲闪，但久木的手已经紧紧握住她的乳房不肯松开。

"你干什么呀？"

这一突然之举使凛子慌了手脚，慌忙想合拢领口，但久木的手却继续入侵，两人就穿着浴衣搅成了一团。久木半抱半拖地把凛子拉到被褥上，随后紧紧地压到她身上，紧抱着她亲吻。

凛子被久木这突如其来的热吻弄得不知所措，虽被堵住了嘴唇，还抗拒似的左右摆着头，但那也只是短暂的一瞬，很快就筋疲力竭了。

久木见她不再抗拒，便拉上和凉台之间的纸拉门，关上了灯，拧亮了枕边的灯笼。

凛子闭着眼睛软软地躺在床铺上，醉意朦胧的样子。

久木掀开她略微敞着的浴衣胸襟，轻轻捧住了白皙的乳房。

此刻，只有床头的灯笼在见证着这雪中湖畔旅馆里两人的缠绵。

久木放下心来，更大胆地掀开凛子的浴衣，端详了一会儿她的乳房，然后把脸埋进女人的乳沟。

也许有点醉了，他想就这么依偎在女人柔软的胸前。

他屏息静气一动不动地伏在凛子胸前，听见凛子轻声说道："刚才我把脸埋在雪里试了试。"

凛子说的是刚才去露天浴池时的事。

"你刚才不是说在雪里死去时，脸朝下比较好吗？"

"很冷吧？"

"也不怎么冷，把脸一埋进雪里，四周的雪就一点点融化，抬起脸时觉得很冷。"

"雪里暖和？"

"是啊，虽然喘不过气来，可是感觉脸周围的雪在融化，我想，就这么睡着的话，准会死去的。"

没想到凛子竟然在下着雪的露天浴池里做这事，久木不安地欠起身，看见凛子用一种虚幻缥缈的眼神注视着前方。

久木常常弄不清凛子在想些什么。

就像刚才吧，以为她高高兴兴地去享受露天温泉，没想到会把脸埋到雪里，模仿在雪里死的人。

久木也知道她是闹着玩儿，可是这种做法还是让人无法理解，甚至有点毛骨悚然。

"你为什么这么做呢？"

"想试试看呗。"

凛子微微侧过身去，背朝着久木。久木也跟着侧过身，从凛子的腋下把手伸过去，摸到了她丰硕的胸部。

"真静啊。" 凛子听任他抚摸，说道。

在雪天的湖畔，莫说是汽车声音，就连脚步声也听不见，侧耳细听，静得能听见下雪的沙沙声。

"几点了？"

"还不到十点呢。"

在都市里的话，夜生活才刚刚开始。

"真滑溜。"

久木的手从凛子的胸前滑向她的下腹部。

要是在平时，他会温柔地爱抚一番，以期结合，可今晚有点醉了，久木不想做什么，只想摸着这柔滑的肌体睡一觉。

"挺有弹性的。"

久木摸着她那圆圆的臀部。凛子小声说："我已经不年轻了。"

"你才三十八岁呀。"

"所以说是老太婆了。"

"还早着呢。"

"不，已经老了。"

凛子轻轻摇了摇头，声音低沉地说："我觉得也够了。"

"什么够了？"

"活到现在也够了，不用再活下去了。"

"你是说死也没关系？"

"对，我可不想活那么久。"

和凛子说着说着，久木就睡着了。记不清说到哪儿了，反正是抵不过醉酒后的倦怠，迷迷糊糊地睡过去了。

不知睡了多长时间，久木被渴醒了。灯笼已关掉，只有过道里昏暗的灯光从门缝漏了进来。

昨晚，久木睡着的时候，灯笼是亮着的，可能是凛子起来关掉的。两人当时是紧挨着睡的，现在中间隔开了一些。

久木伸手开亮了灯笼，看了下表，才半夜三点钟。昨天晚上十点睡的，睡了五个小时了。

大概是醉醒的缘故，久木觉得嗓子发干，起身从冰箱里拿出一瓶矿泉水，倒了一杯，一边喝着，一边走到凉台上，拉开窗帘向外张望。

外面还是黢黑黢黑的，雪还在下，连玻璃框上都落满了雪。

久木看着瑞雪，又想起了凛子昨天晚上把脸埋进雪里的事。

她为什么要做这种荒唐的事呢？久木回想着刚才她说的那些莫名其妙的话。

又喝了些白水，望着窗外的飞雪，久木的脑子渐渐清晰起来。

他记起快入睡时凛子说"我已经是老太婆了"、"活到现在也够了"等的话。

想到这儿，久木突然回头朝卧室里看去。

凛子不至于真想要去死吧？

一种不祥的预感袭上久木心头。他回到卧室内，凛子还侧身睡着。

久木凑近凛子的脸，借着灯笼端详起来。长长的睫毛紧闭着，俊俏挺直的鼻梁在她的脸颊投下淡淡的影子。

有这样安详的睡容是不会想去死的。

久木安慰着自己，拉上凉台的拉门，回到床铺上。

跟睡前一样，他的手又从凛子腋下伸过去，轻轻揉着凛子的乳房，用手指捏着她的乳头。凛子哼哼唧唧的，像要躲开爱抚似的蜷起了身子。

看来她还没有睡够，久木缩回了手，搂着凛子闭上了眼睛。

实在没有比女人的肉体感觉再好的东西了。

互相是不是喜欢，当然也很重要，但是，男人和女人的肉体只要相互一接触，心都会平静下来，任何烦躁忧虑，任何怯懦不安都会淡漠下去的。

这个世上生存的所有生物，只要肉体一相交，就不再有争斗。唯独被工作、生活困扰的人类，已经做不到这一点了。首先为了去上班要分开，其次在别人面前也不能搂搂抱抱，再加上道德、常识、伦理等赘疣的搅扰，肌肤之亲的机会一下子减少了。

值得庆幸的是，久木现在正最大限度地接触着凛子身体的各个部位。

久木的胸部贴着凛子的后背，从腹部至胯部紧挨着凛子的腰和臀部，下肢和她的下肢重合在一起，而双手则放在她的胸前和小腹上。

这给予自己无比的温馨和安宁的肉体，是绝不可能变硬变凉的。

久木又安慰了自己一遍，便沉入了梦乡之中。

睡梦中久木恍惚听到了凛子的声音，他睡意蒙眬地睁开眼睛，看见凛子正坐在他的枕旁。

"好大的雪哦。"

久木听凛子一说，抬起头来，倾听着外面呼啸的风声。

"现在几点？"

"才六点。"

久木起身走到凉台上，窗帘已拉开了一半，这里日出比较晚，再加上下大雪，所以外面还很暗。雪粒不断飘落到漆黑的玻璃上，像白色的箭头飞来飞去。

"这雪还真不小。"

说完，他记起临来时凛子曾问过回去的时间，就说："到中午估计会停的。"

既然这样，着急也没用。回到床上，久木叫凛子过来，凛子拢紧领口，静静地钻进了他的被子里。

久木感受着凛子的体温，解开了她的衣带，敞开她的前襟。

久木昨晚喝多了酒，什么也没干，搂着凛子睡着了。现在他把手伸到凛子的秘处，反复而轻缓地爱抚着，等待她渐渐升温。

值得庆幸的是男人休整了一夜，精力得到了恢复。

凛子的花园很快滋润起来，久木更紧地贴近她，就像和他的动作呼应一般，屋外一阵风声呜咽而过。

突然，久木感到一股强烈的冲动，粗暴地一把掀开被单。

"你怎么啦……"

久木不顾凛子的惊愕，一下子剥下了凛子的浴衣，让她全裸。

在这风雪包围中的隆冬旅宿里，无论是旅馆里的人，还是呼啸而过的寒风，都不会知道女人一丝不挂地袒露在被褥上。

又是一阵夹雪的疾风呼呼刮过。

外面虽然是风雪连天，有空调的房间里却暖融融的，低矮的灯笼映照出了凛子的裸体。

女人的身体丰腴白皙，久木坐在她的脚边，自上而下俯瞰她的全身，随后慢慢埋下头去，先亲吻着她的乳房。如果有人正从拉门门缝偷看的话，一定以为男人在向全裸的女体膜拜呢。

久木对创造出如此美妙艺术品的造物主以及展示出这种美的大度的凛子，抱有由衷的感谢与敬意。

他把脸埋在凛子胸前好一会儿，这才慢慢向下移动，从柔软的腹部一路亲吻到下面淡淡的繁茂处。

一瞬间，凛子轻吐一口气，同时扭动起身体，男人这才意识到，抬起头来。

尽管亲吻她的秘处也很不错，但是，眼下自己最想要的还是嵌入的紧密感。

男人熟练地拽过自己的枕头，垫到女人的腰下面，女人对这种做法早已心有灵犀，略微欠起腰部，配合得相当默契。这样一来，她两腿自然微微叉开，黑色的繁茂处便向上突起了。

在女人的千般姿态中，没有比现在这样更淫荡和具有挑逗性的姿势了。

男人见状更加按捺不住，轻轻抬高女人双腿，向左右分开，自己腰部贴紧女人胯间后，慢慢地顶入。

与此同时，又一阵寒风呼啸而过，像是被风声引导着似的，男人前后移动起身体来。

失 乐 园 ｜わたなべ じゅんいち

男人一边与女人紧密结合，一边缓慢地前后移动着身体。此时最关键的就是男人要稍微沉下腰来，这样在反复动作的过程中，就能够不断摩擦女人的敏感部位，使女人的快感渐渐地被激发出来。

最初女人还有些羞于表现，反应不太明显，然而当男人自下而上不断冲击、揉搓花蕊的时候，她再也耐不住这强烈的刺激，微微张开双唇，越来越急促地呻吟起来。

做爱的起因多种多样，结局都是男人败在女人的石榴裙下。

这次也一样，起初男人睥睨全裸的女人身体，精神抖擞，威风凛凛的，在结合后，驱动自己的身体进攻对方的同时，自己也忍耐不住而释放出来。可是就在这个瞬间，雄伟的男人之山刹那间失去了张力，犹如一堆瓦砾坍塌于女人肉体之上。

从女人一方来看，君临自己之上的男人，会在突然之间变成了一具尸体压在自己身上。

总之，那一刹那，男人的身体变得一片褴褛，而女人的身体则变成了娇艳的丝绸。

这时候的女人是否还会爱恋这个变得褴褛的男人，就要看这之前男人的做法及女人的满足程度了。

在这冬天的旅宿中，心满意足的女人将整个身子依偎着男人，一只手轻轻地抚摸着男人的肩头。

不可思议的是，事前是久木为凛子服务，而现在则是凛子为久木服务了。

从两人现在的情形可知，性的飨宴已经结束，男女互换立场，女人漂浮在丰饶的大海上，男人却不断在萎缩、平静下去，变得像个死人了。

然而久木从这濒死之境振作起了精神。他知道，只要一闭上眼睛就能够舒舒服服地进入梦乡，但那样一来，就有可能把好不容易得到满足的女性置于孤独和寂寞之中。

纵使倦怠至极，他仍然挤出所剩无几的力量搂住女人，互相感受着对方的体温。

他这样做，当然不是为了从中寻求新的刺激与快乐。

而是想要在激情过后，通过身体的接触，一起进入安宁。

正是为了完成这一责任，久木再次把凛子揽入自己的臂弯，以胸当枕，让她和自己一起沉入大雪纷飞的清晨小睡里。

清晨做爱后两人身心俱疲，随后小睡过去，不知睡了多久，久木醒来翻了个身，凛子也被他的动静弄醒了。

"几点了？"

久木看了看枕边的手表，告诉她九点多了。

两人都不想马上起床，懒洋洋地躺着，听到阳台外面又一阵风声呼啸而过。

"雪还在下吧？"

久木点了下头，又赖了一会儿才起来，拉开了窗帘，白色的雪花纷纷落向窗户。

从昨晚到天亮雪一直没停，而且越下越大。黎明时漆黑一片的玻璃窗外，此刻虽已恢复光亮，但外面是漫天飞雪，白蒙蒙一片，只隐约看到凉台下突出的屋檐。

"这雪能停吗？"

凛子也起来了，担心地望着窗外。

早晨的时候，久木说过中午会停的，其实自己心里也没底。

"已经起床了呀。"

他们正看着雪花飘飘的窗外，昨晚的女招待走了进来。因为他们预定了十点的早餐，她是进来做准备的。

"这雪真不得了。"

久木揣着手跟女招待寒暄道。女招待一边拉窗帘，一边说："下这么大也不多见，今天早上的报纸因为下雪都没来。"

"路不通了吗？"

"大概山路太陡了，上不来吧。"

久木想起了那弯弯曲曲的"伊吕波山路"的陡坡。

"我们想十一点下山。"

"现在经理正和山下联系呢，请稍候片刻。"

女招待鞠了一躬，离去了。凛子不安地用手涂抹着雪花不断飘落的窗玻璃，久木这才意识到他们被困在这中禅寺湖的旅馆里了。

其实选择来日光是因为离东京不远，交通便利。虽然对冬天日光的寒冷也有思想准备，却万没想到会大雪封山。

久木担心地打开电视，天气预报员说："有一强低气压从北陆一带到达关东北部，白天一整天将是大雪天气。"

其间男服务员进来收起被褥，女招待端来了茶水，摆放早餐。房间里倒是暖融融的，门外便是让人睁不开眼的暴风雪。

"这么大的雪一年也赶不上一回。" 女招待怀着歉意解释道。

可是大雪是不会给她面子的。

"给车轮缠上链条也不行吗？"

"路上到处都是雪堆，根本开不动的。"

也是，雪这么大，从九曲回肠般险峻的"伊吕波山路"开车下山简直不可想象。

久木万般无奈地吃起早饭来，而凛子还在挂念着回去的时间。

"你打算几点回去？"他向凛子问道。

"最好三点以前。"

要想三点以前到东京，一小时后就得出发。

"有什么事吗？"

见凛子支支吾吾的，久木也不好再追问，不过，三点之前恐怕回不去了。

吃完饭，刚打开电视，经理就来了，对他们说："现在中禅寺湖和山下日光的交通都已中断，请你们先在房间里休息一段时间。"

"什么时候能通车？"

"那得看雪什么时候停了，弄不好得等到晚上了。"

久木回头瞧了瞧凛子，见她低着头，脸色煞白。

已经十一点了，雪一点也不见小。

细一看，雪粒很小，算不上大雪，但被风一刮，就成了风卷雪，遍地都是雪堆。

"看来够呛了。"

凛子三点回到东京的希望恐怕要落空了。

"你还是打个电话吧。"

怕自己在旁边碍事，久木说完就到楼下的大浴池去了。

路过服务台时，他看见有七八个客人想要离开，拿着行李看着外面的大雪，大家都因下雪回不去而焦急。

久木泡完空无一人的温泉回来，见凛子坐在小客厅的镜子前，正用小拇指搓揉着眼角四周。

"怎么样？"久木担心凛子打电话的事，问道。

凛子轻轻摇了摇头。

"我不去了。"

"不去哪儿？"

"侄女的婚礼。"

"你的侄女？"

"不，是他的。"

也就是丈夫的哥哥或姐姐的女儿了。不管怎么说，这么重要的活动哪能不参加呢？

"几点开始？"

"婚礼是五点。我本来只打算参加一下后面的宴会。"

已经快晌午了，就算现在通了车，回到东京也得四点了。再回家换衣服，绝对来不及了。

"他知道你来这儿吗？"

"说了一声……"

"没问题吗？"

久木说完自觉口误，马上改口道："我不是那个意思。"

丈夫侄女的婚礼时，妻子和别的男人一起被大雪封闭在旅馆回不去，这种情况怎么可能没有问题呢？

两人谁也不敢再提及这个问题，又等到了下午，雪还没有停的意思。

久木看着时钟从两点指向了三点。

现在即使雪停了，等到除掉积雪后通车，也得四五点了。然后下山乘电车到东京就八九点了。这还算运气好的，说不定，今晚都回不去了。

凛子此时满面愁容，如果真回不去的话，久木也是很麻烦的。

久木跟家里说的是今天回去，并没说要来日光。借口是要去京都一趟，查找有关昭和史的资料。所以，下雪回不来就不成为理由了。妻子那头好歹还能对付过去，可是，明天是星期一，十点钟有个会，必须一大早就出发才赶得上。

然而，比自己更难办的还是凛子。

没出席侄女的婚礼还不算，连着两个晚上不回家，也不说去哪儿了，本来和丈夫的关系就很紧张，这下恐怕更不好收场了。

正苦思冥想的时候，三点已过，女招待送来了咖啡，等她刚一离开，久木就试探着问凛子："今天回不去怎么办？"

凛子没说话，用勺子慢慢搅拌着咖啡。

"雪早晚会停的，不过，可能得再住一晚。"

"你呢？"

"当然最好是回去了，不行的话也没辙。"

"我也没关系。"

"可是，你……"

凛子镇静地仰起脸道："回不去，有什么办法呀。"

久木沉默了。

凛子自言自语道："我什么也不在乎了。"

四点以后，雪似乎小了一些，可是天也黑下来了。中禅寺湖越来越模糊不清了。

久木站在凉台上眺望着外面。这时经理进来说："入夜后，路上结了冰，无法开通，今晚破例不收房费，请务必在这儿住下。"

不论好赖，看现在的情况，除了留下没有别的法子。听说其他客人都住下了，久木也只好点头同意。

当然凛子在旁边都听见了，也死了心，和久木打了声招呼，就去浴池了。

剩下久木一个人看着白雪覆盖的湖畔那一处光亮，回想起去年秋天在箱根连住两晚上的事来。

那次和今天不一样，并不是回不去，而是他们自己不想回去。那是一次明知故犯的冒险，心情既紧张又感到快乐。

而这次是由于大自然的威力，才不得已留下的，完全没有了愉快和乐趣，只剩下了沉重的压抑感。

很明显，这是几个月来两人所处环境的变化导致的结果。

在箱根时，双方的家庭还没有什么大问题，能放松地连续住两晚。即使连续两夜不归，也觉得早晚会与外遇作个了结，所以不怎么当回事。可是，现在情形不同，不管什么理由，今晚不回去，事态将会发生决定性的转变。

久木离开凉台回到桌旁抽着烟，琢磨起决定再过一夜时，凛子说的那句"我什么也不在乎了"的话来。

她是说今晚不回去呢？还是指和丈夫的关系呢？两者的可能性都有，后者可能性更大。

今晚凛子是否已下决心和丈夫分手了呢？若真是那样，自己也得作出相应的安排了。

望着黑下来的窗户，久木深深感到他们正在被逼入绝境之中。

不久，黑夜降临，两人都泡过了温泉，坐下来吃饭。顺序和昨天一样，心情可大不相同了。昨天第一次来到这种地方，什么都新鲜，中禅寺湖、大浴池以及露天浴池，所有的一切都使他们好奇。而现在已没有了兴奋的感觉，只有无可奈何的麻木和将错就错的心态。

老是这么闷闷不乐也无济于事。为忘掉这些不愉快的事，两人较着劲儿地喝起酒来，凛子还破天荒地要了杯清酒，一口气喝了下去。

此时，东京正在举行婚礼，凛子的丈夫压抑着对妻子缺席的满腔愤懑，亲戚们用怀疑的目光看着他。

一想到这幅景象，久木的头就胀大了，只能借酒浇愁。

晚饭从六点多一直吃到八点左右，凛子醺然薄醉，脸颊红红的。

突然，凛子摇摇晃晃地站了起来。

"咱们去雪地上趴一会儿吧。"凛子步履蹒跚，"你也和我一块儿去。"

凛子说着就朝走廊走去，久木慌忙拦住她。

"你醉了，太危险。"

"反正也是去死啊，还有什么可危险的。"

凛子甩开久木的手，执意要去。她头发散乱，眼光呆滞，神态异常的妖冶。

"快点，你起来呀。"

"等一等。"

久木双手摁着凛子的肩膀，让她坐下。

"你干嘛拦我，我高兴。"

凛子不满地嘟哝着，久木不理她，叫来服务员撤掉了餐桌，铺好被褥。

凛子充其量只有一两的酒量，却在泡澡后喝了好几杯冷酒，不醉才怪呢。

"你说要去的，怎么变卦了？"

凛子还惦着趴雪地的事，女招待们在的时候，她老老实实待在一边，她们刚一走，又晃晃悠悠站了起来。

"别胡闹了。"

久木不让她出去，她非要出去，两人拽来搡去的，结果脚下一绊，都摔倒了，久木在下，凛子在上，正好骑在久木身上。

驾驭者是凛子，久木像马一样仰面朝天躺在地上。

凛子以胜利者的姿态低头瞧着他，突然间，像一头发现了猎物的母豹子，两眼放光，双手扼住了久木的脖子。

"你干什么……"

凛子喝醉了酒，手劲儿很大。

"咳，咳。"

久木想喊"松手"，可出不来声，憋得直咳嗽。

凛子不但没有松手，反而更加用力了。久木突然意识到，很可能会这么气绝身亡的。他看见凛子的两眼红得像在喷火。

她到底想要干什么？久木忽然害了怕，使劲掰开了缠绕脖颈的那双手。

久木又咳嗽了半天，才大大喘了一口气，说出话来。

"你快把我掐死了。"

"我就是想要杀了你。" 凛子冷冷地说。

然后，骑在久木的身上命令道："你就这么干吧。"

女人骑在男人身上，男人从下面撑着她。这种体位他们曾经采用过几次。只不过，每次都是久木提出要求，而凛子不大情愿地服从的。

因为这种姿势会使女人完全展露在男人面前，令女人难堪，但是经过几次实际体验，久木感觉得到凛子或多或少尝到了这个姿势的乐趣。

和男人一样，女人似乎并不厌恶这样淫荡的姿态。

尽管如此，凛子如此大胆地主动要求，是从来不曾有过的。

是因为她喝醉了呢？还是偶然骑在久木身上所致呢？或是由于知道回不去了，才突然变得大胆起来了呢？

久木让凛子在自己身上坐好，从下面仰视着女人全身，握住自己的男根。

凛子虽然闭着眼睛，顺从地向后挺起上身，却将双手遮挡在胸前，护着乳房。久木拿开她的双手，使她全无一点遮拦的时候，才用手拨开那繁茂之处，缓缓将自己送入。

他刚一进去，凛子就轻轻"啊"了一声，扭了一下上身。久木不予理睬，继续向纵深挺进时，凛子发出了一声又深又长、发自肺腑的呻吟。

此刻，男人的所有已完全被女人吞噬，无法逃脱了。

在如此紧密的程度上，女人缓缓向后挺起上身，达到极限之后再缓缓地向前倾倒，这样反复几次之后，她好像找到了使自己兴奋的诀窍，突然加快了动作的频率。

久木双手从下面轻轻扶着凛子的腰肢，怀着无比的幸福感仰视着凛子渐渐泛红的面容，晃动着的乳房，以及腹部凹陷处的阴影。

剧烈的动作使凛子的头发越来越散乱，从凌乱的头发里露出的面部表情仿佛在抽搐，眼看就要哭出来了。

久木估计，凛子即将达到高潮了。就在这时，凛子张开黑色翅膀似的双臂，又一次掐住了久木的脖子。

迄今为止，久木从未经验过这种形式的最后冲刺。一般来说男人仰卧，女人跨坐在男人身上攀登高峰，并不算稀奇，可现在的情况是，在这样的体位时，女人还掐着男人的脖子。到了这个地步，就不能不说是超越常规的近于变态的行为了。

实际上，那一瞬间久木已经开始意识蒙眬，以为自己会就此呜呼哀哉了呢。

哪怕再迟一分钟或十几秒，他都可能断气。

一瞬间，他觉得仿佛窥见了死亡的世界。而后伴随着剧烈的咳嗽，他的意识恢复了，他这才真真切切感觉到自己还活着。

当他看到赤身裸体的凛子俯卧在自己身边，才想起自己刚才看到凛子疯狂地甩动着散乱的头发，一边叫唤着什么一边瘫软下去的情景。至于她当时叫喊的是什么，已经回忆不起来了，不过有一点是可以断定的，那就是他们两个人就像商量好了似的，在同一时刻到达了巅峰。

久木努力回忆着刚才的一幕，试着活动着四肢，手脚膝盖还有知觉。再看看灯笼，才记起自己身在可以眺望中禅寺湖的旅馆里。这时凛子翻个身靠了过来。

"真疯狂……"

这个说法以前是指做爱时凛子的癫狂状态，现在却是久木自身的体验。

"我差点没被你掐死。"

像是受到久木的引导，凛子点着头说："这回你明白我说的'可怕'的感觉了吧。"

凛子达到高潮时，确实说过"好可怕"，难道就是这种感觉吗？久木再次追踪着刚才自身的那番体验，忽然联想到另一件事。

"吉藏也说过同样的话。"

"谁是吉藏？"

"就是被阿部定勒死的男人。"

久木的脑海里浮现出阅读昭和史时，了解到的这两个人物。

凛子的兴趣来了，懒懒地问："阿部定，就是干那件怪事的女人……"

"其实，也不能说是怪事。"

"她不是切掉了男人的那个东西，然后把男人杀了吗？"

凛子只记得事件离奇的部分，而详细调查了昭和史这一事件的久木觉得，这是深深相爱的男女之间产生的非常有人情味儿的事件。

"她被人误解的地方不少。"

久木把座灯拿开了一些，在显得更昏暗的被褥上低声说："她的确割了男人的东西，不过是在勒死之后。"

"女人把男人勒死的吗？"

"据说，以前她也曾经一边交媾，一边勒他的脖子，就像你刚才那样。"

凛子连忙摇头，紧紧倚在久木胸前。

"我是喜欢你才勒的呀，因为太喜欢了，反而恨起来了……"

"她也是喜欢得过了头儿，不想被别人得到，情不自禁那么做的。"

"可是，弄不好会死人的。"

"可不，真死了。"久木摸着刚才凛子勒过的脖子说，"我也差一点。"

"那可不一样，我刚才不是跟你闹着玩儿勒过，只不过是想起了那件事，想试试看罢了。"

"她开始也是闹着玩儿，一边做爱，一边相互勒对方的脖子，觉得很刺激。"

"是用手掐死的吗？"

"是用绳子。据说使劲儿勒的话，男人的东西就会硬起来，感觉非常好。"

"你刚才什么感觉？被掐的时候刺激吧？"

凛子把腿搭到久木身上。

"也挺难受的，过去那个劲儿，也许会感觉不错的。"

"看来是那么回事。"

凛子向久木撒娇道："回头你也掐我一下。"

"现在掐你脖子？"

"是啊。我快上去的时候，是什么感觉，这回你知道了吧？那个时候……"

久木按照凛子的吩咐，把手轻轻按在她的脖子上，脖颈细细的，双手一把就掐住了，凛子静静地闭上了眼睛。

她那温顺的样子十分可爱，久木的手不由加了些力，触到了凛子喉咙的软骨，感觉到了静脉的鼓动，又继续掐下去，凛子的下颚渐渐抬起，紧接着，剧烈咳嗽起来，久木慌忙松开了手。

凛子又咳嗽了一气，待呼吸平稳下来后小声说道："真可怕，不过好像有点那种感觉了。"

她的眼神似梦似幻。

"她是用绳子勒的吧？用绳子一定更难受吧？"

"事件发生的头天晚上，两人互相勒脖子玩儿，力气大了点，男人差点死去。脖子勒出了一条印儿，脸也肿了，女人忙着给他冷敷，还买来镇定药给他吃，这才暂时稳定下来。但是夜里，男人因药力作用，迷迷糊糊地说，'你今天夜里要勒我脖子的话，可别松手，勒到头，中间停下来更难受。'"

"可是把他勒死了，不就都完了吗？"

"也许她就想要这样吧。"

"为什么呢，因为喜欢他？"

"是因为不想让别人得到这个男人。"

突然外面一阵风刮过凉台，座灯闪了一下。雪不下了，风还在刮。

凛子也在侧耳听那风声，停了一会儿，接着问道："那个叫阿部定的女人是干什么的？"

"被杀的男人叫石田吉藏，在东京中野开了一家叫作吉田屋的料理店，阿部定是在他店里干活的女招待。"

"是在店里认识的？"

"阿部定三十一岁，吉藏四十二岁，比她大十一岁，剃着平头，长脸形，属于美男子一类。阿部定十七八岁就当了艺伎，有些早熟。她皮肤白皙，是个很有魅力的女人。"

久木半年前看的这份资料，去年年底，又看到了事件发生时的报纸，对大致情况比较了解。

失 乐 园 ｜ わたなべ じゅんいち

"多半是女的勾引的啰？"

"是男人先追的她，当然她也迷上他了。"

"男人有妻室吗？"

"当然有，他老婆很贤惠能干，可是吉藏一见到阿部定，就立刻魂不守舍了。"

"店里哪有机会啊？"

"所以，两人四处找旅店或酒家去幽会。"

久木恍惚觉得是在讲他们自己。

"没有被他妻子发觉吗？"

"当然知道，所以他们不想回来，一连几天在外住宿。事件发生时，就是两人在荒川的一个酒店里待了一个星期后的事。"

"一个星期都不回家？"

"大概也想回去，可是失去了回去的时机，而回不去了吧。"

久木话音刚落，外面又是一阵疾风掠过。

久木和凛子完全能够体会阿部定和吉藏当时连续外宿而失去回家机会的心情。

"不是某一方强求的吧？"

"那自然，两个人都舍不得分离，就这么一天天住下去，对女人而言，回去就等于把心爱的男人还给他老婆了。"

"我也是这样想的。"

凛子猛然抓住久木的胳膊，久木不自觉地往回缩了一下。

"女人的心情都一样。"

凛子这一突如其来的表白使久木慌了神。

"我猜他自己也不想回去。"

久木借吉藏来为自己辩解，凛子似乎也认可了。

"这么说是情死啰？"

"杀死吉藏后，阿部定本打算要自杀的。"

"被人发现的时候，男人被细绳子勒死之后，又从根儿上被割掉了男人的命根儿。被单上方方正正地蘸血写着'定吉二人'四个大字，男人的左大腿上也有同样的字，左臂上用刀刻着一个'定'字，血糊糊的。"

"好可怕哦……"

凛子更紧地贴近了久木。

"杀人的时间是夜里两点左右。第二天早晨，阿部定一个人离开了旅馆，中午时女佣发现了尸体，众人乱作一团。可是，她写的'定吉二人'完全暴露了他们两人的关系，说明她一开始就没想要逃跑。"

"被割下的那个东西呢？"

"她用纸仔细地包起来，又把男人的兜裆布缠在腰上，然后把这个纸包塞进腰带里，带在身上。"

就连久木自己讲到这儿，后脖颈也直往上冒凉气，就向凛子贴近一些，这才意识到不知什么时候，凛子已轻轻握住了他的那个物件。

两个人面对面躺着，身体贴在一起，就算碰到了那儿也很自然，不过现在恰好讲着男人命根子被切下来的故事，使他感觉很瘆人。

久木轻轻向后缩着，可是凛子仍然紧抓不放，整个人也随之陷入被单里。

就在久木搞不清她打算干什么的时候，突然感到凛子的嘴唇触到了自己的男根，随即热乎乎的气息包裹了顶端。

"喂，喂……"

以前凛子很害羞似的亲吻过几次，但像今天这样深深含住还是第一次。

穿透脑髓般的快感，使久木禁不住扭动起身体。凛子松开嘴，它已然坚挺起来，凛子仍然把它紧握在手里，提出了新的问题。

"她切掉的只是这个吗？"

久木一时无法回答她，只好摇了摇头。凛子紧接着又发问："不光是这个吗？"

"还有下边儿的……"

"是这儿吧？"

凛子又轻轻摸了一下他的阴囊。

"她带着这东西去哪儿了？"

"她在城里转来转去寻找可以死的地方，可是没死成。三天后在品川的旅馆里被抓到。当时的报纸上，将这作为没有先例的怪诞事件大肆渲染，什么《血腥的魔鬼的化身》，什么《变态的行为》，什么《怪异的谋杀》，等等，标题五花八门的。"

"也太过分了吧。"

"起初新闻报道多出于猎奇心理，后来对阿部定的真实心态有所了解后，舆论多少变得善意一些了，比如《爱欲的极致》，《一起赴死的愿望》，等等。事实上，被捕的时候，阿部定身上有三封遗书。其中一封是写给被自己杀死的吉藏的。写的是'我最爱的你死去了，你终于完全属于我了，我马上就去找你'。"

"她的心情我能理解。"

"她身上还有一张去大阪的夜行车票，在东京死不成，她准备到以前去过的生驹山那儿去自杀。"

凛子越加被煽起了好奇心，追问道："阿部定被捕以后呢？"

"她很平静。检察官审问时，她立即坦白'我就是你们要找的阿部定'，对所做的事供认不讳。因此，半年后开庭时，原来量刑是十年，最后判决为六年。"

"算是轻判吗？"

"作为杀人犯来说当然是轻判了。服刑以后，又以成为模范囚犯为由减刑一年，满打满算服了五年刑就出狱了。"

凛子松了一口气，点点头。

"那年的二月，发生了由少壮派军官们谋划的'二·二六事件'，斋藤内政大臣等三名重臣被刺杀,社会上一片骚动。不久,日本又发动了'七七事变'以及太平洋战争,日本更加军国主义化了。"

"这时候发生了这个事件?"

"对,人们倾听着日益临近的战争的脚步声时,心情很黯淡,所以,置身事外、一心扑在爱情上的阿部定的生活方式,引起了人们的共鸣,甚至出现了以《蕴藏于颓废中的纯爱》为题的文章,开始有人善意地把她誉为'改造人性的大明神',等等。总之,舆论对她越来越有利了。"

"这么说舆论帮了她的忙?"

"当然这也是原因之一,此外,为她辩护的律师的有力辩词也起了很大作用。"

"他是怎么辩护的?"

"阿部定和吉藏两人是真心相爱的,而且在性方面是几万人中也未必有一对儿的罕见之合。所以,这是在爱的极致发生了热烈过火的行为,不应以一般的杀人罪论处。这番辩词引起满场哗然。"

"几万人中只有一对儿的罕见之合?"

"就是说在性方面很合拍。"

凛子沉默了一会儿,然后下身紧贴着久木说:"那我们呢?"

"当然是几万人中的那一对儿啰。"

爱情当然不可缺少精神上的联结,但肉体方面是否合拍也很重要。甚至会有精神上的联结并不那么紧密,肉体上由于十分迷恋而无法分开的。

"这种事一开始没办法知道吧?"

"从外表很难判断。"

"和不合拍的人生活在一起真是一种不幸。" 凛子自语道,似乎在发泄对丈夫的不满。

"不合的话,一般人都怎么办呢?"

"有点不满的话,有的人忍耐,也有的人以为本来就是这样的。"

"看来还是不知道为好啊。"

"也不能那么说……"

"我真不幸啊，是你教给我不该知道的东西的。"

"喂，别瞎说噢。"

突然的风云变幻使久木感到惶惑，凛子接着说："这种事跟谁也没法说呀。"

因性方面的不满足而合不来的夫妇，对别人难以启齿，最多说些"不能控制自己"或"太多情"等来掩饰。

"我真羡慕性方面合拍的夫妇，要是能那样我就别无所求了，可是我却跟别人合得来……"

久木也深有同感，所以完全了解凛子的苦衷。

"不过夫妻一般也很难合得来，咱们遇上了彼此这么合得来的人，多幸运啊。"

现在也只能这么说说相互安慰了。

久木看了下表，已过了十一点了。

偶然谈起阿部定的事，没想到说了这么长时间。

外面的大风仍在猛烈地刮着，雪停了，明天可以回东京了。虽说还没定具体什么时候回去，但十点久木要去公司，明天必须早起。

久木翻了个身，打算睡觉，凛子却从他背后靠过来，把手伸向他的两腿之间。

久木轻轻按住她的手说："该睡了。"

"就摸摸，可以吧！"

在讲阿部定的故事之前就已经翻云覆雨了一番，久木已没有力气再回应凛子了。

久木任凭那柔软的手抚弄了一会儿，凛子有点不好意思地问："那个吉藏床上功夫不错吧？"

久木这才意识到凛子是在拿他和吉藏进行比较，便照书上说的答道："确实很有两手，他不仅精力过人，而且，能长时间控制自己使女人满足。阿部定说他是她所知道的男人里最棒的。"

"就为了这个把那东西割下来的？"

"当刑警问她为什么要把那东西切下来时，她交代说：'它是我最喜爱的宝贝，不割去的话，给他清洁尸体的时候，他老婆就得碰它。'阿部定不想让任何人触摸它。而且还说：'他的身子虽然留在了旅馆，但是只要把它带在身上，就觉得是和吉藏在一起，就不会感到孤单了。'"

"她真够坦率的。"

"至于为什么用血写'定吉二人'那几个字，她说'把他杀了的话，就会觉得他完完全全属于自己了'，她想把这个告诉大家，就写了各人名字中的一个字。"

"你是在哪儿看到这些的？"

"检察官的调查笔录里写得清清楚楚。"

"我想看看。"

"回去以后我拿给你看。"

久木说完，由着凛子继续抚弄，安静地闭上了眼睛。

夜里，久木梦见了阿部定。

好像是从日光返回的时候吧，久木坐电车回到浅草后，阿部定站在通向商店街的入口看着自己。她虽然上了年纪，却依然肤色白皙，风韵犹存。自己正看得入迷，她忽然消失在人群中了。

凛子也梦见了阿部定，听说有个像阿部定一样的女人，许多人在围观她，自己也挤过去看热闹，结果被警察赶开了。

两人同时梦见同一个人是很少见的，但久木梦见她在浅草这种热闹的地方，并不是偶然的。他曾听一位老编辑讲过，战后不久，阿部定在浅草附近开了一个小小的料理店，虽然上了点年纪，仍然很漂亮，风韵不减当年。可是后来，一传十十传百，她受不了人们好奇的目光，不久离开了浅草，音信皆无了。

"如果她还活着的话，多大年纪了？"

昭和十一年她三十一岁，现在应该九十岁左右吧。

"那么也许还活着呢。"

从编纂昭和史的角度上说，久木很想见上她一面问一问，可又觉得没有这个必要。

"本人不愿抛头露面，就不好强求。再说，她的心情都完全反映在警方的调查记录上了。"

久木说完，像要摆脱阿部定的话题似的，站了起来，穿上睡衣，拉开了凉台的窗帘。昨天下了一天的雪已经停了，中禅寺湖以及周围银装素裹的雪景，在阳光的辉映下，耀眼夺目。

"你来看。"

昨天在知道回不去后，一晚上自己和凛子都沉浸在阿部定的阴郁的故事里，现在面对这大自然的良辰美景，宛如进入另一个世界。

两人看得入了神，这时女招待进来了。

"早上好！车已经开通了。"

昨晚那么担心道路不通，一心想回去，现在听说车通了，反而懒得动了，甚至希望老不通车才好呢。

这种内心的摇摆不定，就是因为一想到该回去了，即将面对忧郁现实的沉重心情便压在了他们身上的缘故。

久木心想，回东京之后，是去参加会议呢，还是下午再去呢？还有，怎么对妻子解释呢？凛子的烦恼更多，没出席婚礼，又多在外面住了一晚，怎么跟丈夫交代呢？

尽管都知道彼此的心情，却不想触及，因为他们非常清楚面临着多么严峻的局面。

他们在忐忑不安中吃完早饭，九点出发，坐出租车下了山，乘上了电车，到东京时快中午了。

久木估计赶不上上午的会，就在上车前给公司打了个电话，说是有点感冒，不能参加会了，可是还没敢给妻子那边打电话。凛子也和他一样一直没跟家里联系。

上午十一点半到浅草后，两人都不想马上就分手，就去一家荞面馆吃了午饭，吃完饭有十二点多了。

现在去公司，还算上半天班，久木站在大街上犹豫起来。

"你马上回家吗？"

"你呢？"凛子反问道。

久木见她神色有些不安，就提议说："咱们去涩谷吧。"

现在去他们的住所，就会一直待到晚上不回家，那样情况会更加恶化的。

明知如此，久木还是这么提议，凛子立即表示同意。

坐上出租车，久木轻轻地握住了凛子的手说："咱们快赶上阿部定和吉藏了。"

两人心里都清楚，回到他们自己的家后，下一步会做什么。

从浅草到涩谷用了快一个钟头。他们一进屋便一起倒在了床上。

虽说不算出远门，然而旅行归来的安心感和疲倦使他们依偎着昏昏入睡。在熟悉的床上相互拥抱入睡，感觉特别舒服。

等他们醒来时，已是下午三点，离天黑还有一段时间，窗帘把外头的亮光遮得严严实实的，屋里很黑，相互耳鬓厮磨间又勾起了欲望，只是没有昨夜那般激情燃烧。久木不经意地触到凛子的私处，便轻柔地爱抚起来，凛子在这种反复刺激下渐渐兴奋，也握住久木的东西爱玩着。就这样不断地反复着，直至双方都再不能忍受而结合在一起。

无论公司还是家庭都早已被他们忘得一干二净，不，应该说是为了忘掉这些，他们才耗尽所剩无几的力气耽溺于快乐的。事毕之后，他们再度昏昏睡去。

再次醒来时，已经六点多了，天色已黑。凛子用现成的东西做了顿简单的晚饭，两人还喝了点啤酒。

他们边看电视边聊天，谁也不提回家这一关键的事。吃完饭，又不自觉地搂在了一起。

并不是非要激烈地寻求什么，只是卿卿我我地相互抚爱对方，不分白天黑夜地享受着愉快的时光。此时此刻，久木脑子里仍不时地闪过该回去了的念头。

十点时，久木去了趟厕所回来，问凛子："怎么办？"

这简单一问，凛子立刻明白是该回去的时候了。

"你呢？"

两人又重复了一遍白天在浅草时的对话。

"我也想这么待下去，可是不回去不行啊。"

到了这个关头，久木也不愿意从自己嘴里说出这句话。

对于陷入情爱深渊的恋人来说，没有比分别更让他们难受和寂寞的了。

凛子坐在镜前梳妆，脸色苍白。沐浴打扮后仍消除不了和男人极尽欢爱后的余韵。久木也一样，穿戴得整整齐齐，却是一脸的倦容。

好容易一切准备停当，凛子穿上黑色高领毛衣、酒红色短大衣，正要戴上灰色帽子，久木突然双手把凛子搂到怀里。

现在已无须再说什么，久木只想一直用力抱紧她。

即便凛子的丈夫会恼羞成怒地责骂她，甚至打她，久木也希望她能平安无事地过了这一关，再继续见面。

凛子也察觉到久木的意愿。

"我走了……"

凛子费力地说出了这句话，突然怯懦地转过脸去，眼里噙满了泪水。

她还是感到不安吧？久木想着掏出手绢给她擦了擦眼泪。

"有什么事给我来电话，今晚我不睡觉。"

久木回家后也同样面临着难题。一直对他相当宽容的妻子，今天晚上也许会和他吵闹的，但是，无论如何久木都要遵守和凛子的约定。

"我不会让你一个人伤心……"

久木的话使凛子的心情好了一些，又补了补妆，戴好帽子，互相交换了一下目光，走出了房间。

十点以后，楼道里静悄悄的。两人乘电梯下了楼，来到大街上。

坐一辆车的话，又会难舍难分的，于是分别叫了车子，上车之前两人紧紧握了手。

"记着，有事给我打电话……"

凛子点点头，先上了车，目送汽车尾灯渐渐远去，久木自己也坐进车里闭上了眼睛。绵长而奢华的情爱之宴，终于曲终人散了。

春阴

　　季节的转换也给世人带来了变化。尤其是从冬至春这段时间的推移，因大自然于大地积蕴万物之精气，也影响到了人们的身体和心灵。

　　从二月中旬到三月间，久木周围发生了一连串意想不到的事。

　　其一是，大自己一岁、同期入公司且颇有前途的水口因患肺癌住了院。

　　去年年底，水口突然被从总社调到马隆分社去，已受到了打击，现在又得了这个病，真是祸不单行。好在发现得早，马上做了手术，病情稳定一些了。

　　久木想去看他，但他的家人希望过一阵再说，所以一直没有去。

　　水口的发病，是否也是被生机勃勃的春天吸去了元气呢？他刚被划到线外就病倒，说明了人事方面的挫败感对他的影响也不小。

　　当然不能说这是得病的直接原因，不过，失去了原有的职位，工作没有了干头儿而一下子病倒的人并不少见，所以不能说一点关系也没有。

　　不管怎么说，同时参加工作的人病倒，使得久木也顾影自怜起来。

　　好在眼下久木的身体还过得去，只是和凛子两人的处境越来越不妙了。

　　奇妙的是，男女之间的感情与其说是日益加深的，不如说是因某些变故而分阶段进展的。比如他们一起去镰仓，接着到箱根，然后又在凛子父亲的守灵之夜，迫使她来饭店约会。每当这么色胆包天地幽会一次，两人的感情就增进一步，越加难舍难分。而现在，让他们之间的纽带联结得更为紧密的，正是二月中旬同赴中禅寺湖滞留不归造成的。

然而，不但没出席丈夫侄女的婚礼，还连着外出两天不回家，这样的妻子是世理难容的。

也许她回家后被丈夫狠狠地责骂了一顿，两人吵得天翻地覆吧？

久木担心得彻夜未眠。没想到，两天之后在住所见面时，凛子的精神状态格外地好。

其实这不过是表面现象，问题已发展到了非常严重的地步。

据凛子说："那天晚上十一点多到家里时，丈夫还没睡，我说了声'我回来了'，也不见搭腔，还在埋头看他的书。"

凛子立刻意识到丈夫的态度非比寻常，但还是对他解释说："因雪太大回不来，没能出席婚礼，很抱歉。"，等等。见丈夫还是不发一言，只好上楼去更衣，刚一转身，背后突然响起了丈夫的声音："等一下。你干的事，我都知道。"

他的话像刀子一样锋利，凛子不由吃惊地回过头来。

"我还知道你和谁睡觉，在什么地方。"丈夫的语气十分肯定。

听了凛子这番话，如同晴天霹雳，惊得久木呆若木鸡。

以前断断续续从凛子和衣川那儿听说了关于凛子丈夫的一些情况，所以，一直以为这类冷漠而清高的人对男女之事和人情世故是不大在行的。

久木不能想象这样的男人竟然会去调查妻子外遇的对象。凛子淡淡地说："连你的名字叫久木祥一郎都知道得一清二楚。"

"怎么会知道……"

"他的嫉妒心特别强……"

即使如此，要查出妻子外遇对象的名字也是不那么容易的。

"他是不是跟踪过我们呀？还是雇了私人侦探了？"

"即使不那么做，他有心想知道，也能知道啊。你不是给我写过信吗？笔记本上也有你的名字和公司名称啊。"

"他看了你的本子了？"

"我当然是收起来了，可是以前没怎么留心过，最近总感觉不对劲儿。"

"可是，你在家的时间多呀？"

"从去年年底开始，常常不在家的……"

去年岁末，凛子的父亲去世后，凛子常常回横浜的娘家。可能是那段时间，她丈夫开始彻底调查妻子的吧。

"而且，我告诉过他住的是哪个旅馆，一晚上还没什么，两天没回去，他可能给旅馆服务台打电话了解情况了。"

那个风雪之夜客人不多，又是大雪封山的特殊情况，旅馆很可能简短地回答一些询问电话的。

"他真是那么说的吗？"

"这种事情没必要说谎吧？"

满以为他是个不通世事的书呆子，没想到现在露出了狰狞面目向他们反扑过来，这使他们措手不及。

"他还说了些什么？"

"你尽可以随心所欲地去玩乐，你是个肮脏的淫妇。"

久木就像自己挨骂一样默然无语。凛子叹了一口气，接着说："他说：'我恨你，可是我不会跟你离婚的。'"

久木一下子没明白她在说什么，其实是不明白她丈夫到底想怎么样。

如果憎恨妻子的话，应该唾骂一顿后，尽快离婚的呀，可为什么非要继续做夫妻呢？

"我搞不懂……"

久木嘀咕着。凛子也点着头说："我也弄不懂。我猜他是以此来报复。"

"报复你吗？"

"是啊，他对我简直恨之入骨，所以就不离婚，让我永远禁闭在婚姻的牢笼里……"

居然有这种复仇的方式，久木半是吃惊，半是理解，但还是不十分明白。

"可是一般男人都是骂一通或打一通吧？"

"他可不这样……"

"那么你出去玩儿，他也睁一只眼闭一只眼吗？"

"反正他闷在家里冷眼旁观，就算他不管，我老不在家待着，周围人也会说闲话，我母亲、哥哥，还有他爸妈和亲戚们……只要没离婚，终归是妻子。"

这么一说，久木多少理解了凛子说的报复的意思了。

"可是，到了这个地步还怎么在一个屋檐下生活呢？你不愿意为他做家务，他也不愿意回家吃饭的呀。"

"这好办，他父母家在中野，以前他也常回去吃他母亲做的饭，而且大学里有他自己的房间，在家里我们也早就分房睡了。"

"从什么时候开始分着睡的？"

"有一年多了吧。"

久木和凛子的关系正是一年前开始迅速进展的，这么说凛子夫妻不和也是从那时开始的。

"以后怎么办？就这么下去吗？"

"你那边怎么样？"

被凛子这么一问，久木不禁倒吸了一口凉气。

久木一时无法给凛子一个满意的回答，但两人的关系确实到了紧要关头，即将陷入无路可走的困境。

久木缄默着，回想起回家后的那一幕。

那天晚上，久木十一点多回到家时，妻子还没有睡。

可妻子没有像往常那样迎出来，久木便回到自己的书房兼卧室，一边脱掉外衣，换上宽松的睡衣，一边思考着怎么对妻子解释。

如果现在去客厅的话，昨晚不归的事会使气氛变得紧张，免不了一场争吵，不如借口太累了，睡觉为好。他现在确实是身心疲惫，没精神跟妻子说话。

可是，躲得过初一躲不过十五，早晚要和妻子见面，拖延下去只会更麻烦，不如干脆趁着今晚给她道个歉比较妥当，就说是因为工作太忙回不来。

久木想到这儿站起身，照了照镜子，定了定神，就到客厅去了。

妻子正坐在沙发上看电视，见了久木，小声说了句"你回来了"。久木点点头，见妻子表情平静，就放了心，坐在沙发旁边的椅子上，伸了个懒腰，说道："好累啊。原来打算昨天回来的，可是活儿实在干不完，就拖到今天了。"

他跟妻子说是要去京都的寺庙和博物馆收集资料。

不过，他屡次打着这个旗号和凛子出去旅行，不免有点心虚。

"昨天想给你打电话，结果喝醉了，就睡着了……"

久木说完又打了个呵欠，刚拿起桌上的烟，妻子关掉电视转过身来。

"不必这么难为自己了。"

"难为自己？"

妻子缓缓点了点头，双手捧着桌上的茶杯说："我看，咱们还是离婚得了，这样比较好吧？"

久木做梦也没有料到妻子会说出这种话。

"现在离婚的话，我轻松了，你不是也没有压力了吗？"

久木听妻子这么说，不知她在开玩笑，还是跟他闹着玩儿，心里正琢磨着，妻子又说："到了这个年龄，没有必要互相忍耐了。"

妻子从来不大声吼叫或发脾气，有什么不满，也只是三言两语说两句，不大往心里去。

久木一向认为妻子生性宽厚，今晚却使他大感意外。

她的态度比平日更加镇静和蔼，像是经过深思熟虑，才下定决心说出来的。

"可是，为什么呢？"

久木连手上拿着的烟都忘了点，向她问道："你突然说出这种话，怎么回事？"

"这不是你希望的吗？怎么回事，你自己应该最清楚。"

妻子盯视着他，久木不禁避开了她的目光。

难道说妻子已经知道他和凛子的事了吗？怎么一点迹象也没有啊？她总是淡淡地说"你是你，我是我，互不相干"，这正合久木的意，可谁知妻子早已对一切了如指掌了，这都怪自己太粗心了。

"何必这么急于……"

"不是急于，而是太晚了。不现在分手让你们在一起的话，她就太可怜啦。"

"她是谁？"

"你对她这么上心，想必特别喜欢啰。" 妻子慢条斯理地说道。

"我这方面你尽管放心，我好得很。"

久木也曾经考虑过和妻子离婚，在结婚七八年后的婚姻倦怠期，以及后来和其他女性发生外遇的时候，也设想过和妻子分手，过单身生活。尤其是和凛子认识以后，更具体地思考过先跟妻子离婚再和凛子结婚的事。

可是一旦提到议事日程上来，问题就接踵而来。首先是如何跟无辜的妻子开口，以及怎么向独生女知佳解释。此外有没有勇气彻底毁掉经营到现在的家庭，再从零开始构筑一个新的家，因为自己已经上了年纪，早已习惯于现在的生活了。最关键的是凛子能否顺利离婚，和自己走到一起呢？

一想到这些实际问题，久木就像被当头泼了一盆冷水。所以他觉得继续维持现有的家庭，和凛子想见面时见个面更为妥当，也不会伤害到其他的人。

其结果是，这半年来，想离婚和凛子开辟新生活的冲动，与不要轻率从事的冷静交织在一起，总是处于矛盾之中。

然而，在这内心斗争中，他似乎忘记一个关键的问题，就是妻子的想法。

不，不能说是忘记，他认定妻子是永远不会变的，所以压根儿没当回事。

从根儿上说，久木至今没有提出离婚也好，觉得离婚太难也好，都是因为对"妻子爱我，不愿意离婚"这一点深信不疑。

可是刚才从妻子嘴里说出了"咱们离婚吧"这句话，彻底推翻了久木的自信。

他万万没想到妻子会主动提出离婚。

"你同意不同意啊？"

妻子声音爽朗，没有丝毫的犹豫和苦恼。

妻子是经过充分考虑才提出的，可是对久木而言却太出乎意料了，马上答复不上来。

那天晚上就这么过去了。第二天久木早早起来，窥视了一下妻子的表情，看不出什么异常，她平静地在准备早餐。

久木心想，说不定昨晚她是为了规诫贪玩的丈夫开了个玩笑吧。久木这么寻思着吃完了早饭，站起来正要去上班时，妻子说道："昨天晚上说的事，可别忘了啊。"

久木一怔，回过头来，见妻子像没事人一样将碗筷放进了水槽里。

"你真要这样？"久木想这么问，但妻子已打开水龙头，哗哗地洗起餐具来了，久木只得把话咽了下去，向门口走去。穿完鞋，回头瞅了瞅，妻子没有来送他的意思，只好自己打开门走了出去。

外面虽然是蓝蓝的天，但空气有些潮湿，刚发芽的树梢上已萌生了春的气息。

呼吸着早晨清新的空气，久木迈着沉重的步子朝地铁站方向走去，满脑子都是迫在眉睫的离婚问题。

说实话，过去一直以为离婚与自己无缘，现在才发现自己成为当事人了。久木为这立场的突变而深感迷茫，心中暗暗思忖："妻子到底是不是真心想离呢……"

久木在摇晃不停的电车里思来想去，越想越糊涂，下车后，在公用电话亭给女儿家挂了个电话。

女儿知佳结婚两年了，没有出去工作，这个时间应该在家。

久木走进电话亭，稳定了下情绪，拨了电话号码，女儿很快接了电话。

"怎么了，这么早来电话？"

"有点事想找你说说。" 久木含糊其辞地说道。

突然，久木冒出一句："是这么回事，你妈提出要和我离婚。"

"妈妈到底还是提出来了。"

原以为女儿会大吃一惊，没料到她格外得平静，看来女儿已经从妻子那儿听说些什么了。

久木忽然有种被疏远的感觉，问道："你早就知道了？"

"是啊，妈妈跟我讲了好多。爸爸打算怎么办呢？"

"怎么办……"

"妈妈可是真心要离哟。" 女儿淡淡地说道。

这下久木更慌了。

"妈妈和爸爸离婚，你无所谓吗？"

"我当然希望你们能白头偕老啊。可是爸爸不爱妈妈了吧？另外有喜欢的人，想和那个人一起生活吧？"

久木又吃了一惊，看来妻子什么都跟她说了。

"不喜欢妈妈，还生活在一起可不太好。"

知佳说的是不错，可是现实中的夫妻并不都是相爱的。有的夫妻是已经互相厌倦，毫无感情了，却不见得会轻易离婚，这就叫夫妻啊。

"这么说，你也赞成了？"

"这样对你们双方都有好处啊。"

"可是一起生活这么多年了……"

"说这些有什么用呢？说到底是爸爸不对呀。"

话说到这份儿上，久木没有辩白的余地了。

"妈妈觉得太累了。"

"她打算今后一个人过吗？"

"那当然，妈妈只能一个人过了，请您在房子和钱的方面多关照一下吧。"

虽说理所当然，但是，都到这个程度了，女儿依然站在母亲一边，久木觉得自己受到了背叛似的。

"我还以为你会反对呢。"

"这是爸爸和妈妈之间的事啊。"

也是，嫁出去的女儿对父母的事自然不愿意过问了。

"您不必担心我的。"

久木终于发现在自己把家庭抛在脑后，在外逍遥游逛的这些日子，妻子和女儿都变得坚强勇敢起来了。

凛子和久木听完了对方讲述各自家庭的变故后，不禁对视着苦笑了一下。

事到如今，他们已不再哀叹和悲伤，更不会开怀大笑了，只剩下了一丝苦笑。

现在两人仿佛站在突然出现在面前的十字路口上，但各自的处境又完全相反，使他们啼笑皆非。

原来以为凛子回家后会遭到丈夫的痛骂，甚至会提出离婚。不仅是久木，凛子也做好了精神准备。

结果她丈夫既没发作也不说分手，甚至明确表示绝不离婚，想用婚姻的枷锁来束缚她。

别说久木，就连凛子也万没有料到会是这种局面，因此凛子颇为狼狈，而久木的处境也同样窘困。

很晚回家时，久木满以为妻子会大吵大闹，不依不饶，可是她不仅没有吵闹，反而心平气和地提出离婚，倒使久木猝不及防。可他还是怀疑妻子在开玩笑，和女儿通话后才发现已无法挽回了。

"真是滑稽……"

此刻，久木找不出别的形容词了。

"咱们正相反。"

以为丈夫会提出离婚的凛子却被套上了婚姻的枷锁，以为离不了婚的久木，反而被逼着离婚。

"莫名其妙……"久木说道。

凛子静静地问："你是不是后悔了？"

"怎么这么说……"

凛子问他"是不是后悔了"，可他怎么能回答"是"呢？

两人之间的爱一直不断在加深，现在更不能向对方示弱了。

然而，当后退一步面对自己的情感时，久木就感到有些气馁、怯懦了。

自己一直那么向往离婚，可是一旦成了自由之身时，又彷徨、犹豫起来，这究竟是为什么呢？

说来说去，还是突然之间被划到了婚姻这个社会公认模式之外的不安心理在作祟吧？或者是因为离婚是对方突然提出来的，不是自己提出的，所以缺乏心理准备呢？

凛子察觉到久木的忧虑，低声说道："你后悔的话，回去也可以。"

"回哪儿？"

"你自己家呀。"

"现在？"

"你不是觉得对不住夫人吗？"

"我对家已经没有感情了。"

"真的吗？"

被凛子一叮问，久木急忙点头。

"我不会回去了。"

"我也不回去。"

久木点点头，忽然又想到凛子还被囚禁在婚姻的枷锁之中呢。

"可是，你……"

"我该怎么着还怎么着，现在还回去干什么呢？"

"可是他不同意离婚呀？"

"那有什么关系，即便不能离婚，我的身体也是自由的。"

"周围的人会怎么看？"

"我不管，爱怎么看就怎么看。"

凛子的无畏精神感染了久木，他也学着她给自己鼓劲儿。

从二月底到三月初，久木过得很不踏实。

自从妻子提出离婚后，久木偶尔回趟家，双方没有正面冲突，表面上还像以前那样淡淡地过日子，以至有时久木竟忘了离婚这档子事。

久木偶尔猜想，妻子会不会后悔了。

不过，她只是表面上保持平静，心里却没有丝毫改变。三月初，久木回家时，发现桌子上放着一纸离婚协议书。

离婚协议书是妻子从区政府领来的，她在协议书右下角，写上了自己的名字"久木文枝"，并盖了章。久木只要在旁边签上自己的名字，盖上章，就算离了婚。

原来离婚如此之简单，久木为之惊愕和困惑。

如果签个字就算分手的话，那么二十几年来苦心经营的又是什么呢？

和久木的优柔寡断、拖延不决相反，妻子则是干脆利落地公事公办。

"我把它放在桌上了，回头你签上字就行了。"

第二天早上，妻子临出门时，对他淡淡地说道，久木又受到了新的刺激。

难道说妻子对过去就没有一丁点留恋和怀念吗？真是个无情无义的冷冰冰的女人呐。

他忍不住给女儿打了电话。女儿说："其实在下决心以前，妈妈苦恼了很长时间呢。"

女儿很同情母亲。

这么说在妻子苦恼时，久木外出逍遥，等到发觉时，妻子已作出了决定。至少在她痛苦的时候能稍微安抚她一下就好了，如今时机已过，想弥补已经来不及了。

思前想后，久木还是不想在上面签字，协议书就放在抽屉里，日子一天天地过去。

久木没有把妻子拿来离婚协议书这件事告诉凛子，可是一天拖一天的心情，就如同被判刑的罪犯，刑期被一天天拖延下去一样。这样的状态使他心烦意乱，工作也受到了影响，觉得还不如趁早签了字，也落个轻松。

大男人在离婚之际，拖泥带水最让人瞧不起，久木不断对自己这么说。可是每当拿起那张纸时，就是签不了这个字，总想拖到明天再说。

离婚虽然拖延不决，久木的实际生活，却因此而发生了根本的变化。以前两人总是想方设法找借口在涩谷的爱巢里幽会，外宿不归，觉得自己犯下了十恶不赦的罪孽，但现在全无这些顾虑了，反正是要离婚的人了，干什么都名正言顺了。

随着外宿的增多，久木的内衣、鞋袜、衬衫、领带等随身用品一点点从家里转移到涩谷来了。

凛子的衣服也在不断增多，需要收纳的地方，为此他们添置了衣柜，以及洗衣机和微波炉等家电。

下班后，久木总是不由自主地往涩谷方向去，等意识到的时候，已经打开门进入了属于他们两人的房间里了。

虽然凛子还没来，但久木一坐在被家具充塞得更加狭小的房间里，心情便宁静下来，同时也感到了难以排遣的焦虑，他自言自语着："今后怎么办呢？"

久木怀着对未来模模糊糊的不安，得过且过，将错就错地一天天过了下去。

三月中旬过后，久木的心情仍然处在彷徨不安之中。

这种心绪既来自离婚问题上优柔寡断的矛盾心态，也由于春天特有的阴郁天气的影响，再加上去探望躺在病床上的水口时受到了不小的刺激。

久木去看望水口是在三月中旬，日历上的"桃始笑"那一天。

"桃花开始笑了"即桃花绽开的季节，水口所住医院的门口盛开着艳丽的红梅和白梅。

下午三点，久木在水口妻子指定的时间来到医院，她已在走廊等候了，他立刻被她领进了旁边的会客室。

前些日子，久木就想来看水口，她没同意，请他过一段时间再来，所以一直等到今天。

"总算做了手术，精神好多了。"

水口的妻子解释了推迟让他来探病的理由，但表情黯淡。

久木有种不祥的预感，就问了一下病情。据医生说，虽然切除了肺部的癌组织，但病灶已经转移，所以，最多只能活半年左右。

"他本人知道吗？"

"没敢告诉他，只告诉他做了切除手术，没事了。"

水口的妻子请久木到会客室来，就是为了在进去看水口之前，先向他说明一下这方面的情况，以防说漏吧。

"请多关照。"

久木点点头，走进了病房。水口的精神看起来比他想象的要好，一见久木马上点头寒暄："好久没见了，欢迎欢迎。"

水口微笑着，看上去变化不大，只是脸色略显苍白。

"本想早点来的，可听说你要做手术，一直没敢来。"

"唉，真是倒霉呀。不过，已经好多了，放心吧。"

水口让久木坐到他的身边。

"你的气色不错嘛。"

"光是手术倒不至于怎么样，只是一吃抗癌药就没有食欲了。我估计下个月就可以出院了。"

久木突然想起了水口妻子说的病灶已经转移的那句话，装作若无其事地说："早点出院吧，你不在的话，马隆那边没人管了。"

"没那么严重。公司这种地方，不会因为少一两个人影响正常运转的。"

水口的头脑还很清楚。

"不过，病可真是不可思议的东西，心情沮丧的时候它准来找你。"

"是去年年底得的吧？"

"我曾经跟你说过，那时我特别消沉，对自己一下子失去了自信，心情郁闷，觉得身上不舒服，到医院一查，结果得了癌症。"

水口是去年十二月从总社高管突然被调到分社去的。

过了年后，刚刚正式当上了分社的社长就得了病。

"也许是这次调动引起的病变。"

"不至于吧。"

"可是在那之前，我身体一点毛病也没有啊。"

如果真是那样，难道对工作的热情和紧张感能够抑制癌细胞吗？

"我真羡慕你，总是那么有活力。"

水口躺在床上，目不转睛地望着久木。

"我也应该像你那样，该玩儿就玩儿，该乐就乐。"

"出院以后也来得及呀。"

"晚啰，变成这样没戏啦！人总要衰老、死亡，真应该趁着想做的时候做啊。"

久木看到水口那布满细小皱纹的眼角上有些湿润了。

三十分钟的探视之后，久木走出病房，内心被紧迫感和莫名的激动占据了。

　　和自己同龄的人得了癌，正濒临死亡，怎么能使自己不产生紧迫感呢？尽管也经历过同龄人或比自己年轻的人谢世，然而多年来一直很亲密、一同并肩走过来的朋友病倒，不能不使久木感触更深。

　　久木一想到自己也上了年纪，不再年轻了，就有种紧迫的感觉。

　　而水口那句"人应该趁着想做的时候做"，则打动了久木的心，使他产生了莫名的激动。

　　刚才，水口在死神面前，发出了后悔没能充分享受生活的慨叹。在别人眼里，他总是那么劲头儿十足，活得那么充实的样子，可谁又知道他心里埋藏着多少无奈啊。

　　不论他指的是工作方面，还是感情方面，总之对于现在的水口而言是追悔莫及的。

　　人的一生无论看上去多么波澜壮阔，在到达终点回首往事时，却显得格外平庸。当然，哪种活法都会有遗憾，不过，至少不应该在临死的时候，才想到"糟糕"、"应该早点做"等悔不当初的话。

　　久木又想起了水口诉说后悔时，浮现在他眼角的泪水。

　　久木可不愿意这么抱着遗恨结束自己的一生。刚想到这儿，凛子的身影又出现在久木的脑海里。

　　现在和凛子的恋爱，对久木而言，正是他生命中最最重要的，也是唯一的动力。人常说："要像对女人那样倾注全部热情。无论工作还是爱情，对于人的一生来说都是重要的，值得倾其所有精力的。"现在自己为独享一个女性的爱情这个大事业正倾尽全力。想到这儿，久木心里涌起了一股热潮，他的心飞向了凛子等待着他的地方。

　　这是一个俗称"春阴"的、樱花季节即将到来前的阴郁的下午。

虽说离樱花绽放的时节还有些日子，但含苞待放的樱花已压满了枝条。

久木抓着电车吊环，穿过春阴气息浓浓的街道，赶往凛子正等待着他的涩谷爱巢。

现在是下午四点半，但他跟同事说是下午去医院看水口，所以不必再回办公室去了。今天早上，他跟凛子打了个招呼，凛子说她要回趟横浜的娘家，五点左右来涩谷。虽然离天黑还早，但能这个时候约会，正是因为他们拥有这样不必在意任何人的只属于他们俩的房间。

久木下了电车朝公寓走去，连跑带颠地穿过走廊来到房门口，打开门一看，凛子还没来。

已经五点了，凛子可能要晚到一会儿了。

久木拉开窗帘，打开空调，躺在沙发上。

这时候，公司里的人们都还在伏案工作呢。

只有自己一个人逃离了那紧张忙碌的地方，在这个无人知道的房间里等着他的女人。

久木满足于这种神秘的感觉，打开电视，正在重播一个电视剧。原来白天经常播放这种谈情说爱的电视剧啊，久木觉得很新鲜有趣。

久木漫不经心地看着电视，时间一点点过去，已经五点四十五分了。

凛子今天怎么这么晚呢？她很少迟到的呀。会不会在半路上买东西耽搁了？

久木一边想象着，一边思考等凛子进屋以后该怎么办。

照现在的情况，她至少要迟到三十分钟或一个小时，得好好惩罚她一下。

当她开门进来时自己躲在门后，冷不防地强吻她？或是不管三七二十一地把手伸进去握住她的乳房？或是直接把她推倒在沙发上做爱？

正一个人胡思乱想的时候，门铃响了，紧接着听到了转动门把手的声音。

凛子终于出现了，迟到了近一个小时。

刚才还在想着种种惩罚她的手段，可一见到凛子，久木就放下心来，只能过过嘴瘾了。

"怎么这么晚呢？"

"对不起，娘家事太多……"

今天凛子穿一身淡黄色春季套装，领口系着花丝巾，手上拿着件白色大衣和一个大纸袋。

"晚饭怎么办？出去吃点什么？"

凛子一边打开口袋一边说："我在站前超市买了一点吃的，就在这儿吃吧。"

久木当然没意见。出去吃哪有在这儿自在，还可以和凛子闹着玩儿。

"你晚了一个小时。"

久木正要从后面搂抱在厨房里忙活着的凛子，被她拦住了。

"刚才我把猫送去了。"

"你母亲那儿？"

凛子点点头。她一边从纸袋往外拿东西一边说："被妈妈骂了一顿。"

"为了猫的事？"

近来凛子经常不在家，把猫扔在家里也太可怜了，可又不想请丈夫帮忙，所以她曾经说过想放在娘家。

"妈妈喜欢猫，放在她那儿没问题，只是妈妈问我为什么这么做……"

"咱们这里地方窄，又不让养宠物。"

"不是这个意思，问我为什么老不在家，连猫都没工夫养。"

自己有家，却把猫送出去是有些不自然。

"妈妈知道我经常出门，前几天晚上给我打电话时，我不在家，所以她问我，那么晚，上哪儿去了……"

看来事态是越来越严重了，开始波及凛子的娘家了。

"我几次想跟妈妈说，可是怎么也不敢……"

父亲刚去世不久，凛子实在不忍心再提起夫妻不和的事。

"不过，妈妈好像知道了。"

"知道我们的事？"

"从去年秋天开始她就有点怀疑，正月和你见过面后，她也提醒过我。"

"她说什么了？"

"她说，你该不会是喜欢上别人了吧？"

"你怎么说？"

"当然说没有啦。可妈妈是个特别敏感的人……"

久木还没见过凛子的母亲，但从凛子的话里，能感觉到是一位典型的出身于横浜传统商家的有教养的女性。

"上次我没参加侄女的婚礼，就被妈妈数落了一通，后来还说过我几次。三天前，夜里给我家打电话，我也不在，所以……"

三天前那晚，两人也是留宿在了涩谷。

"她说是晴彦接的电话……"

"谁是晴彦？"

"他的名字啊。"

久木还是第一次知道凛子丈夫的名字。

"他对妈妈说，我今晚大概晚回来。"

"晚回来？"

"他没说我不回来，可是从他的话音里妈妈也猜得出来。"

凛子从架上拿出茶壶和茶叶。

"妈妈特别喜欢他，她说：'要是你在外面做了什么不正经的事，我都没脸去见九泉之下的父亲……'"

"可是……"

久木不知该说什么，又在沙发上坐下了。

"不能总是这么瞒下去啊，说出来，或许会得到她的理解的。"

"我说了。"

"都说了？"

凛子使劲儿地点了点头。

"父亲刚去世时，怕妈妈太伤心，今天算彻底说清楚了。"

"后来呢？"

"妈妈开始的时候还静静地听，越听越生气，最后哭了起来……"

从凛子断断续续的诉说中，久木仿佛看到了凛子母亲那恐慌的样子。

"妈妈原来只是猜测，我承认了以后，她受到了很大的打击。她说：'我怎么会养出你这么个不知羞耻的女儿……'"

久木什么也没说，一味低着头听凛子往下讲。

"她说这件事太丢人了，对谁也不能说，包括你哥哥和亲戚们。你父亲肯定会在坟墓里伤心的。妈妈说着哭了起来，然后问我：'你为什么不喜欢他……'"

凛子顿了顿说："我觉得说什么妈妈也不会明白，就没说话。她又问：'那个人是哪儿的？'"

"你怎么说？"

"我也说了你的名字，这事瞒是瞒不了的。"

凛子回过头来，眼里闪着泪花。

"现在，我一切都失去了。"

听到这句话，久木不由地抱紧了她。

凛子已失去了家庭和丈夫，现在又失去了最后的壁垒——娘家的母亲，可以依赖的只有自己了。久木心中顿时涌起了一个热切的念头，死也要保护这个女人。

凛子现在唯一可以信赖的只有这个男人了，她扑到了久木的身上，紧紧抱住了他。

由紧密连带感而拥抱在一起的两个人，不约而同地依偎着往卧室走，就像从空中坠落一般，双双倒在床上。

弹簧床轻轻颤动着，男人亲吻着女人被眼泪润湿的眼睛，她颤动的睫毛慢慢平静了下来，男人品味着带点咸味儿的泪水。

久木想要吸干女人满眼的泪水，来安抚她的悲伤。

尽管这样也无力改变目前的困境，却足可以安抚心灵深处的哀伤和痛苦。

用几分钟时间，慢慢吸干她眼中的泪水后，男人的嘴唇开始覆盖女人的鼻子和嘴唇，这时女人感觉酥痒，扭动起身体来，当他蜷缩的舌尖触到她那优美的鼻孔时，女人完全平静了下来，眼泪也沿着鼻梁流了下来。

他在这三处反复地亲吻着，直到眼泪被吸得痕迹不留。凛子终于从失去丈夫和母亲的悲伤中恢复了过来，藏匿在体内的热烈情感渐渐复苏了。

她配合着久木的动作，急不可待地自己脱掉裙子和内衣，以刚出生时的赤裸姿态喃喃着："你就把我毁掉吧……"

即使这是逃避一时的手段，却是女人主动奉献的，这一点是无可置疑的。

面对女人的哀求，男人快速开动脑筋，琢磨该采用什么法子才好。

女人希望彻底毁掉她，即是渴望彻底破坏掉以往的爱情常识、既成概念以及道德观念，等等。

想到这儿，便摇身一变，成了一头狂暴的野兽，他拽开盖在女人身上的被单，趁着一丝不挂的女人刚刚露出胆怯之机，猛然抬高她的双腿，并向左右使劲儿分开。

六点刚过，房间里虽然还没有开灯，但窗边映照着夕阳的余晖，在微明之中，凛子雪白的大腿悬在半空。

"你干什么呀？"

女人有些狼狈，男人根本不加理会，抱住她分开的双腿用力拖向窗边，女人这才发现自己的私处正对着窗户。

"会被人看到啦……"

女人担心被人看到，其实从外边根本无法窥见公寓里一再上演的痴缠。

不过，这违背常态的做爱方式，超乎寻常地刺激了女人的羞耻心，激发出了异常的亢奋。

嘴里叫着"不要"、拼命地抗拒的女人，与不顾一切强行压制住她的男人之间，展开了一场短兵相接的肉搏战，两人都累得气喘吁吁，大汗淋漓。其实这也是实现女人要男人毁掉她的愿望的重要步骤。

渐渐地女人筋疲力尽，不得不就范于被男人多次强迫过的淫荡姿势，颤抖着微微分开双腿，停止了挣扎。

此刻，女人的道德心与羞耻心已被破坏殆尽，对于有可能被人窥见的这种姿态，反而感到某种被虐的快感。

男人确认了这一点以后，终于下定决心，要一举侵入女人的肉体，向最后的破坏目标大举进攻。

女人的肉体虽然柔弱，在性爱方面却是多姿多彩且强悍无比，而男人身体虽然强健，性的样式却单调而脆弱。

当然，久木不是没有这种预感，事实上正因为有此顾虑，他才从一开始就先让女人尝一尝无比羞耻的滋味，将她消耗得筋疲力尽，折磨得痛不欲生之后，才踌躇满志地发起总攻的。

可是一旦结合，才发现刚才那种程度的折磨手段非但无效，反而更煽动起女人的情欲，和自己的企图背道而驰。

男人一边拼命地挑逗她，不断在她的脖子、耳边留下热吻、咬痕，一边卖力地抽动着。女人与之积极地配合着，越来越亢奋起来，终于伴随着一声长长的声嘶力竭的叫唤，攀上了巅峰。可是，到此为止是否如她所愿，达到了被彻底毁掉的状态仍然值得怀疑。既然要求彻底毁掉她，那么至少应该让她身心疲惫、体无完肤，才算完成了任务。

可是看现在凛子的状态，不仅没有受到丝毫毁坏，反而变成了一团欲火，追逐着欢愉的蜜糖而一往无前。

只要看看她这无所顾忌、精力充沛的姿态，就可以清楚地了解男人和女人的地位已经发生了逆转。最初男人为了彻底摧毁女人，勇敢地向女人发起了攻击，在使女人受尽屈辱之后攻城拔寨，可是到最后才发现，男人已经沦落为奉献了自己所有一切的单纯的雄性。

在这一瞬间，男人不但没能征服女人，反而被女人的肉体所俘虏，沦为欲罢而不能、备受奴役的阶下囚。

尽管如此，一浪高过一浪、高潮起伏不停的凛子此刻的表情，是何等的凄美绝伦！

凛子面相柔和，五官小巧玲珑，搭配得十分和谐。此时，这张挑起男人好奇心的甜甜的脸庞忽而似哭泣，忽而微微含笑，忽而又仿佛痛苦不堪，真是变化多端，魅力无穷。正是为了欣赏这一娇柔妩媚、勾人魂魄的表情，男人才倾其全部精力，控制着节奏，奋力拼搏的。

不过凡事终有完结时，疯狂的男女之爱终于接近了尾声。

只是这个终结不是由于女人，而是由于男人有限的性。如果任凭女人之所欲的话，男人就会沉溺于其无限的性之中，被驱赶到万劫不复的深渊中去。

现在的静寂，是男人筋疲力竭的结果，并不是女人从快乐的阶梯上自动下来的。

一切都终结后，男人折尽箭戟，瘫在那里。女人得到充分满足后，更添迷人的风韵，丰腴肉感的肢体漂浮在欲海之上。

如果有人看到他们现在的状态，恐怕要怀疑"你把我毁掉吧"这句话到底是谁说的了。至少不会有人想到是在女人祈求下，男人才趁机进行这番疯狂的折磨和攻击的。

无论如何，现在可以肯定的是，在欢爱的开始与结束时，双方的状态完全逆转了，在最后这个阶段被毁得面目全非的正是男人自己。

说老实话，久木已多次亲身体验过这样的结局，早已不再惊叹了。然而，这次却是完全将自己置于对方的操纵之下了，久木不由地恐惧起来。

照这样下去，早晚会彻底顺从女人的意志，迷失在享乐的世界里，最终被拽入死亡的陷阱中去的。

现在，得到了充分满足的凛子，对开始时威猛强悍，最后变得温顺安静，而被新的不安所笼罩的久木低声道："棒极了。"

凛子说完，又说道："真想让你把我杀了……"

只有成熟的女性才会在快乐的顶点想到死，男人难以体会这种快乐。即便有个别人能体会到，也只限于某种变态的行为，正常的男人几乎不可能达到那种程度的性满足的。

久木过去一直这样看，现在仍然没有变。他有时觉得性之死与自己完全无缘，有时又觉得近在咫尺。

比如与女性结合或者只靠自慰得到一瞬间的快感之后，往往会感到无法形容的倦怠，陷入所有精气都被吸干了似的虚脱感。

过去自己只是简单地断定，那是由于射精，其实，那正是与死亡相联结的序幕吧？

年轻时他曾模模糊糊地想过，为什么那么勇猛的东西，在射精的同时就会一下子打了蔫，温顺下来了呢？

有时候他会为此而焦躁不安，不断地自我激励，但那种肉体的萎缩和精神上的坠落感，与死亡的感觉太接近了。

或许，射精过后向男人袭来的虚脱感，是在昭示爱欲与死亡衔接的自然逻辑吧？认识到这一点，放眼自然界就会发现，雄性几乎都在射精的同时骤然间变得气息奄奄，或徘徊于生死之境，直至死去。这种从射精到死亡的时间虽因物种不同而有些差异，却摆脱不了其背后笼罩的死亡阴影。

女人是在晕眩般极度快乐中梦见死，相比之下，男人则是在坠落下去的虚脱感中被死的阴影所缚，两者真是天壤之别啊！

这就是无限的性和有限的性之间的差距吧？或者说，是肩负着养育新生命责任的女人和只要播下种子便完成使命的男人之间的差别吧？

久木沉思着的时候，凛子将灼热的身躯从他身后贴了过来。

"我真害怕。"

"你以前也说过可怕的。"

凛子点点头。

"不过这回又是另一种害怕，就好像会死似的……"

"自然的……"

"是的，就是那种什么都无所谓了的感觉。真希望就这么死去。我觉得死一点都不可怕了，我真为自己害怕……"

凛子的话似乎有点矛盾，不过，在性的顶点会感觉到死的诱惑，却是千真万确的。

"我可不希望你死。"

"可是，我觉得已经足够了。活到现在知足了。"

凛子的声音越来越亮，像唱歌似的。

"现在是我最幸福的时候，是我整个人生中最美好的时候。"

久木不解，凛子又说："难道不是吗？我爱你爱得刻骨铭心，能够这样，就是死也瞑目了。"

"你才三十八岁呀。"

"所以说活到现在已经够了，已经足够了。"

以前凛子一直很在意自己的年龄，还说过，自己都三十八岁了，已经老了，死也无所谓了，等等。

然而，在已过五十岁的久木眼里，她还相当年轻，人生还有很长的路要走，但是她本人也许另有感慨。想到这儿，久木说道："上年纪也有上年纪的乐趣啊。"

凛子坚决地摇着头："也有人这么对我说，可是我的极限就到这儿了，再活下去就走下坡了。"

"也不能光考虑外表啊。"

"话是那么说，可是，对女人来说上年纪是很苦恼的。不管费多大劲儿，也越来越遮掩不住衰老，现在已经到了临界点了。"

"干嘛说得那么严重呢？"

"我也不愿意这么想，可是每天都得照镜子吧。每次都发觉眼角又多了一条皱纹，皮肤也松弛了，越来越不上妆了。这些自己心里最清楚，只是不愿意说出来，尤其不愿意对喜欢的人说。"

"那你怎么还跟我说？"

"我不想说，可又想让你知道现在是我的巅峰时期。"

久木扭过头来，凛子微微向他露出了自己的胸部。

"自己说有点可笑，可是现在的我是最美的，这多亏了你。我的头发和皮肤很有光泽，胸部也还丰满……"

这段时期，正如凛子所说的那样，她的皮肤更白了，润滑而柔软，浑身充溢着二十多岁女性所没有的甜美和妖艳。

"在你的滋润下，我变了。"

久木情不自禁地去抚摸那丰满的胸部。凛子小声说："我是要你牢牢记住现在的我。"

凛子的话像是一语中的，又好像自相矛盾。

她一面说自己现在最美，是人生的顶点，一面又说死也不在乎；一面说皱纹增多，皮肤松弛；一面又说现在是最好的时候，要记住现在的我。

一边说现在是最好，随后又马上加以否定。

如果现在最美好的话，应该想法继续维持下去才对呀。

"你为什么这么拘泥于现在呢？"

久木一问，凛子用疲惫的语调说道："也没什么特别的想法，也许是喜欢刹那间的感觉吧。"

久木脑子里立刻浮现出了"刹那间的"这几个字。

"我也觉得你有那么点……"

"不过对我来说，现在最重要。不抓住现在的一瞬间，以后过得再好也没有意义。这就是人生啊。"

"也许你说得不错。我没想到你那么崇尚刹那间。"

"这都是你的缘故。"

"是吗？"

"当然了。认识了你以后，我的身体也变成现在这个样子以后，才变的。"

"你是说只需要把握现在？"

"对，性本身就是为了瞬间的快感而燃尽所有的能量，所以说现在最重要，现在就是一切。"

看起来凛子的刹那主义是性感觉深化所引起的结果。久木这么揣测着，凛子又说道："现在不做，明天再说，或者明年再说，这样下去什么也做不成，我不愿意为此而后悔。"

听了凛子的话，久木又想起了水口。

站在凛子那一套刹那主义的立场上的话，一门心思工作的水口的生活方式又算什么呢？

久木简短地说了一下水口的病情。

"我去医院看望他时，他为没能充分地享受人生而后悔不已。"

"他的心情我非常能理解。"

凛子悄悄地倚在久木胸前。

"你后悔吗？"

"不，不后悔。"

"太好了。"

凛子的前额紧抵着久木的前胸。

"我们都不后悔，对吧？"

"当然了。"

"还是现在最美好啊。"

久木点点头，想到了自己的年龄。久木已过五十岁，比凛子大得多，但对男人来说，现在是最后的辉煌时刻。

以后不会有太大的升迁和提薪了，再没有可以引以为荣的事了。

作为一个男人，应该从雄性的本能出发追求情爱，为了能够品尝到为爱而活的真实感受，现在是自己最后的机会了。

"我也变了。"

"什么变了？"

"很多很多方面……"

凛子在和自己谈恋爱以后确实改变了。

她原来对性缺乏兴趣，冷漠、纯洁得令人难以置信，哪有现在这么贪婪。是久木使她像花朵一样盛开，引导她进入了性的乐园。凛子半带羞涩、半带懊悔地责怪过他，久木自然是乐于承受的。

然而，反观自己的内心，久木发现自己也在不知不觉中受到了凛子的巨大影响。在性的方面，久木原本是引导凛子觉醒的，现在却忽然发觉自己也深深地沉溺于其中不能自拔了。起初真的是在打算教授对方的，但在途中被其魅力所吸引，如今已到了无法回头的境地了。

不仅是性的世界，从工作到家庭，和妻子的感情的破裂，不能不说是凛子的作用。凛子越是把自己的全部赌注押在爱情上，久木越是不能无视这一切，以致自己也陷入同样的困境中去了。

在人生态度上，久木渐渐开始倾向于要全力以赴地把握现在的刹那主义，这也是受凛子的影响。

本来以为自己比凛子年长，一切都在自己的掌控之下，现在才发觉他们的位置已经互换了，被支配的是男人自己了。

"原来如此啊……"

久木叹了口气。凛子诘问道："你怎么啦？"

久木也没有什么特别的想法，只是两人日渐为周围所疏远，所驱赶着。在这一体验中，本以为自己在操纵对方，现在才发现自己被对方牵引着，他是在惊讶之余不觉发出了叹息，并不是在唉声叹气。

事到如今也只能听其自然了，久木对如此自暴自弃、自甘堕落的自己又惊讶又叹息。

"我现在的心情好得很。"

夜正阑珊，从黄昏到现在两人一直没有下床，耳鬓厮磨着。这种放浪形骸，非生产性的状态，不知为什么令人觉得全身心都得到了放松。

久木继续玩弄着凛子的乳头，凛子用手轻轻触摸着久木的东西，两人正沉醉于这种嬉戏的感觉中，突然，电话铃响了。

凛子一下子抱紧了久木。

只有他们自己知道这个房间的电话，再说他们也没有告诉过任何人。

可是电话为什么响个不停呢？

难道有谁知道他们在屋里而打来的吗？

久木想起刚才在窗边观赏过凛子的裸体，可是从外面不可能看得见。

铃声响到第六声时，久木欠起身，凛子抓住他胳膊说："别去接……"

响了十声后，咔的一声不响了。

"会是谁打的呢？"

"不知道。"

久木心里嘀咕起来，妻子绝不会知道这个房间的。家里会不会出了什么事呢？

以前久木每次外宿不归时都记挂着家里。

他总担心自己不在家的时候会发生不吉利的事，或是家人得了病，或出了交通事故，等等。以前自己的去向都不瞒着妻子，可是，自从和凛子一起出去以后，就常常隐瞒去了哪儿，或随便编个饭店的名字。

万一发生了事故，联系不上就麻烦了。

这种情况下，打手机最方便，可是和凛子约会时，久木一般都把它关掉。

他不想让公司和妻子打扰他们。

所以只要久木不打电话，就不知道家里的情况，因此这个电话使他有些担心。

凛子也同样的不安。

且不说关系冰冷的丈夫那边，万一娘家的母亲有什么事，凛子也无从知晓。

这种别人无法和自己联系，只能自己跟别人联系的单行道，是外宿的男女最担忧的了。

如果真有心抛弃家庭，这种事可以不必在乎的，这只能说明他们还没有把家彻底抛开。

久木问凛子："这个电话号码你告诉过别人吗？"

"谁也没告诉呀。"

可能是有人打错电话了。

久木这么跟自己解释着，好让自己放心。可是他们沉浸在做爱余韵里的好兴致已经被电话铃声给破坏了。

"咱们起来吧。"

久木说道，凛子撒娇地说："我还想出去玩玩儿。"

他们二月中旬去日光之后，一直是在涩谷约会。虽说这个房间很适于幽会，可是像刚才那样来个电话，就会觉得心神不定，仿佛被人监视着似的。

"好的，过几天樱花就开了，咱们去赏花，找一家可以赏花的旅馆。"

"太好了，我真高兴。"

凛子高兴得啪唧啪唧地拍打起久木的胸脯来，然后，倏地把手伸到他的喉咙处……"不守信用，我就掐死你。"

"被你掐死，死而无憾。"

"好吧，那就掐死你吧。"

凛子双手扼住了久木的脖颈，但马上又放开了他。

"噢，对了，那个阿部定的书，还没给我看呢。"

那本记录审问阿部定内容的书，大家都爱看，现在不知被谁拿回家去看了。

"这次去赏花时，我把它给带去。"

久木又道："不过我有一个条件。"

"什么条件？"

久木伏在凛子耳边悄声说道："我要你把那件红内衣带来。"

"要我穿吗？"

"对。火红的颜色……"

久木对犹豫着的凛子命令道："这是带你去的条件。"

"知道了……"

隔一会儿凛子才点头答应，声音懒懒的。她嘴唇微微张开着，犹如春阴时节散落的花瓣。

落花

想想看，或许没有比樱花更幸福的花了。

从古代的平安王朝开始樱花就是百花之王，在《千家流传集》里也记载有"樱为花之首"的誉词。

阳春四月，烂漫绽开的樱花不愧是众花之魁，其盛开时的奢华，谢落时的潇洒，都同样惹人心醉，令人怜惜。

俗话说"樱花七日"，樱花的寿命只有短暂的一个多星期，但它作为花却具有极强的表现力。因此，享有"壁龛之中必置此花，众花之中此花上座"的特殊待遇。

正因为如此，有时也遭人忌嫌。如千利休[1]等曾说过"茶室之中不准摆放过艳之花"，禁止樱花进入茶道之境。

诚然，对于以"清寂"为本的茶道而言，樱花当然是"太过奢华而不适宜"了，千利休之流的怪癖由此可见一斑。

不可否认的是，樱花培育了日本人美的意识，一直成为激发人们丰富想象力的源泉。

至于久木自己，既喜爱樱花的千娇百媚，又觉得樱花有些令人忧郁和讨嫌。这也许缘于花开花落来去匆匆，自己忙碌得无暇追随吧。

每年，随着樱花季节的临近，新闻媒体便开始报道"樱花前线"的消息，

1　千利休：（1522~1591）织丰时代茶道大师，日本无人不晓的历史人物，千利休家族后来成为日本茶道的象征。

哪里的樱花开到了什么程度，哪里已经盛开，等等。电视里不厌其烦地播出樱花胜地那些美不胜收的景色。可是，自己却没有一次能够去饱览樱花的风姿。

久木总想去那些樱花盛开的地方，悠然地赏赏花，可总是因工作繁忙一直未能如愿，只好将就看看街道两旁的樱花了事。

正如所谓"心不静"一样，樱花给他留下了没有片刻宁静、忙碌不堪的印象，直到樱花开败后，反而舒了一口气。

这样年复一年，他就产生了对樱花的焦虑感。不过，今年与往年有所不同了。

托现在工作悠闲的福，这个春天终于能够尽情欣赏一下樱花的美景了，这也是命中注定吧。

提起樱花，人们首先会想到京都之樱。如平安神宫的垂枝樱，白川河沿岸的装有灯饰的夜樱，以及醍醐寺、仁和寺、城南宫等许多以樱花闻名的寺院神社。

以前久木利用去关西采访和洽谈的机会，也走马观花地去过其中几处。

每一处都各有千秋，各处樱花争奇斗艳，尽显风流。这倒使久木觉得京都之樱过于品种齐备，毫无缺憾了。

这是因为京都之樱与周围的古寺、神社和庭院相映成趣，加上郁郁葱葱的群山怀抱，本来就很美的花，在这些绝妙背景的衬托下，更显得风情万种，犹如是以附加值来悦人眼目的商品。

这样的樱花自然让人赞叹、欣赏，然而那些凛然不群，仅仅凭借本真之美的樱花，也令人难以割舍。其实，赏花者所不大涉足的清雅幽静处的樱花，更是别有情趣。

考虑来考虑去，久木想到了伊豆的修善寺。离东京不太远，是一个为群山所怀抱的温泉之乡，那里的樱花和旅馆都有着远离尘世的静谧。

久木决定了之后，就于四月份的第二个星期日，和凛子一起前往修善寺。

这个时候去赏花，比起往年来是迟了一些。不过，今年的四月偏冷，所以，花开的时间较长，伊豆一带正是盛开的时节。那一天，应该就是这样一个常言所说的"春醐之时"，或曰"春阑之时"更为恰当的烂熟的春日。

久木和凛子一起离开涩谷的住处出发了。久木穿一身便装，浅驼色的开领衫，外套一件深驼色的夹克。凛子是一身淡粉色套装，领口配了一条花丝巾，戴着灰色的帽子，手里提着一个较大的旅行包。

头天晚上，凛子回家里取春装时，一定见到了丈夫，不过，久木还没来得及问她。

凛子家里后来到底怎么样了呢？

从计划这次旅行开始，久木就在担忧这件事，却没敢贸然打听，凛子好像也不大愿意说。

只是四月初，凛子从娘家回来后不久，说过一句"我妈叫我做个了断"。

这当然是指凛子和她丈夫的婚姻关系了。

三月中旬，当凛子的母亲知道了她和丈夫不和的事实，并且知道了凛子一直有外遇时，非常气愤，严厉地叱责了她，说这简直太丢人了，更没脸见亲戚了。

从那以后，凛子的母亲不能继续坐视女儿的不端行为，要她尽快解决婚姻问题。

可是，据久木所知，不同意离婚的是凛子的丈夫，他想以此来对妻子复仇，那么凛子的母亲对此怎么看呢？

久木一问，凛子只是不得要领地回答说："跟她说不明白的。"

凛子的母亲是老一辈的人，怎么理解得了做丈夫的明知妻子与人私通，却不同意离婚的心理呢？

"妈妈说：'三个人见个面，好好谈一谈。'"

三个人是指凛子和丈夫，还有凛子的母亲。

"妈妈喜欢他，以为谈一谈问题就会解决，我可不行。"

凛子又说："况且在那种场合，也不能谈论夫妻之间性不合的问题吧。"

如果追究起凛子为什么对丈夫不满的话，会从性格不一致追究到性不合的问题上。而凛子觉得，反正要离婚，不想把事情说得那么露骨。

和凛子家的情况一样，久木家也处于僵持的局面。

久木的情况恰恰相反，是妻子要求离婚，而久木迟迟不表态。和凛子的情感这么深了，应该同意才对，可是一到关键时刻，心情就十分复杂。既有对自己随心所欲导致的后果的内疚，也有要面对同事和亲戚的忧郁，还有凛子尚未离婚，自己先离的不安。最重要的还是对彻底摧毁近三十年的生活现状的惧怕与畏缩。

归根结底，离婚是最后的一步，何必太着急。这种想法使得他停留在迈出那决定性的一步之前，同时他也在猜测着妻子现在是怎么想的。

久木回家时几乎不和妻子说话，只说些不得不说的话，便匆匆忙忙地离开家，并没有什么争吵。两人之间虽然冷冰冰的，又保持着微妙的和睦。

当然，这并不等于妻子的态度有所软化。四月初，久木回家时，妻子又提醒道："你可别忘了那件事啊。"

久木知道妻子说的是在离婚书上签字的事，就"嗯、嗯"地点着头，不置可否。

他正要往外走的时候，妻子又说："我从明天起也不在家住了。"

"你要去哪儿？" 久木不由自主地问道。

忽然发觉自己已没有资格去过问妻子的行踪了。

"我的事与你无关。"

妻子的态度十分冷淡，拒人于千里之外。

女人的态度一向是爽快明朗的，分手时尤其坚决果断。无论是凛子还是妻子文枝，她们一旦决定分手，便绝不动摇。

相比之下，男人总是那么暧昧，不光是久木，所有男人都一样，都是优柔寡断，缺乏决断力。

事到如今，也该和妻子之间作个干脆的了断了。

久木一路想着这些事，来到了东京站，和凛子并排坐在车厢里。

他们坐的是新干线"回音号"。在三岛下车后，换乘伊豆箱根线前往修善寺。虽说正值赏花时节，因是周日，车里很空。

以前他们都是星期六出发，星期日回来。这次为了错开周末的高峰时间，改为周日出发，周一回来。多亏了工作清闲，才能这么悠然地去旅行。现在的久木不再为闲暇而嗟叹了，他要充分地享受这种悠游。

从三岛出发的电车也很空，途经长冈、大仁、中伊豆，一直向山间驶去。住家越来越稀少，满山遍野的樱花呈现在眼前，大多是染井吉野樱，一簇簇盛开在葱绿的山坡上，犹如一个个粉红色的花斗笠。

"我早就想坐这样的电车了。"

正如凛子所说的那样，电车每站都停，偶尔还要等上一段时间，听到列车长示意发车的哨音响后才开动。这真是一条适合慵懒的春日午后之旅的地方线路。

电车与沿着山边的河流平行前进。天城山脉的水流汇成狩野川，然后注入了骏河湾。河岸上到处是垂钓的人。还不到捕获香鱼的季节，河水清澈见底。难怪这里是闻名的山葵菜产地。

他们入迷地眺望着城里难得一见的群山、樱花和清流，三十分钟后到达了终点站修善寺。

据说一千多年前，弘法大师发现了这个古老的温泉之乡。《修禅寺物语》上也记载有这里是与源氏一族有关联的地方。也许是这里温泉多的缘故，樱花已开始凋谢，花瓣纷纷飘落在久木和凛子的肩头。

提起修善寺，人们会马上想到伊豆的温泉乡。其实，值得一提的还有由空海建立的修禅寺这样历史悠久的寺庙。

从修善寺车站坐车往西南方向去，过一座朱红色的虎溪桥和一条马路，几分钟就到了修禅寺。登上正面高高的台阶，穿过山门，便是竹林掩映的寺院，正殿位于寺院的最里面。

八百年前，源范赖被兄长赖朝幽禁在这个寺内，后来遭到梶原景时袭击，自杀身亡。那以后，赖朝之子赖家也被北条时政杀死在虎溪桥畔的箱汤。冈本绮堂[1]的《修禅寺物语》就是根据这一悲剧写成的。后来，赖朝为了悼念儿子，在附近的山脚下修建了指月殿。

正殿宽展的屋顶，造型优美流畅，与后面郁郁葱葱的山树搭配得十分和谐，就像高贵的女性一样风姿绰约，看不到一点血腥的影子。

久木和凛子参拜了寺庙后，又过桥去参拜了山脚下的指月殿和源赖家的墓地，然后驱车返回。

五点已过，虽然太阳已经西斜，仍是春色明媚。

沿着温泉镇狭窄的街道往前走，道路渐渐宽了起来，远远看到了今天要下榻的旅店。

穿过入口处厚实的拱门，可望见里面有着山形屋脊的宽敞玄关。车子在店门外面停下，女招待立刻迎出来把他们领了进去。

宽敞的门厅里摆放着木纹清晰的木桌子和藤椅，从门厅可以看见院内的水池。

一看见浮在池上的表演能剧的舞台，凛子不禁赞叹着"好美"。上千平方米的池塘向左右延伸，倒映出了双层房梁的能剧舞台的幽玄姿态，舞台后面的山崖被苍郁的树林所覆盖。

好比穿山越岭，逆流而上后见到了福地洞天，凛子目不转睛地看得出神。

女招待把他们领到了二楼最里面一个把角的房间。一进门是四个榻榻米大的更衣间，里面的和式房间有十个榻榻米大，靠窗子有一块地板隔间，

1　冈本绮堂：（1872~1939），日本首届一指的新歌舞伎剧本作家。《修禅寺物语》是他的歌舞伎剧本代表作，写的是镰仓幕府时期第二代将军源赖家被杀的一段历史。其剧作使用了许多近代剧的手法和技巧，将现实主义、浪漫主义、和象征主义的表现手法巧妙地结合在一起。

从那里能够看见水池的一角。

"你来看，樱花都开了。"

久木跟着凛子走到窗边，紧挨窗子左边的那棵樱树，有二层楼高，近在咫尺，伸手都能够到。

"预约房间时说过要来赏花，可能是特意为咱们准备的这个房间。"

久木也是头一次来这个旅馆，以前出版社的朋友曾说起修善寺有个带能乐堂的幽静旅店，便请他介绍到这儿来的。

"快看呐，花瓣落了一地。"

到了傍晚微风乍起，花瓣飘落到凛子伸出窗外的手上，又飘落到下面的池里去了。

"真安静……"

到了这里，工作、家庭、离婚等仿佛都成了极其遥远的事情了。

久木呼吸着山谷里的清新空气，悄悄地从背后抱住了正在凝视着樱花的凛子。

凛子躲闪着他，生怕被人看到，其实，窗外只有盛开的樱花和一池闲寂的清水。

久木轻轻地吻了她之后，附在她耳边低声说道："把那个带来了吧？"

"哪个呀？"

"红内衣呀。"

"你的命令谁敢不听。"

凛子说完，离开窗边进了浴室。

剩下久木一个人在屋里欣赏着窗外飘落的樱花，点燃了一支香烟。

窗户大敞着，却一点不觉得冷。空气中飘溢着赏花季节的浓郁气息。

舒适的感觉中伴随着倦怠，久木吟诵起了一首和歌。

"仰望二月月圆时，宁愿花下成新鬼。"

这是自动辞官后，浪迹天涯，漂泊一生的西行[1]的一首和歌。

女招待沏了一壶香茶。两人品茶小憩了片刻，便去泡温泉了。

男女浴池在一楼的走廊两侧，久木继续往前走，直奔露天浴池。

已经六点多了，天色逐渐变深，还没有完全黑下来，这个时候，露天浴池里空空荡荡。

大概是周日晚上，住宿的客人很少的缘故吧，池里静悄悄的，只有岩石上滴落下来的水声有节奏地响着。

"咱们就在这儿泡吧。"

久木提议，凛子犹豫着。

"没关系的。"

要是有人来泡的话，一见他们在这儿，多半也会回避的。

久木又说了一遍，凛子才下了决心，走到一边去，背过身脱起衣服来。

这是个三十多平方米大的椭圆形天然浴池，由岩石堆砌而成，顶棚覆盖着苇席，四周也用苇席围了起来。这种似有似无的遮拦，平添了自然天成的情趣，使人心旷神怡。

久木背靠着岩石，伸开四肢浮在水里，凛子拿着毛巾，小心翼翼地将脚尖一点点伸进浴池里。

久木等她全身浸入池中后，就叫她到池边来。

"你瞧。"

仰靠在露天温泉池边，朝上面一看，已经出了苇席顶棚的范围，可以直接看到夜空。正对着脑袋上方是刚才看到的那棵盛开着的樱花树，衬托在暗蓝的天空下。

"我从没见过这么蓝的天空。"

夜空里没有星星也没有月亮，樱花的花瓣从空中飘然而降。

---

1 西行：(1118~1190) 日本古代著名歌僧。著有《山家集》。《新古今集》收录他的和歌94首。

凛子刚要伸出手去接那片花瓣，又有一片落了下来。

暮色中追逐花瓣的凛子的白如凝脂的肉体，就像一只蝴蝶在暗夜中飞舞，妖艳美丽。

泡过温泉后，开始吃晚餐。

他们感觉有些凉意，又套了件和服外褂，关上了窗户。屋里的光线照出了左边那株摇曳的樱花树。

两人一边观赏夜色中的樱花，一边吃了起来。小菜也是时令的清煮款冬和芝麻拌当归，增添了不少情趣。

久木先要了瓶啤酒，接着又换成了当地产的辣口烫清酒。

女招待斟了第一杯酒后就离开了，于是，凛子勤快地一杯接一杯地给久木斟酒。等带鱼芹菜火锅上来之后，她又忙着调控火的大小，看煮得差不多时，为他盛到小碗里。

久木看着凛子麻利的动作，忽然想起了在自己家里吃饭的情景。

以前还说得过去，但最近几年，即便和妻子一起吃饭，她也从没有这么勤快周到过。尽管多年在一起而感情倦怠，可是竟有这么大的差异吗？

久木现在才感受到有爱与没有爱的迥然不同。那么，凛子的家庭又是怎么样的呢？

她在家里和丈夫一起吃饭的时候，难道也是那么冷淡吗？甚至早已不和丈夫一起吃饭了？

久木这么漫无边际地想着，给凛子倒上了酒。

"两个人一块儿吃，觉得特别香。"

"我觉得也是。不管多么豪华的料理，在多么高级的地方吃，和不喜欢的人一起吃也索然无味了。"

久木点着头，又一次感到了爱的可怕。

以前也曾热烈地追求过妻子，可是现在两人的关系冰冷，婚姻面临崩溃；而凛子也曾信任过丈夫，愿意和他相伴终生，现在却是劳燕分飞。

从两人现在的婚姻状态来看，就像刚刚酒醒的男人和女人。清醒后的他们又相互敬起酒来，不久又要喝得醉过去了。

只喝了一瓶啤酒和几小壶清酒，久木就昏昏然起来。

也许和凛子两人一起喝，气氛融洽，就容易喝醉。

久木抬头看了眼窗外，左边那株樱花树还在摇曳着。

"到外面去走走吧。"

从一楼前厅应该可以看到水池那边的能剧舞台。

趁着女招待撤席的工夫，两人在旅馆的浴衣外边披上件和服外褂，出了房间。

从楼梯上下来，穿过刚才去过的露天浴池入口，再下一个台阶，沿着走廊走过去，便是旅馆前厅。

前厅右边的大门敞开着，有一个木板搭成的露台伸到水池上面。

久木和凛子坐在露台的椅子上，不觉叹了口气。

刚到达旅店时，他们一见到浮在池中的能乐堂就叹息了一声，但这次叹息和刚才有所不同。

入夜后，露台栏杆的四角都点着灯，另有灯光打到一池相隔的能剧舞台。面积约六平方米见方的能剧舞台，地面像镜子一样光亮，舞台背景是一株苍劲的老松。

能剧舞台左边有一个旧式建筑样式的更衣间，与舞台之间由一个吊桥连接起来。这一切都倒映在池水中，宛如一幅优美的画面。

据说这能剧舞台原来在加贺前田家的宅第内，明治末年迁到了福冈八幡宫，后来又迁到了这里。

从那以来，在这个熊熊篝火环绕的能剧舞台上，不断上演了能乐、传统舞蹈、琵琶演奏以及新内节[1]，等等。今晚没有演出，舞台上寂静无声，

---

1 新内节：净瑠璃（木偶戏）的流派之一。

加上山中寒气，越加感觉清冷，更添了幽玄情趣。

久木和凛子依偎着，凝视着舞台，恍惚觉得戴着可怕面具的女人和男人就要从那幽暗的舞台后面现身了。

他们是去年秋天看的薪能。

去镰仓时，他们观看了在大塔宫寺内上演的薪能，之后下榻七里浜附近的旅馆，住了一夜。

那时他们正处于如胶似漆的阶段，不过还没有像现在这样陷入困境，幽会之后便回各自的家，怕配偶知道自己的私情。

从那时到现在，不到半年，两人的家庭都濒临崩溃了。

"那次演员戴的是天狗面具。"

在镰仓看狂言时，两人还笑得出来。

"可是，这儿不大适于演狂言。"

在这个深山里的幽玄舞台上，似乎更适合上演能够沁入人心、挖掘心底欲念的剧目。

"好奇怪……"

久木望着池面摇曳的灯光喃喃自语道："从前的人一到了这里，就会觉得远离了人间了吧。"

"一定有私奔来这儿的。"

"男人和女人……"

久木说完，把目光投向能剧舞台后面那黑暗寂静的群山。

"咱们两人住在那里的话也是一样的。"

"你是说早晚有一天会厌倦吗？"

"男人和女人生活在一起就会产生怠惰的感觉。"

说实话，现在久木对于爱情是怀疑的，至少不像年轻时那么单纯，以为只要有爱，就能够生生世世永不变。

"或许热烈的爱情不会太持久。"

"我也这么想。"

凛子点点头，久木反倒有些狼狈。

"你也这么看？"

"所以想趁热烈的时候结束啊。"

可能是受了灯光映照下的能剧舞台的诱惑，凛子的话有点诡异，阴森森的。

久木觉得一阵发冷，把手揣进了怀里。

花季天寒，入夜以后凉意渐浓了。

"回去吧……"

在这儿待下去的话，仿佛会被舞台上的妖气迷惑，被拽往遥远的古代时空中去了。

久木站起来，又回头望了一眼能剧舞台，才离开了露台。

房间里很暖和，靠窗边铺着被褥。

久木躺在铺好的被褥上面，闭目养神，忽然抬眼看见窗边的樱花似乎在窥视着自己。

今晚的一切，恐怕要被樱花偷看了。他叫了一声凛子，没有回音。

他又迷糊了一会儿，凛子从浴室出来了。她已脱去外褂，只穿着一件浴衣，头发披散在双肩上。

"你怎么不穿那件内衣？"

久木一问，凛子站住了。

"真要我穿？"

"你不是带来了吗？"

凛子没再说话，转身去了客厅。久木关了灯，只剩下枕边的座灯，再次将目光投向窗外。

在深山旅馆里看过能剧舞台后，他等待着女人换上红色的内衣。

自己似乎是在追求幽玄和淫荡这样完全相悖的东西，实际上，两者之间却有着意想不到的共同点。比如能剧里分为"神、男、女、狂、鬼"五种角色，其中无不隐含着男女的情欲。

刚才久木倾倒于能剧舞台的庄严肃穆的同时，又被一种妖冶、艳丽的感觉占据了。

事物都有表里两面，庄重的背后是淫荡，静谧的内面是痴情，道德的反面是悖德，这些才是人生最高的逸乐。

久木正沉浸在遐想中，拉门开了，身裹绯红色内衣的凛子出现了。

久木猛然坐起来，瞪大了眼睛。

包裹在绯红色内衣里的凛子的表情像幼女一样天真无邪。

在地上昏暗座灯的映照下，凛子长长的身影直达房顶。久木一瞬间产生了错觉，以为是身着女装的能剧演员登上了舞台。

他觉得不可思议，定睛一看，凛子的脸渐渐变成了一张成熟女性的娇媚、忧郁和冶艳的脸，活像能剧中的女人面具"孙次郎"[1]。

一身绯红、戴着面具的女人默默地慢慢走近目瞪口呆的久木，双手伸向他的脖颈。

久木不由蜷缩起身子，使劲晃了晃脑袋，好容易才清醒了过来，大大地喘了一口气。

"真吓了我一大跳……"

凛子听了嫣然一笑，渐渐又恢复了往日的柔媚表情。

"简直跟能剧里的女人一模一样。"

"刚才看了能剧舞台的关系吧？"

"可是也太像了。"

久木以前见过画在黑底色上的女人面具"孙次郎"，那温婉柔美的表

---

1 孙次郎：能剧代表面具之一。

情中，蕴藏着炽热的情欲和淫荡，凛子现在表情就是这样的。

"越是文静矜持越显得淫荡。"

"你说谁呐？"

"能面呀……"说着久木突然搂住了凛子。

凛子毫无防备，倒卧在了被褥上，久木扑上去压在她的身上，在她耳边小声说："我要剥下你的面具。"

男人现在变成了魔鬼，要把隐藏在女人内衣里的淫欲揭露出来。

这绯红色真是不可思议的颜色，它既是浓艳明亮的朱红色，也是鲜血的颜色，令人产生异样的兴奋感。

尤其是用这种绯红色做成的内衣，穿在皮肤白皙而矜持的女性身上时，凡是具有雄性本能的男人，没有不心荡神移的。

此刻，久木就压在身着绯红内衣的女人身上，紧紧搂着她，宛如野兽拥着一堆鲜血淋漓的美味。

那是看到红色的激动，同时也是感谢女人的顺从，感谢她满足了男人好色的欲念，老老实实把内衣带来。

久木的肉体紧贴着红色绸衣，感受着滑溜溜的感觉，然后他慢慢放松了一些，一只手伸进了隐约看得见乳沟的不整的内衣中去。

"慢着……"

凛子知道早晚要被脱掉内衣，但怕久木太过性急，便按住入侵的手，喘了口气，说："这件衣服可来之不易呢。"

久木的手始终不离开凛子的胸部，问道："是不好做吗？"

"不是。和服店送来时，我恰好不在家，是他收的衣服……"

"他看见了？"

"他一看是红色的内衣，吃了一惊，凶巴巴地问我干什么用的。"

"平时穿在和服里面也可以嘛。"

"不过他好像猜着了，我要穿着它和别的男人睡觉……"

凛子说她和丈夫之间已经好几年没有性关系了，可是，丈夫见到妻子的绯红色内衣，怎么还会气得暴跳如雷呢？

"后来呢？"

"他骂我是个婊子。"

久木觉得就像在挨骂一样，不由自主地从凛子胸部抽回了手。

诚然，这种大红内衣一般是妓女们穿的。卖笑的女人为了勾引和挑逗男人，常常穿这种鲜艳的红色内衣。

从这点上来说，这衣服的确不雅，但把妻子说成是"婊子"也未免太过分了。

可是，站在凛子丈夫的立场，他的心情也不难理解。长时间回避丈夫的妻子，却为了别的男人特意定做了红色内衣，当丈夫的自然会怒火万丈了。

"后来呢？"

久木又害怕又想听。

"你被他打了？"

"他不会打我，说要把衣服撕碎。"

"这件内衣？"

"我死活不让。于是，他突然把我的双手捆了起来……"

凛子摇着头，实在不愿再说下去了。

"我实在说不出口。"

"都告诉我。"

久木恳求道。凛子轻轻咬了一下嘴唇，说："他把我一下子剥得精光……"

"要和你做爱？"

"他才不会呢。他怎么会和婊子做爱呢？他把我晾在那儿……"

久木屏住了呼吸，听凛子往下说。

"他说，对你这种淫荡的女人就得这样惩治。然后拿来了照相机……"

"他给你照了相？"

凛子点点头，久木眼前仿佛出现了一幅不堪入目的春画。这个情景实在太异样太凄惨了。因嫉妒而疯狂的男人以此来发泄自己的满腔憎恨和欲望。

"我受不了啦。"凛子突然喊了起来。

"我死也不回家了。"凛子坚决地说道。

泪水从凛子紧闭着的眼里涌了出来。

即便发现了妻子的不忠，丈夫也不至于捆起妻子的双手，剥光她的衣服啊。

更有甚者，他不直接鞭挞她的肉体，竟然用照相来羞辱她，不愧是冷酷的科学工作者特有的报复手段。

难怪凛子再也不愿意回家了。也绝不能再让她回到那种男人的身边去了。

久木听着凛子的诉说，简直无法相信她的丈夫会这么残忍。他一想到凛子受到惩罚的样子，热血直往头上涌。

久木抚摸着包裹着凛子身体的丝绸内衣想，这件内衣同时使两个男人疯狂，一个因为憎恶，一个因为怜爱。

或许，这绯红的颜色，就是把男人们引入疯狂世界的凶器。

想着想着，久木像是受到了凛子丈夫的刺激，内心萌发了新的欲望。

既然凛子被她丈夫那样蹂躏，那么，自己就要比她丈夫更加倍地对凛子施虐。

久木对自己这么说着，慢慢抬起上身，盯着身穿绯红内衣的凛子瞧了一会儿，便打开了她的衣襟。

凛子倾诉了一切后，闭着眼睛一动不动地躺着。在丈夫面前死命反抗的她，对所爱的男人的摆布，一点没有不顺从的意思。

久木因此感到了安心和轻微的优越感，又解开了她的腰带，掀开了内衣下摆。

刹那间，久木眼前仿佛闪过了赤裸的凛子被丈夫拍照的那一幕。

此时此刻，从绯红内衣中露出了凛子那雪白而线条优美的两条大腿，会不会就连这两条大腿根部的神秘所在，都暴露在了她丈夫的照相机之下了呢？

一想到这里，久木顿时欲火升腾，一下子扑到凛子身上，把脸埋进她的双腿之间。

正如施虐与被虐比邻而居一样，怜爱与惩罚也是密不可分的吧。

久木把脸埋在凛子的双腿之间，嘴唇覆盖在栖息于那里的粉红色花蕾上面。不过，他只是用柔软的舌尖左右轻轻滑动，不即不离地轻触着最敏感的花蕾顶尖。

这种舌尖的轻轻接触犹如温柔杀手，虽然与暴力或强迫全然无关，却使凛子备受煎熬，她饮泣着扭动起身体来。

起初她还一直拼命忍着，只发出抽丝般的呜咽声，渐渐变成了阵阵喘息，伴随着身体轻轻的颤动，她挺起上身，被舌头包裹着的花蕾渐渐变热、膨胀起来，眼看就要爆炸了似的。

尽管男人已感知她距离最后的爆炸已相距不远，仍双手紧紧抓住她的双腿，嘴唇紧紧贴在她的花蕾上毫不懈怠，不管她怎么求告"不行了"、"不要了"、"饶了我吧"，他也绝不肯松开嘴。

原本男人就是为了惩罚她，才采取这一酷刑的。

都怪她自己粗心，被她丈夫发现了红色内衣，才使自己宝贵的地方遭受蹂躏。因此，久木要对她施以这一酷刑来惩戒她，无论她怎么哭泣、哀求、挣扎，也不可能得到宽恕。

现在女人的所有感觉神经都集中在了胯间那个点上，欲火熊熊焚烧，就在即将抵达忍耐的极限之时，男人意识到之后，突然想起了什么似的停止了舌尖的爱抚。

如果就此让她登上峰顶的话，那就不成其为酷刑了。男人要对她施以更加残酷百倍的刑罚，不把她折磨得奄奄一息、痛哭流涕，就不能算完事。

男人突然间停下舌头的爱抚，女人觉得奇怪，摇晃着刚刚燃烧起来的身体以示抗议。

女人由于刺激突然中断而不得不止步在即将登顶的一步之遥，可就在亢奋稍退之际，男人的舌头重新开始启动，使女人陷入慌乱。

由于早已达到了相当的热度，因此花蕾即刻被烈焰覆盖，可又是在快到达顶点的时候被推了回来。就这样，女人无数次往返于峰巅和谷底之间，就像在深不见底的无间地狱中受着无穷无尽、没有归期的磨难一般。

凛子在无数次地往返于欲上而不行、欲罢又不能的跌宕起伏之中。到底经受了多少遍的磨难，就连久木也数不清，更不要说凛子了。

当终于苦熬苦撑到了最后，从长久的地狱般折磨中获得解放，得以彻底解脱之时，凛子长长地发出了一声犹如远方响起的雾笛般低沉而哀怨的叫唤，身体绷得像一根木棍一般僵直，魂魄似飞天而去。

一时间久木还以为凛子停止了呼吸，慌忙抬头窥视她的脸，只见她紧闭的眼睑颤动不停，红色内衣凌乱不堪，当他看到从敞开的胸襟露出的胸部在微微起伏，才舒了一口气。

看样子刚才对凛子实施的酷刑，收到了极其完美的效果。

这种酷刑最妙的一点就是，比起女人的痛苦挣扎来，男人的能量消耗得比较少。采用这种方式的话，男人就可以反复多次对女人进行折磨。

"这个罪，够受的吗？" 久木洋洋自得地问凛子。

"够不够啊？" 接着又问。

凛子突然举起拳头，对着久木，也不管是什么地方一顿乱打，然后扑到了他身上。

"快点呀……"

用强硬的口气逼着他的凛子，此时披头散发，简直就像个母夜叉。由于他长时间、不怀好意地热吻花蕾，所以只有那一个点异常兴奋，并获得了快感，而最关键的花蕊虽然早已炙热不堪，却未得到抚慰，她怎么能善罢甘休呢。

她把整个身体更紧地贴了上来，久木正要作出回应，突然想到，要是就这么轻易地顺从了她，前面实施的那些惩罚就前功尽弃了。

在最后结合之前，还应该再给她来点更要命的。

男人主意已定，便紧紧抱住火热的女人，不管是哪儿，一通狂吻，从喉咙吻到肩头，最后从胸部吻到乳房。

他一会儿使劲地吮吸，一会儿用牙齿噬咬，久木要在凛子身上留下他抚爱过的痕迹。

先是刺激女人柔软的花蕾，继而又从脖子到前胸狂风暴雨般狂吻了一番之后，久木才与凛子结合在一起，可是久木总是觉得他仍在追逐着前方凛子丈夫的背影。

当然久木没有见过他，只是凭借凛子的诉说来想象他的模样，可是他陷入了一种错觉，仿佛通过凛子的肉体这个媒介在和他搏斗。

话虽如此，其实这场争斗的胜败是明摆着的，再怎么说她丈夫也是失败者，自己是胜利者。尽管如此，久木还要彻底地从凛子身体里铲净丈夫的残渣。

明知对方软弱无力，不是自己的对手，却偏要争夺，没有比这种争夺更令人愉快和兴奋的了。尤其是性的方面，自己占有绝对的优势，这就更激发了男人的自信心和勇气，更加威风八面了。

久木的争夺心也传染给了凛子，她已经记不清多少次到达了峰顶，一直在哭求"我不行了"、"不要了"！可这时，男人真正成为高居女人之上的雄性，尽情翻弄了一通之后，终于耗尽了所有的精力，这场疯狂的盛宴终于结束了。

窗外盛开的樱花目睹了这一幕翻江倒海般疯狂的全过程。

然而，久木也好，凛子也好，都早已忘记了樱花的存在，酥软地瘫在乱成一团的被子上。

还是久木最先从情爱之后的余韵中复苏了过来。

他缓缓抬起身，一眼看到身旁的凛子，就从她后背贴到她耳边轻轻问道："怎么样？"

凛子闭着眼睛点点头。

"真是受不了……"

先是从对花蕾长长的亲吻开始，之后经过连咬带啃的热吻之后才结合到一起的。久木询问经历了这一过程，感觉怎样时，凛子仍像刚才一样点了点头。

"我都说不行了，你还是不停……"

"这是对你的惩罚呀。"

"最近你老是自行其是的，我好像已经被你给训练出来了。" 凛子撒娇地说着。

久木觉得女人真是好奇怪，刚才还扭动身体呻吟个不停，一副气息奄奄的样子，可事过之后，不但不痛恨这件事，反而非常满足，甚至放话叫你最好是停都别停下来。

"真搞不懂。" 久木叹道。

"你还嚷嚷再不停下来，我就要死了呢。"

"真的那么感觉呀。"

"你愿意那样吧？"

"只要是你，我什么都愿意。"

久木听到女人的夸奖，心里很得意，不过他又觉得女人的身体真是深不见底，令人生畏。

如今的凛子，对性的包容就像大海那样广渺无垠，无论怎么折磨，怎么虐待她，都被她吸入体内，融汇进愉悦的海洋里去了。

久木抬起上身，额头靠在凛子胸前。

久木想给凛子整整衣襟，一只手伸进她的肩头，摸到内衣的袖子，轻轻一拉，谁知从腋下到袖口开了线。

"怎么破了？"

久木要把手伸进裂缝里，凛子推开他的手。

"被他撕的！"

"他？"

"他生气时撕开的，我大概缝了缝……"

久木再次摸了摸红色内衣的裂缝，仿佛那就是凛子夫妻间的红色伤口。

凛子好像很在意这件事，起来去了浴室。

几分钟后，她又急急忙忙地从浴室出来。

"麻烦了。"

久木以为出了什么大事，回头一看，见凛子两手掩着内衣领口，"这牙印是你咬的吧？"

那地方的确是久木刚才用力吸吮过的地方。

"你看呀！"

凛子坐在久木面前，打开前襟，露出了胸脯。

"你瞧，这儿，还有这儿。"

凛子的脖子左边、胸部和乳头四周都有红色的血印。

"让我怎么回家呀。"

"你刚才不是说绝不回家了吗？"

"家当然不回去了，可这样子也出不去门呐。"

"没关系的。"久木抚摸着凛子脖子上的发红的印痕说道。

"很快就会下去的。"

"很快，是多长时间？"

"两三天或四五天吧。"

"是吗？这怎么办呐。我明天还要回娘家呢。"

"用粉底掩盖一下就看不见了。"

"哪盖得住呀。你干嘛这么做？"

这还用问，就是为了不让凛子再回到丈夫身边而留下的吻痕，还因为嫉妒凛子那无穷无尽的贪欲。

一切都按久木所期望的那样顺利实现了，可凛子说出"回不去"这句话时，他才发觉事态越来越不好收拾了。

"我明天不去见妈妈了。"

"不是已经约好了吗？"

"我母亲要我再好好跟他谈一谈，我明天打算明确跟妈妈说我不愿意的。"

看来凛子对丈夫已没有一丝留恋了。

"你呢，下一步打算怎么办？"

凛子把矛头转向了久木。

"你也回不了家了吧？"

"那当然。"

"你不是时常回去吗？"

"我只是去拿换洗衣物和寄到家里的邮件……"

"那也不行，我不同意。" 凛子说着，突然把脸靠近久木胸口，在他的乳头周围咬了起来。

"好痛……"

久木慌忙往后躲闪，凛子仍然一点不松口。

"我也要让你回不去。"

"你不这么做，我也不会回去。"

"可是男人太善变了。"

凛子更加使劲地又吸又咬的。

久木忍着微微的疼痛，心里对自己说，现在只有一条道走到黑了。

过了好一会儿，凛子才慢慢松开了嘴，用手轻轻地摸着咬痕说："我使那么大劲儿咬还是不行……"

和凛子柔嫩的皮肤相比，久木胸前的齿痕很浅，凛子对此颇感不满。不过细看的话，乳头上还是留下了红红的牙印。

"你躺着不许动。"

久木顺从地躺了下来，凛子拿起红色内衣的衣带，缠到了他的脖子上。

"不要乱动啊。"

说着凛子慢慢拽紧了带子。

"喂，喂，别胡闹，要出人命的。"

久木以为凛子在开玩笑，可是她更加使劲儿了。

"放心吧，我哪有什么劲儿啊。"

凛子突然骑到了久木身上，揪着带子的两头质问道："你说，是真的不回家吗？"

"刚才不是说了嘛！"

久木将手指头勉强伸进脖颈与带子之间，以防她继续勒紧。

"如果你背着我回去的话，我真的会杀了你！"

"我不回去，不回去……"

久木好容易挤出一句，憋得直咳嗽。

"快松手，别像阿部定那样啊。"

凛子的手劲儿放松了一些，可带子还在脖子上套着，打了个结。

"你说要给我看的那本书呢？"

"我带来了。"

"我现在要看。"

"就这个姿势？"

"对啦。"

久木没办法，脖子上系着红带子，爬到皮包那儿，从里面拿出那本书，又回到了床铺上。

"该把带子解下来了吧？"

"不行，就这么念！"

凛子手里揪着带子，以训斥的口吻说道："你躺下，给我念最让你兴奋的内容。"

这是一幅多么怪异的景象啊。

在夜深人静的修善寺一家客店里，一对儿男女躺在那里，中间隔着一本书。男人的脖子上缠着一条红衣带，女人揪着带子听男人念书。

这本书是一个沉溺于性爱的女人，最终杀死了心爱的男人，并割去了他要害之处后逃走，被捕后警方审问她时的笔录。

"很长，我从开始的地方念。"

这份记录报告有五万六千多字，通过阿部定坦率大胆的陈述，生动描绘出了这个女人赤裸裸的内心，以及她那份深厚而沉重的爱。

"好，开始念了。"

久木平躺着打开了书，凛子依偎在他胸脯上。

笔录一开始是检察官对这起事实确凿的杀人及尸体损伤案进行的预审，询问被告对犯罪事实有何陈述。被告回答，正如你们所宣读的那样，没有出入。然后，以一问一答的形式开始了讯问。

问：你为什么要杀死吉藏？

答：我太喜欢他了，想自己独占他。可是我和他不是夫妻，只要他活着，就会接触别的女人，把他杀死的话，别的女人就一个手指头也碰不了他了，所以就把他杀死了。

问：吉藏也喜欢被告吗？

答：他当然喜欢我，但如果用天平来称的话，一头四分，一头六分，我是六分。石田（吉藏）总是说，家庭是家庭，你是你。我家里有两个小孩儿，我也不年轻了，不能和你私奔。不过，即使再寒酸，我也会给你找个住处，或者包个房间，咱们就能随时见面，永远快乐了。可是，我受不了他这样模棱两可的回答。

久木尽量平淡地念着，凛子也屏息静气地听得入神。久木见了，继续念阿部定迷上石田吉藏的过程。

问：被告为什么如此迷恋石田呢？

答：要说石田哪儿好，我也说不上来，不过他长得真是没得挑，我从来没见到过这么风流倜傥的男人。一点不像四十二岁的人，顶多二十七八岁的模样。而且心地特别单纯，为一点小事都要激动半天，脸上藏不住事，就像婴儿那么天真无邪。不管我干什么，他都喜欢，特别依恋我。还有，他床上功夫也相当了得，他懂得女人，干那事的时候，能长时间控制自己让我充分满足。他精力过人，能连着来好几次。我也曾试探过，看他是不是真心喜欢我才跟我做爱，还是仅仅靠技巧。这件事情说出来实在让人脸红。四月二十三号，也就是我从吉田家跑出来的那天，因为来了月经，我那儿有点脏，可是，石田照样不停地又是摸，又是舔，一点都不嫌脏。二十七八号左右，我们住在田川旅店的时候，我给他做了香菇汤，对他说："听人家说如果两个人真心相爱的话，就会拿香菇、生鱼片蘸着那儿吃。"于是石田就说："我也会为你这么做的。"然后，他就真的用筷子把汤里的香菇夹出来，塞进我前边那儿去，蘸上蜜汁后放到饭桌上。等我们嬉闹了一通后，石田吃了一半，我也吃了一半。我觉得石田真是可爱极了，我用力抱住他说："我真想杀了你，让你和谁都干不成那事。"石田就对我说："为了你，我死也愿意。"

问：那些天你们一直住旅馆吗？

答：五月四五日住在"满佐喜"。他说钱花光了，要回家去取。我赌气说要把他的那东西割下来。石田说："回家我什么也不干，我只和你干。"

他回家后，剩我一个人时，嫉妒和焦躁使我快要发疯了。十日晚上，我到他的店所在的中野去找他。石田带了二十元，我们先到车站附近的杂煮店喝了点酒，又和他一起回到"满佐喜"住了下来。

　　读着读着，久木觉得身体开始发热，凛子也一样。

　　起初两人是相对而卧，不知不觉中凛子已紧靠在久木胸前，喃喃地说："实在太真实了。"

　　阿部定的供述非常率真，没有一丝卑怯，使整个事件真实地再现了出来。

　　"这个女人一定特别聪明。"

　　虽说已是事后，但她对自己的情欲以及床上行为，一点不避讳，十分冷静客观。

　　"她以前是干什么的？"

　　"她出生在神田，是个爱打扮，又早熟的姑娘。家里是开榻榻米店的，后来破产后，她当了艺伎，不断地换地方。到石田的小店去当女招待时，名字叫加代。"

　　久木翻到前面有阿部定照片的那一页给凛子看。照片好像是出事后照的，她盘着圆髻，鹅蛋脸，眉目清秀，文静的眼神里流露出寂寞。

　　"真是个美人。"

　　"像你一样。" 久木开玩笑地说。

　　不过，阿部定那种能牢牢抓住男人心的柔媚确实和凛子很像。

　　"我可不是这样的美人。"

　　"当然了，你的气质比她好。"

　　久木赶紧补了一句，但他心里想，那个女人的魔力或许就潜藏在她那美貌之中。

　　"事件发生时，阿部定三十一岁。"

　　久木拿起书接着念下去。检察官的问题越来越迫近案件的核心。

问：你叙述一下五月十六日一边勒石田的脖子，一边发生性关系的经过。

答：在十二三日的时候，石田跟我说："听说掐脖子挺好玩儿的。"我就说："是吗？那你掐我吧。"他用手比划了一下，就松了手，说是看我的样子可怜，舍不得掐我。于是，我就骑在石田身上，扼住了他的咽喉。石田说怪痒的，别掐了。十六日晚，和石田做爱时，觉得他简直可爱死了，就咬起他来。这时我忽然想到，抱得紧紧的，不能呼吸地做爱试试。便说："我勒你脖子玩儿吧。"然后顺手从枕边拿起我的腰带绕在他脖子上，一边拽着带子一边做爱。开始时，石田觉得好玩儿，伸出舌头装死，再使劲儿勒了一下，他的小腹鼓起来，那东西变得硬邦邦的，感觉特别好。我跟他一说，石田就说"只要你舒服，难受我也能忍。"我看见他直翻白眼，就问："你难受吧？"他说："不难受，我的身子随你折腾。"就这么绳子一会儿松一会儿紧地又折腾了两个多小时，直到十七日凌晨两点。我只顾注意下边的动静了，不知不觉手里使劲儿一勒，只听他哼了一声，他那东西突然软了下来。我慌忙解开带子，石田叫道"加代"，哭着抱住了我，我赶紧给他按摩胸部。他的脖子上留有一道红红的勒痕，眼睛肿起来。他说"脖子很热"，我把他领到浴室，给他洗脖子。那时他脸也红肿得很厉害，石田照了照镜子说"你可真够厉害的"，并没有生气。

问：请医生看了吗？

答：想去请医生，可是石田说："弄不好，会被警察知道的，不要去。"所以我就给他又是冷敷，又是按摩身子的，还是不见好。傍晚，我去药店，说是"客人打架，把脖子掐肿了"。大夫给了些消炎药，让一次吃三片。

凛子听到这儿，赶紧把久木脖子上的带子解了下来。大概是听了阿部定的供词中，由于太用力勒男人的脖子，男人脸变得又红又肿，觉得害怕吧。

久木等她解开后，继续往下念。

问：事件前一天晚上，你们一直在旅店里吗？

答：石田脸肿得出不了门，早上只吃了点砂锅烩泥鳅。晚上我出去买药，顺便买了个西瓜给他吃。然后他喝了一碗素汤面，我吃了个紫菜寿司卷。又给他吃了三片消炎药，他说不管用，就又给他吃了六片。石田眼睛都睁不开了，还是睡不着。他又说："没钱了，还得回去一下。"我说："我不想回去。"他说："我这副样子，被这家店里的女佣看到多不好意思啊。我必须回趟家，你先在下谷那儿住一阵。"我说："反正我不想回去。"他又说："你这也不愿意那也不愿意怎么行。你也知道我有孩子，不能总和你在旅馆待着呀。为了我们能长久好下去，多少要忍耐一下。"我越发觉得石田是存心想要跟我分开了，我就哭出声来，石田也眼泪汪汪地一个劲儿安慰我。可是他越这样低声下气，我就越生气，心不在焉地听着他的劝告，心里在琢磨怎么才能和他长久在一起。

问：那么，那天晚上你们还是在那儿住的？

答：这么磨来磨去的就到了晚饭时间，女佣端来了我们要的鸡汤，给石田喝了之后，十二点左右我们上了床。石田的脸还肿得老高，无精打采的。见我满脸不高兴，就卖力地爱抚我，讨好我，短短地做了个爱。但他很快就说："我困了，先睡了，你在旁边看我睡觉。"我摩挲着他的脸说："你睡吧，我看着你。"石田便迷迷糊糊睡着了。

久木突然想抚摸凛子，就伸出一只手握住了凛子的手，继续念下去。

问：你什么时候下决心要杀死他的？

答：五月七日到十一日之间，他回家时，剩下我一个人，满脑子都是他，越想越难过，曾想过干脆杀了他，但马上打消了这个念头。十七日晚上，石田对我说："为了我们的将来得暂时分开一段日子。"我看着他的睡脸心里想，石田一回家，他的老婆就会像我那样爱抚他，而且，这一别一两个月见不到他了。上次他回去才几天我都受不了，这么长时间怎么熬啊，真不想放他走。以前我要他跟我一起死，或者逃到别处去，他从不当回事，光说包个地方就可以永远做情人。所以我下了决心，要使石田永远属于我自己。

问：被告叙述一下十七日晚用腰带勒死熟睡中的石田的经过。

答：石田迷迷糊糊睡觉时，我左手搂着他的头部，看着他睡觉。忽然他睁开眼，看到我在身旁，放了心，又闭上眼说："加代，我睡着的话，你是不是还要勒我？"我"嗯"了一声，朝他微微一笑。他说："要勒就别停下，不然特别难受。"我吓了一跳，难道他是希望被我杀死吗？但马上意识到他是在开玩笑。一会儿石田睡着了，我伸出右手拿起腰带把他的脖子绕上，拽紧两头勒了起来。石田突然睁开眼叫了一声"加代"，欠起身来想要抱住我。我哭着说"对不起"，更使劲地勒紧了带子。石田哼了一声，两只手颤抖着，不一会儿就不动了。我解开了带子，浑身抖个不停，就抄起桌上的酒壶，对着嘴喝了起来。我怕他没死，又勒了一下之后，把带子藏到枕头底下。然后，去楼下看了看，账房静悄悄的，挂钟时间是夜里两点多钟。

凛子长出了一口气。阿部定亲口叙述的杀死所爱的男人的经过，使她兴奋起来。久木停顿了一阵，继续念着。

问：叙述一下在那之后，你切掉石田的阴茎阴囊，在他左胳膊上刻自己的名字，又在尸体和被单上用血写字后，逃离"满佐喜"的经过。

答：我杀了石田后非常平静，好像卸下了一个大包袱，心情很舒畅。我飞快地喝了一瓶啤酒后躺到他的身旁，见他嘴唇发干，就用舌头舔他的嘴唇，又给他擦干净脸。我一点没有躺在死人身边的感觉，反而觉得他比活着的时候更可爱。就这样一直躺到了天蒙蒙亮，我又是抚摸他的下身，又是把那东西拿到自己前面捣鼓。我一边这么干着，一边想，既然已经杀了石田，那我自己肯定得死；又一想，无论如何我必须先离开这里。这么抚弄着那东西的时候，我产生了要把它割下来带走的念头。原先吓唬石田，要割他的东西时，我给他看过的那把牛刀还藏在画轴后面。我从那里取出了牛刀，试着切了一下，很不好切，费了半天劲儿也不行，中间牛刀还滑了一下，把大腿都割破了。后来我又想连睾丸一起割掉，可是更难割了，结果阴囊到底也没有割干净。我把切下来的东西和睾丸放在手纸上，看到从刀口流出了大量的血，我便用手纸摁住切下来的东西，用左手食指沾上血，擦到我自己穿着的长衫袖口和衣襟上，还在他的左腿和床单上写下了"定吉二人"，接着用刀子在他的左臂上刻下了自己的名字。然后在盆里洗了手，撕了张枕头边的杂志封皮，把那个宝贝包上，又将他脱在衣篓里的兜裆布裹在腰上，把那个纸包塞进腰里。然后把石田的衬衫和内裤穿上，外面套上自己的和服，系了腰带，收拾了房间，把带血的手纸都扔进了厕所。一切做完后，我只带了用报纸裹好的那把牛刀，最后吻了他一次，给他盖上毛毯，用手巾蒙上了他的脸。上午八点左右，我下楼对女佣说："我去买东西，中午之前别叫醒他。"就离开了旅馆。

阿部定勒死了自己深爱的男人后还割下了他的男根，这个故事久木曾经给凛子讲过，就是在两人被大雪封在中禅寺湖的时候。虽然内容和当时讲的有些重叠，但久木还是按照审讯笔录重新念了一遍。

问：你为什么要把石田的男根割下来带走？

答：因为这是我最喜爱最看重的东西。如果不带走的话，给他清洁尸体的时候，他老婆一定会触摸它，我不想让任何人碰到它。石田的尸体只能扔在旅馆了，可是只要有他的这个东西，就觉得和石田在一起，不感到孤单了。至于为什么写"定吉二人"，是想让别人知道，杀了石田的话，他就完全属于我了，所以从各人名字中各取一字。

问：为什么在左臂刻上"定"字呢？

失 乐 园 ｜わたなべ じゅんいち

答：为了让我附在石田的身体上，把我一起带走，才刻上我的名字的。

问：为什么穿上石田的兜裆布和内裤？

答：为了能闻到石田身上的味儿，也是为了留作纪念。

问：叙述一下犯罪后逃跑的经过。

答：五月十八日上午八点的时候，我离开了"满佐喜"，身上带着五十元钱。我先去上野的旧货店卖掉了身上穿的衣服，买了件单衣换上。又买了个包袱皮，把牛刀包在里面，还换了双新的桐木屐。然后给"满佐喜"打电话，对女佣说我中午回去，在我回去之前不要叫醒石田，女佣答应了。看来还没人发现石田被杀，我放下心。又给老相识大宫先生（前中京商业高校校长）打了电话，他正在神田的万代馆，我要他到日本桥来一趟。一见面我就痛哭流涕起来，我对他说："不管发生了什么事，都与先生无关。"分手后，由于在上野买的单和服太薄，又去新宿买了一件单和服和名古屋带换上，坐出租车来到滨町的公园。在那儿考虑了半天，心想反正是个死，就想到曾待过一阵子的大阪去，从生驹山往谷底一跳，一了百了。

笔录进入了对阿部定被捕前状况的质询部分。

问：杀死石田那天晚上，你在哪儿过的夜？

答：我想去大阪自杀，可又没有勇气马上去死，还想再想想石田的事。所以十点左右我去了以前住过的浅草的上野屋旅店，在那儿洗澡时，还随身带着那包宝贝东西。然后上二楼去睡觉。我在被子里打开那个纸包，拿着那个东西，又是亲又是摸的，感觉就像还跟石田在一起似的，哭哭啼啼地一夜没睡好。第二天早上，从账房借来报纸一看，报纸上醒目地登出了我以前的照片和"满佐喜"杀人事件的报道。我害怕被旅店里的人认出，那就糟了，慌忙结了账，外面下着雨，我借了木屐和雨伞离开了上野屋。

问：你交代一下从十九日以后到被捕这段时间的活动。

答：因为下雨，我打算坐夜班车去大阪。所以先去浅草看了场《阿夏和清十郎》的影片，然后去品川车站买了去大阪的三等车票。可是离发车还有两个钟头，我就在车站商店里买了五份报纸，塞在行李中准备带到车上去看。我在车站的小店里喝醉了酒，不知不觉地睡着了。醒来后去品川馆旅店做了按摩，躺在那儿迷迷糊糊梦见了石田。我想听他说些什么，但他什么也没说，我就放心了。把按摩的打发走以后，我找了个地方吃晚饭。打开晚报一看，报上把我形容成"高桥阿传"[1]，写得很耸人听闻。还写着每个车站都布置了警察。我一想大阪去不成了，就打算在这个旅馆里死。可是栏杆太低，吊不死人。我就坐等警察来抓我，一直等到夜里一点，警察也没来。第二天早上，我让女佣给我换了个偏房，这样可以把脚伸到院子里吊死。我借来钢笔和信纸分别给大宫先生、黑川先生和死去的石田写了三封遗书。我打算半夜去死，喝下两瓶啤酒，就睡着了。一直睡到第二天下午四点左右警察来抓我时，我说了句"我就是阿部定"，就这样被捕了。

　　久木一直是躺着念的，觉得有点累了，但下面是阿部定诉说被捕后的心情，是最后一个高潮了。

　　问：被告对这次事件是怎么想的？

　　答：刚来警察局的时候，我还乐意谈论石田。到了夜里一梦见他那可爱的样子，我就非常高兴。可是现在我的心情起了变化，后悔不该那么做。如今只有尽量忘掉石田的事，就是说，从今往后我不愿意再去想和谈论这件事了。所以，请求法庭，尽量不要开庭审判或当着众人的面讯问那些事。

1　高桥阿传：（1850？~1879）日本明治年间三毒妇之一，又被称为"稀世毒妇"。与多名男性发生关系，卖淫时杀死嫖客，夺其财产，布置妥当后从容离去，先后杀人两次。后为警署侦探所捕，被判死刑，是日本历史上最后一个被公开处斩首刑的人。其一生的故事被写成《高桥阿传夜叉谭》，后来还被改编成歌舞伎和电影，因此成为了家喻户晓的人物。

直接请示一下上面，判刑得了。也不用请律师，我服从裁判，甘愿服刑。

问：还有其他要补充的吗？

答：关于这件事，我最遗憾的是人们把我误解为色情狂，对此想说说我的想法。我到底是不是性变态，调查一下我的过去就知道了。我从没有和其他男人做过类似的事。我也喜欢过别的男人，没有跟他们要钱。但是，我一直都没有忘记自我，考虑时间和场合，从不深交。我这么理智，连男人都感到惊讶。唯独石田让我找不出不满意的地方，只是多少有点俗气。但他这单纯劲儿反倒使我更着迷，他简直使我神魂颠倒。我的事传开后，人们都把它当作稀奇古怪的事来议论。可是我觉得女人喜欢男人的东西有什么可奇怪的呢？说白了，有人本来讨厌生鱼片，但老公喜欢，自然也跟着喜欢；穿上老公的棉袍就高兴；喝喜欢的男人喝剩的茶水也觉得甘甜；把男人嚼过的东西放进自己嘴里更觉得幸福。男人替艺伎赎身，为的是自己能独自占有她。迷恋上一个男人，想要做我所做的事的女人大有人在，只不过没有做而已。当然，女人不都一样，有的人看重的是物质，而不是情感。就算像我那样由于喜欢过头儿而失去控制做出了那种事，也不见得就一定是色情狂啊。

久木念完了，回头看了看凛子，她的脸微微泛红，还沉浸在阿部定动人的诉说之中。

久木觉得口渴，起来从冰箱里拿出啤酒喝着。凛子站起来，坐在久木的对面。

"你觉得怎么样？"久木一边往杯子里倒酒，一边问道。

凛子赞叹着"真了不起"，然后又说："我原先误解了阿部定，觉得做出这种事的女人实在太下流，太荒唐了。其实她是个很直率、可爱的、了不起的女人。"

看来这份报告对凛子的影响不小。

“真有你的，居然把这份材料弄到手了。”

“我特别想看到这份报告，就到法务省去借，结果被拒绝了。理由是这个事件涉及个人隐私，除必要的学术研究以外，概不外借。”

“你就是为了学术研究啊。”

“我是以人物为主线研究昭和史的，所以以为理由很充足，没想到怎么说都不借。”

“如果公之于天下，反而对阿部定有利吧？”

“是啊，那些衙门就是爱搞这一套神秘兮兮的东西。我又到别处去找，才知道这份调查记录早已流传到社会上了。”

“在哪儿找到的？”

“这属于秘本，即不能公开发行的秘密传阅本。”

“这么说有人看到过原始记录？”

“很可能是负责此案的检察官或者是书记员，他们手里有副本，于是就流传开来了。”

“那还有什么密可保呢？”

“那也要保密，这就是衙门作风。”

久木发起牢骚来。

凛子感觉嗓子发干，就喝了一口久木给她倒的啤酒，拿起那本记载阿部定供词的书。

翻开第一页，有一张事件刚刚发生后报上登出的阿部定和吉藏的照片，另外还有一张阿部定被捕时的照片。不可思议的是，被捕的阿部定、逮捕她的警察和所辖警署的警察们都笑嘻嘻的，就像在开庆祝会一样。

“被捕以后，阿部定反而松了口气了。”

“这么容易就抓到了犯人，又是个大美人，所以警察也乐颠颠的了吧。”

“那个时候，不正是警察和军人横行霸道的恐怖时代吗？”

“那是一九三六年，在那之前发生过‘二·二六事件’，是日本逐渐

失乐园 | わたなべ じゅんいち

走向军国主义、社会动荡不安的黑暗时代。正因为这样，世人对阿部定那种对爱情追求到极致的行为产生共鸣，有种令人振奋的感觉。"

凛子点点头，继续翻书。

"看起来是件荒唐的事，可是不能因此说她这么做就是变态行为啊。正如她自己所说的那样，这世上一定还有其他的女人想做我做的那种事，只是没做而已。"

"你理解她的心情？"久木半开玩笑地反问道。

凛子爽快地点点头。

"当然理解了，特别喜欢一个人的话，就会产生这种念头，没什么可奇怪的。"

"可是我觉得也不必非要把他杀了。"

"这关系到爱得有多深的问题，爱得死去活来，非要占为己有的话，就只有这条路了，你说呢？"

被凛子一反诘，久木犯起难来。

"不过，实行不实行是另外一回事。"

"你说得也对。可是，真喜欢上一个人的话就难说了。我觉得女人的心里是都藏着这种念头的。"

凛子直勾勾地盯着久木的脸说道。久木不由自主地移开了视线。

久木忽然觉得燥热起来。

也许是读完阿部定的供词，有些亢奋的缘故，也许是屋子里的温度偏高的关系，久木站起来打开了窗户。

春夜凉风立刻涌了进来，久木顿觉舒畅起来。

"这儿凉快，你过来。"

久木招呼着凛子，两人并肩站到了窗前。

左边是盛开的樱树，树下是灯光辉映的池塘，池塘环绕着露天温泉池，与倒映着幽玄的能乐堂的池面相连。

"真安静……"

久木深深地吸了一口气，想要忘掉刚才念过的阿部定那鲜血淋漓的故事。

在这万籁俱寂的旅店里，阿部定的事件恍如遥远的另一个世界发生的事。眺望着正前方起伏的群山和广渺的夜空，凛子忽然说道："你看樱花……"

久木扭头一看，从盛开的樱花树上，花瓣突然纷纷坠落，其中一片落在眼前的池面，一片被风刮到窗边来。

"原来樱花夜里也在掉啊。"

凛子的话把久木点醒了。

久木回想起两人去泡露天温泉时，在床上嬉戏时，以及念阿部定的笔录时，花瓣的确一直在飘落。

"照这个样子看，我们睡了以后，还会继续掉的。"

"那我就不睡了，看着它掉。"

久木了解凛子的心情，但他已经有些累了。

这是激情做爱所致，还是读了阿部定供词后的亢奋，抑或是两者混杂在一起的倦怠？总之，在这夜深人静的幽暗中，只有樱花悄然无声地飘落。

久木轻轻地扶着凛子的肩头，小声说："休息吧……"

久木先钻进被子，凛子站在窗前自言自语道："开着点窗子吧。"

这样的话，凉风习习的，感觉很舒服。

久木闭着眼睛点点头，凛子关了灯也躺了下来。

久木依恋凛子那柔软的肌肤，伸手去摸，凛子轻轻按住他的手，慨叹道："不过，那样的话，女人也怪可怜的。"

久木一时没明白凛子的意思，但马上就知道她在说阿部定。

"要是我的话，就不这么干。再怎么喜欢一个人，把他杀了还有什么意义呢？"

久木也同意这个看法。

"杀了他，可以使他完全属于自己，可是她以后的日子会幸福吗？"

据说刑满出狱后，阿部定又重新在浅草附近的料理店干活了。可是"阿部定所在的店"的广告一打出去，不管她喜不喜欢，她都不得不被人们好奇的目光所包围。

"再努力赎罪，杀人犯的事实是改变不了的。"

"还是活着的人可怜呐。"

凛子的话一点都不假，可是久木又觉得男人被那么体无完肤地杀死也够可怜的。

"不管怎么说，两人都够惨的。"

"也许吧……"

凛子沉默了一会儿说："反正不该一个人活下来。"

"一个人活下来？"

"两个人一起死就好了。那样可以永远厮守在一起，不会感到孤单了。"

久木有点喘不上气来，轻轻翻了个身，背朝着凛子。

听刚才凛子说的那样，有情人一起死最好，久木不觉有些困惑。也许是因为这个自己才喘不上气的，不过凛子并没有说要去死，只是说发生像阿部定那样的事件的话，还不如干脆一起死比较好。

久木想到这儿又翻过身来，把脸靠在平躺着的凛子胸前。

那个男人被勒死时也是这个姿势。久木以同样姿势触到那柔软的肌肤后，心境逐渐平和了。过了一会儿，他突然想去吻她的乳房。

越过缓缓起伏的乳丘，久木将乳头整个含入口中，用舌头轻轻环绕着。久木现在什么都没想。就如同刚出生的婴儿与母亲之间的结合一样，男人和女人也用乳头和舌头联结起永恒不变的未来。

在夜的静寂中，半梦半醒之间，久木忽然觉得嘴唇触到了一个薄膜一样的东西，他觉得奇怪，继续轻吻，一会儿又触到了一个。

久木好奇起来，打开座灯一瞧，原来凛子的乳头旁边粘着两片粉红的花瓣。

"是樱花……"

久木嘀咕着，凛子奇怪地望着他。

"你的嘴唇上也有……"

久木这才发现有片花瓣粘在自己的嘴唇上，就把它拿下来，又在凛子的胸脯上加了一片。

久木抬头望望开了一点的窗户。

"是从那儿飘进来的。"

"要掉一晚上吧！"

照这个速度，再有一两天樱花就会完全凋谢的。

"你就这么躺着，别动……"

久木按住凛子的肩头，随风飘舞的花瓣，一片接着一片不停地飘落在凛子身上，那雪白柔软的皮肤渐渐变成桃红色的了。

小 满

从古至今，人们无不为樱花的短暂无常而叹惜、惆怅，樱花谢落意味着夏天的到来，白天越来越长，百花也竞相开放了。

比如紫藤花、杜鹃花、郁金香、虞美人、牡丹、石楠花等数不胜数，群芳争艳，再配上新绿装点的草木，大地一派生机盎然，光彩夺目。面对这美景，人们早已将娇贵而又纤弱的樱花忘得一干二净也是理所当然的。

从现在起，人们不必再像四月初，花的淡季时那样为樱花亦喜亦忧了。陆续绽放的各色花卉足可以让人们目不暇接了。

樱花谢落后的五月，春光明媚，遍野花香。

现在，久木也在全身心地迎接百花争艳的夏季的来临，同时，内心也像虞美人草一样随风摇曳着。

先从年初租借的涩谷的房间谈起吧。

在修善寺时，两人都决定不再回自己的家之后，就把这儿当作了根据地。虽然现在只有这里是可安居之处，但一房一厅的格局狭小了一些，家具又都是为了幽会而临时置办的简易用品，多半是小而廉价的东西，使用起来很不方便。

如果可能的话，想换一间宽敞一点的，但是花费要大一些，而且要彻底住在一起的话，还必须解决户籍的问题。

最近他们经常住在这里，管理人和邻居都认为他们是夫妇，当然也有人用怀疑的目光看他们。

久木当然也跟凛子谈到了换房子的事。

和久木不同，凛子一天到晚几乎都待在屋子里，肯定更感觉拥挤，干家务时也伸展不开，衣柜小得装不下，一部分衣物只好塞进塑胶整理柜里。看着她每天在小矮桌上铺开纸张写毛笔字的寒酸样子，久木不觉心疼起来了。

一想到凛子受的这些罪，都是由于背离了家庭和自己生活在一起，久木心里就特别难受，即便花钱，也要为她租间大点的房子。可是跟凛子一商量，她总是反对说：“算了，就住这间吧。”

久木认为是凛子不想让他这个工薪族太破费，可是跟她说了好几次，她都没点头，也说不定对现在的房子还算满意吧。

“换不换大房子，我无所谓，只要你每天都回到这儿来就行。”

每当听到凛子这么坚定地回答，久木就激动得把她抱在怀里。

讨论房子的问题最终还是为了两人能待在一起，所以每次总是以互相抚慰来结束这个话题。

就像阿部定在供词里说的，他们在旅馆里，一有空就搂到一起，贪婪地互相爱抚一样，久木和凛子也差不多。

当然并不一定每次都要发生关系，即便久木摸摸凛子的胸部，凛子摸摸久木的下身，也只是互相温柔对视，嬉戏抚弄而已。有时候也会发展到结合，但也有的时候醒过来才发现两人已不知不觉睡着了。

假日的午后，大白天两人就一直在床上缠绵。他们有时会恍惚觉得自己是被囚禁在这狭窄洞穴里的情爱囚徒。

也许这个地窖一样狭小的空间中飘散着的淫亵之气浸染了凛子的身心，才使她不愿离开这里的吧？

这个时期凛子对性的好奇心又增进了一步。

五月初一个周日的晚上，两个人买东西回来时，路过一个小家具店。久木想要给凛子买个大点的书桌练习书法用，就进了家具店。在店里转悠的时候，发现这里也有镜子出售，有带脚架很稳当的穿衣镜，也有镜框做工比较粗糙的梳妆镜。久木看着看着忽然冒出一个怪念头，就对凛子说："把它放在床边怎么样？"

久木想起了今年年初在横滨饭店幽会时，在镜前脱掉凛子浴衣的事，半开玩笑地说道。

凛子立刻来了兴趣，问道："床边放得下吗？"

床靠墙放着，把这镜子贴墙摆放或挂在墙上就行了。

"放这么大的镜子，把我们俩全给照进去了。" 久木吓唬她说。

谁知凛子却当即拍了板，小声说："买了吧。"

他们请家具店当天就送货，结果晚上镜子就送来了，马上安放到了床边，两个人迫不及待地躺下来试了试。又把台灯挪过来，直射镜面，还调整了一下镜子的倾斜角度，便可以清楚地看见他们的下半身了。

尤其是镜子里的凛子那雪白的肉体和大腿间的阴翳都被映照出来，随即使久木兴奋起来了。

凛子也受到了刺激，和久木交媾时还不断地挺起上身窥视镜子，嘴里不住叫着"太棒了……"

久木觉得凛子既可爱又可怕。

每天都这样下去的话，凛子会发展到什么地步呢？虽然觉得自己也有责任，但是一旦发动起来就无法控制的凛子这种女人，给他的感觉是和过去的凛子截然不同的另一种生物。而且床边有了这面镜子，屋里更像是一间充满妖艳淫荡气氛的密室了。

此外，久木和凛子第一次去买了一种商品。

他们从涩谷的商店街转进一个胡同时，偶然看见里面有个专卖成人用品的商店。

久木问凛子："要不要进去看看？"凛子不知道这个商店里卖的是什么，跟在久木后面进去一看，店内到处挂着花里胡哨的内衣裤和皮带、皮鞭等，才发现这不是寻常商店。又看见各种奇形怪状的按摩棒和环具等玩意儿，才发觉这不是女人来的地方。

她拽着久木的袖子，不敢看，低着头说"真恶心"，却没有要走的意思，还指着一个按摩棒问："这是干什么用的？"

久木拿在手里给她讲解："这就像男人的那个，这是前头……"

"哦？"她害怕地伸手摸了一下那个黑乎乎的挺立着的东西。

久木恶作剧地把那东西对着凛子下身，凛子慌忙把它推开，摇头说："别闹……"

"没准儿你会满意的哟！"

"不知道！"

久木故意要为难凛子，花了不少钱买了一个。但回到房间后，却独自对着那东西苦笑。

"男人都喜欢买这种玩意儿？"

"其实那里卖的东西差不多都是取悦女性的。"

"可是这种人造的东西哪比得了你的呀。"

听她这么说，久木略感宽慰。不过，连这些千奇百怪的东西都具备了，小房间越发像是两人的秘会之馆了。

说实话，现在的久木完全被凛子所左右着。

无论是镜子还是成人玩具，虽然都是久木半开玩笑、经她同意之后买回来的，但真正浸淫其中、享受这些的却是凛子。

两人交欢时凛子从没有满足的时候，直到久木筋疲力竭，再也支撑不下去时，那绵延不绝的痴缠才会勉强告终。

性方面女人原本占据着压倒的优势。女性一旦知道了快乐，就会变得像沼泽一样深不可测。相比之下，男人的勇猛就好像沼泽地上跃的鱼，浮在表面，是瞬间即逝的。

在这有限与无限的较量中，无论对快乐的感受度，还是寻求快感的持久力，男人都远远逊色于女人。

近来，久木每日每时都在不断重新体会、感受、惊叹着这一切。

如今，早已谈不上指导女人了。不错，久木确实温柔而细心地引导过凛子，但曾几何时，作为徒弟的凛子早已长成一头连调教者也望而生畏的巨象了。

丈夫不愿教会妻子这些东西，就是惧怕她变成这样的巨象。

一旦把妻子引导到那个程度的话，那么做丈夫的就必须半永久性地为满足妻子而不懈奋斗了。

希望心爱的女人变成荡妇，却又不敢贸然这么做的原因，就是怕这样会成为每天的负担重压在身上。

然而，对于外面的女人，就可以冲破这个局限。因为不必每天都要去应付，有时还能够躲开。

可是久木现在却被可以躲开的女人紧紧抓住了，就像被粘到蜘蛛网上的小虫子似的，怎么也挣不脱了。

和凛子交往了一年多了，为什么自己对她还是迷恋如初呢？

有的恋人一年左右就互相厌倦而分手，而他们不但没分手，感情还越来越深。应该说是双双落入了一个找不到出口的恋爱地狱中去了。

最大的理由是，两个人共同走入了深不见底的性爱世界之中了。

不言而喻，这是认识凛子之后才能到达的世界，他得到凛子这个爱情伴侣后，终于能够到达其他的女人包括妻子都没能到达的深渊。

凛子也是同样，认识了久木这个男人才第一次进入了眼花缭乱的性的世界。

凛子的魅力之一就在于，她的外表给人以假象。

以前见过凛子的男人，都以为她是位高雅矜持、对性不关心的古板的女性，实际上完全相反。表面一本正经、端庄文雅的凛子，一旦进入了情爱的世界，就立刻变得难以置信的淫荡，这样的女人最能煽动男人的好奇心。

不过，最近那潜藏在她躯体里的放荡劲儿逐渐显现于外了。他们在街上走着的时候，男人们常常色眯眯地打量她。凛子还说她在公园等地方散步时，常有人跟她搭话。前两天竟然连续有两个年轻男人要和她交朋友。

"我是不是有点魅力啊？"

久木见她佯装不知的样子，就故意说："男人是用感觉判断淫乱女人的。"

凛子推卸责任道："我可是你的杰作呀。"

"以后出门的时候，我得把你锁起来。"

久木嘴上开着玩笑，心里想，现实中被锁住的正是他自己。

久木已经被凛子的蜘蛛丝彻底缠住了。当初久木张开的蜘蛛网，现在反过来缚住了他自己，一动都不能动。

有时久木觉得自己很可悲，既然好容易找到一个可爱的女人，就应该多少掌握一些主动权，现在却完全被对方所支配，任由她为所欲为。

不可思议的是，堕落到这种地步，他倒发觉别有一种乐趣。

到了这种地步烦恼也没有用，今后只有顺其自然，更深地陷进去了。这既是一种无奈，也是一种放弃，同时又是对自己淫荡和堕落本能的放任。

久木的思绪微妙地传导给了凛子，有时久木轻轻一叹气，她就说："你也别想太多了。"并进一步引诱他进入两人独有的秘密世界里去。

冷静下来一想，两人今后的生活，不能总像现在这样懒懒散散的，应该暂时告一段落，彻底解决一下各自的婚姻问题。

可是久木没有心情面对令人沮丧的现实。

按说和妻子离婚的事以及有关的种种问题，亟待久木去解决，可是，现在久木却懒得去折腾，得过且过。如果妻子来催的话，办手续也可以；不催的话，就这么过一天算一天。

凛子也一样，和丈夫断绝了来往，却不想主动去找丈夫谈判离婚。

总之，两人现在一味地沉迷在属于他们自己的爱巢之中。他们十分清楚这是在逃避，是不负责任，然而要他们幡然悔悟、回归家庭已是绝不可能的事了。

他们不停地堕落下去，就如同陷入了暗无天日的漫漫长夜，不知何时才是尽头。

在旁观者看来，简直是颓废透顶的行为，而他们本人却不以为然。听任自己在黑暗的欲海上漂浮，不时陶醉在神驰目眩的快感中，只从这一点着眼的话，可以说成是在无比快乐的幸福花园里游玩。

他们两人是在向肉体的极限、愉悦的极限挑战。

然而，不仅整天闷在屋子里的凛子，就连每天去上班的久木，也意识到在现实和梦幻之间产生了裂缝。

白天，他去公司和同事们打交道，坐在办公桌前是现实，回到两人的住处，沉浸于情爱的生活就像是梦幻。

使这迥然不同的两个世界并行不悖、融为一体几乎是不可能的。

久木在涩谷住处糜烂的生活迹象也带到了办公室。女秘书试探地说过："近来你的脸色不大好。"见他打盹儿，又挖苦道："别太劳累了。"

男同事们还没有说得那么露骨，只有比较亲近的村松看见他那副疲惫、懒散的样子，关切地问："你身体没问题吧？"

久木每次都回答得含糊其辞。到了五月中旬，大家终于知道了他外宿的事。

起因是，有一次村松有急事找他，往他家里打电话时，他妻子告诉村松："他已经很长时间不在家里住了，我不知道他在哪儿。"

语气非常冷淡，一听就明白了。

"不过是夫妻吵架，没什么大事。"

虽说当时这么应付过去了，但是，久木外面有女人，而且同居在一起，已成了公开的秘密。

工薪阶层是干活儿挣工资，从这个角度讲，私生活不大检点，但只要好好工作，问题就不大。

可是，如果在私生活方面引起争端，也不可避免地对公司的工作产生微妙的影响。比如，陷入三角关系的话，第三者或妻子来找上司诉苦，等等，就会对自己非常不利。和银行等职业相比，出版社稍微宽松一些，但对男女间的纠纷也很反感。

好在久木的工作清闲，问题也没有表面化，只是偶然从他和妻子的电话中，让人听得出来，他好像和别的女人住在一起。

可是，几天后，屋里只剩下久木和室长铃木两人时，铃木跟他闲聊起来。

"可真难为你了。"

久木听了，知道他是暗指自己和凛子的事，支支吾吾地不知道说什么好。铃木又揶揄道："我真羡慕你的精力啊。"

铃木并没有特别提醒他要检点些，等等，只是想让久木知道，自己也听到了传闻，那么，其他人就更甭说了。

事已至此，被大家知道也没什么可紧张的。早晚是要离开家的，被人知道反而觉得轻松了。久木一边安慰自己，一边还是放心不下公司里同事们会怎么看他。

被降了职，家庭不和又曝了光，更别指望再受到重用了。

在公司心情郁闷的话，人往往会躲进家里去。久木在公司倒没有不如意之处，只是和别的女人同居这件事已经传开，每当别人说悄悄话时，他就感到不安，以为是在说自己，见到其他部门的人也疑心别人都在议论自己。

正所谓疑心生暗鬼，使自己陷入更加孤独的境地。这时，能够安抚他的只有凛子了。

回到涩谷的小安乐窝里，和凛子两人在一块儿时，可以不用顾忌任何社会规范、伦理道德，尽情沉浸在两人的世界里。只要在这间屋子里，就不会被人批评、议论，没有人指责他纵情声色，而且还有温柔接纳他的女性。

他自然愿意待在这儿了。

虽然久木在这间只属于他们两个人的屋子可以消除疲劳，平静情绪，但也会突然被某种不安所攫住。

他担心当自己沉浸在和凛子两人这样浑浑噩噩的生活中时，会渐渐脱离公司的同事和社会交往圈子，到头来只剩下他们形影相吊了。虽说可以拿追求特立独行的生活为借口，但这样窝居下去，只能越来越疏远社会，更难恢复到原来的状态了。

让久木深切体会到这一点的是和好久没见的衣川的小聚。

照例是衣川打来电话，约在老地方，就是银座那个小饭馆。自去年秋天参加凛子的书法颁奖酒会以来，他们已有半年没见了。

很长一段时间没有联络，是因为这段时间久木一心用在了凛子身上，同时也觉得不好意思见衣川，就没有主动联系。衣川也很体谅，没打扰他。

衣川比以前发福了，显得特别富态。说话声音洪亮，一见面就像质问晚辈似的问他："现在怎么样啦？"

"还是那样。"久木暧昧地答道

衣川一气喝干了一杯啤酒，又问："和她越来越好了吧？"

久木不喜欢他那种好奇的眼神，没搭理。衣川又道："和她越来越好了吧？"

听起来像是在鼓励，其实明显地含着揶揄和讥讽。

"我真没想到她有勇气抛弃家庭，和你一起生活。"

"你听谁说的？"

"这有什么难的，我的情报网蛮厉害的。" 衣川自吹自擂地说。

久木猜他是从在文化中心任教的凛子的书法老师那儿听来的。

"她还写毛笔字吗？"

"倒也没扔……"

"真可惜，今年春天她不准备参展了吧？"

凛子说她现在精神状况不佳，不打算给春季书法展览会投稿了。

"她以前就说过要离开家独立……"

久木点点头，想起了凛子曾经为专职讲师的事去找过衣川。

"和你住在一起的话，就不必工作了吧。"

久木听得出来，衣川无意再为凛子的工作而斡旋了。

"她那么有才能，被埋没了太可惜。"

衣川故意使劲儿叹了口气。

"真要是那样的话，就得怪你了。"

和衣川才聊了三十分钟，久木就感到心里憋闷，坐立不安了。

去年和衣川见面时还没有这种感觉，这是怎么回事呢？

难道就因为这半年来，自己一味耽溺于和凛子的爱情，所以和健全的循规蹈矩的衣川格格不入了吗？

衣川欠起身子对沉思着的久木说："工作那边怎么样？"

"还过得去。"

衣川对他这个不得要领的答复不太满意，说："你总是含含糊糊的。"

去年年底衣川问过他有没有去出版局的打算，当时，久木下不了决心，回答得不干脆，后来衣川也没有再催问他。

"你也许最适合现在的工作了。"

衣川似乎拐弯抹角地在回避涉及那个话茬儿。

久木也无意挪动工作岗位，沉默不语。衣川换了个话题："来中心讲讲什么好不好？"

"不了，不了。"

久木觉得以自己现在的情况，为那点课酬去中心上课没多大意义。

"你也别瞧不起我们那儿，最近新开了讲座，学员也增多了，在都内是数得着的。"

"那可太好了……"

失 乐 园 ｜ わたなべ じゅんいち

"托你的福，我最近得了总经理奖。从七月初开始，我可能要升任都内文化中心的总部长。"

衣川来见久木似乎是为了要告诉他这件事。

"恭喜你了。"

久木给衣川斟上了酒，忽然意识到刚才他产生的和衣川之间的不融洽感，就来自于上升者和下降者生活方式的不同了。

和衣川见面后，久木情绪有些消沉。不过并非因为衣川荣升为文化中心的总部长，他再发展也是别的公司的人，与久木没有关系。

久木想的是，衣川在努力工作，而自己却没有好好工作，光想着凛子了。自己竟然那么任性，说得过分一点，做出那样见不得人的事，连自己都觉得无地自容。

自己这样做到底对不对呢？

自从两人同居以后，久木就一直在思考这个问题，见过衣川后，更促使他去深思了。

半个月后，仿佛等不及即将来临的梅雨季节似的，传来了一个更加令人郁闷的消息。

一直在医院治疗的水口，刚进入梅雨季节的第二天，就在医院病故了。

水口和久木同期入公司，晋升速度也差不多，两人关系一直很亲密。只是久木调到调查室后，两人疏远起来。水口继续升到了常务理事，可是，去年年底，他突然被调到分社去了。

水口不久被提升为分社社长，刚要大显身手就患了肺癌。三月份做了手术，久木去医院看望他时，听他家属说，已经治不好了。

久木担忧他的情况，犹豫着要不要再去探视的这段时间，他的病情更加恶化了。

公司简报上写着"本公司理事、马隆分社社长水口吾郎氏，今晨五点二十分逝世，享年五十四岁"。久木想起了三个月前，去医院看望他时，水口所说的话："人都有生老病死，应该在能做的时候，做自己想做的事。"

水口的守灵仪式是次日下午六点，地点在他家所在的调布附近的一所寺庙。

公司的年轻人负责丧仪的准备工作。久木提前了一点到那里时，已聚集了很多前来吊唁的人。不一会儿，开始念经了。

祭坛中央的鲜花丛中摆放着水口的遗像。好像是两三年前照的，面露微笑，目光炯炯，精神饱满，眉宇间含有一股霸气。

尽管他调到了分社，但毕竟是个社长，从祭坛直到灵堂的两边，都摆满了各个出版社社长以及编辑、营销、客户等有关方面人士敬送的花圈。

久木看着这些花圈，不由想起了"夭折"这个词。

用夭折来形容五十四岁去世的人似乎不大贴切，但是，作为同辈的久木看来，走得还是太早了。

像水口这样热爱工作、一心为社的人早早死去，而自己这样多余的人却活得好好的，真是世事难料，让人啼笑皆非。

开始上香了。久木排着队往前走，有很多人他都认识，挨着他的是同期入社的营销部长中泽，两人用目光打了招呼。

一步步走到了祭坛前，久木才真切感到了水口确实已不在人世了。面对水口的遗像，久木合掌为他祈祷。

"你怎么会死呢……"

久木想要说的只有这句话了。

在悼念或祈祷之前，久木耿耿于怀的是水口为什么如此匆匆而去呢？这只能解释为突然有一天不小心踩上了癌这个地雷。水口和自己分别站在了生死之界的两边，原因就在于是否踏着了这个地雷。

上香时久木还是一直沉思着。向家属致意后，久木走出灵堂，中泽招呼他说"去露个面再走吧"。

出门往右有个客厅，很多死者的生前好友聚集在那里。

因为是水口的守灵夜，久木自然也想进去和大家聊聊，可是，那样就会遇见许多老相识。

想到自己的工作现状，他觉得有点不自在，也可能自己想得太多了。

"就待一会儿，没问题吧？"中泽又劝道。

进屋一看已有二三十人在喝着啤酒。久木跟在座的熟人简单打了招呼就入了席。中泽一落座就对他说道："水口说他特别羡慕你。"

"羡慕我？"久木反问道。

中泽擦了擦嘴边的啤酒沫，说："他一天到晚就知道工作，没有闲着的时候。"

"他喜欢那么忙啊。"

"也可以这么说。不过自从去了分社后，他渐渐对自己的人生产生了疑问，刚想要重新安排今后的生活时，就得了癌。"

久木去看望水口时，也听他说过类似的话。

"他说要是能像你那样就好了。"

"像我那样？"

"你也别瞒了。和喜欢的女人在一起住着吧？"

连中泽都知道了，久木的心情顿时黯淡了下来。

"工作也重要，可是也想像你似的恋爱一番。尤其到了这个年纪，更有这种欲望了。"

"但是水口很爱他妻子的……"

"他是来不及了。看到他走得这么匆忙，我突然有一种紧迫感，总觉得这么下去似乎缺点什么，心里空荡荡的。"

久木也有同感，然而认真地爱一个女性，不是那么简单的事，是要负起沉重的责任的。中泽对这些又了解多少呢？

在这个问题上，久木的看法和中泽有所不同。

中泽想的是在不失去家庭的基础上，和外面的女人谈情说爱，同时享有家庭的安宁和恋爱的激情。这或许是憧憬爱情的中老年男人们的共同愿望。

说实话，久木和凛子相识之初，也只是想和她时常见个面，吃吃饭，感受一下浪漫的情调。后来关系进了一步后，也不曾想到会打破家庭的平静。

可是现在，久木的家庭何止不平静，已经陷入了灭顶之灾。究竟是怎么发展到这一步的，久木也莫名其妙，等他意识到时局面已不可收拾了。

在这种状况下，听到中泽说"真羡慕你"，久木心里很不是滋味。他所羡慕的是表面的自由，然而里面充满着只有坠入情网的当事人才知道的甜酸苦辣。

中泽似乎还不了解久木的家庭已经崩溃，以及和凛子两人已身陷爱情地狱不能自拔的现状。

像肥皂剧里编的故事那样，双方发生争吵，然后再和好，在这样的反反复复中，相信最终能够凭借诚实和善良找到幸福。如果梦想着恋爱是这样肤浅的、一帆风顺的话，那就成问题了。

说心里话，久木现在没有心情沉醉在这种甜蜜的情调中，并非他不想，而是他们现在已经回不去了。发展到这么深的程度，理性和良知都无法控制了。从芸芸众生降生这个世界时起，就会被原罪一样深藏在体内的本能操纵着、煎熬着。

由此往后的爱，是与诚实和善良无缘的刻骨铭心的爱，这条路的尽头只能是毁灭。正在自己为此而痛苦恐惧的时候，听到别人说羡慕自己，感觉就不仅仅是烦躁，而是愤怒了。

客厅里的人越来越多，足有四五十人。

"到底是现职，葬礼也隆重。"

正如中泽所说，水口虽然去了分社，总归是总社的高管，所以，从出版界直到广播、广告业界的人士都来吊唁。

"这么年轻就死了的确很遗憾，可是如果退了休的话，没准儿连一半人都来不了。"

"他的交际比较广。" 久木看着祭坛四周摆放的花束说道。

"光是交际广，来不了这么多人的。"

"不见得吧。"

"没有利用价值的人是很受冷遇的。"

"死了以后还能来的是真的朋友吧。"

"不过，你没问题。"

久木不解其意，中泽调侃地说："要是你的葬礼的话，她肯定会来的吧。可是这样的女人，我就没有。"

"说哪儿去了……"

久木从来没有想象过那种场面。

"有什么事的话，尽早交代给我。她好不容易来了，让她待在角落里也太委屈了。"

"怎么会呢……"

中泽想象的是久木的妻子是丧主，凛子来吊唁的情景，久木觉得根本不可能。

"要不然就是现在的那个她当丧主？"

中泽满怀兴致地猜想着。久木从没考虑过这类问题。

"总之，葬礼是人生的缩影，还是好自为之吧。"

"我该走了。"

又有新来的客人进来，久木站起身来。

"去她那儿？"

久木没说话，他知道即使否认，中泽也不会信。

"你该不会真和她结婚吧？"

"你问我吗？"

"横山他们都挺担心的。"

看来中泽是从调查室的人那儿听说的。

"还没考虑这个问题。"

"那就好，谁也摸不准你会做出什么来。"

"摸不准我？"

"不，不，那是以前的事了。"

见中泽苦笑，久木想起了三年前的一场风波。

那时久木是出版部长，坚决反对出版一本宗教方面的书。理由是虽然出版的话销路会很好，可是有关方面的大肆宣传与公司的形象不符。他一直反对销售第一主义的经营方式，与赞成派高管之间发生了争执，结果是暂停了出版。

当时，中泽在营业部为此做过协调工作，所以才说起来的。

"这是两码事。"

久木现在对于工作早已没有了那个时候的热情。

"我走了，回头见。"

久木向中泽挥了下手，就离开了。

他直奔地铁站，上了电车回涩谷去了。

也没做什么工作，只是去参加了个葬礼，上了香，喝了点啤酒，怎么觉得这么疲倦呢？

因水口的死心情不佳，加上见到中泽及其他同事，感到与他们距离很远，仿佛自己独自游荡在另一个世界中，这种不和谐的孤独感更使他心情郁闷。

已是晚上八点多了，开往市中心的电车空荡荡的，久木坐在角落里想着刚才中泽说的话。

"你不会真和她结婚吧？"

中泽像是随意问的，不过这的确是个棘手的问题。

正如大家所传的那样，他们两人现在都离开了家住到了一起，无视舆论和父母、子女的意志，埋头于只属于两个人的天地里。既然能到这个程度，下一步要考虑的就是结婚了。不管能否得到别人的祝福，都应该建立新的家庭，开始新的生活。

不可思议的是，久木从没有考虑过和凛子结婚、建立新家庭的事。他也想要换个大点的屋子，好有个放书的地方，等等，却没想过重新过一种新的婚姻生活。

奇妙的是，凛子也和他一样，她从没有说过"我想结婚"这句话，久木自己也没说过。

两人如此的互相爱慕，为什么没有考虑过结婚呢？

首先凛子的丈夫暂时不会同意离婚，如果强行结婚的话，就犯了重婚罪。而久木这方面，妻子虽然同意离婚，可是一牵扯到财产分割和房子的问题，就相当麻烦，这些问题不解决，就离不了婚。

再加上他们一直把全部精力都放在了脱离家庭、一起生活上了，没有余力思考下一步结婚的问题。

那么，这是不是唯一的原因呢？

两个人在一起的时间多的是，无论谁说出"想要结婚"的话，准会得到回应的，可是双方都闭口不谈是什么原因呢？

这时一个声音在陷入沉思的久木耳边响起："也许两个人都惧怕结婚吧？"

坐在夜晚的电车里，久木扪心自问。

"到底惧怕什么，不敢结婚呢？"

和妻子现在虽然分居了，可过去他们也曾经相爱过，虽然不及和凛子这么热烈，但是都很爱对方，觉得彼此可以托付终生才结婚的。

可是，这个婚姻过了二十五年后，变得百孔千疮，难以治愈了。当然婚姻失败的直接原因，是由于久木爱上了凛子，其实即使没有凛子，也早已出现裂纹了。

得到了人们的祝福，自己也觉得很可靠的爱情，竟然这么不堪一击，这是为什么呢？

于是久木自然联想起了"日常"、"惰性"这些词语。

无论什么样的爱，只要一结婚，陷入了日常生活，便马上会流于惰性，逐渐消磨下去。即便和凛子的惊心动魄的爱也在所难免。

或许久木和凛子都闭口不谈结婚的事，是由于双方都经历过一次婚姻，切身体验到了在安宁这个保障的背后，恶魔筑起了怠惰的巢穴。

这时，久木忽然想到了，阿部定杀死石田吉藏，是在他们深深相爱后不到三个月的时候。

在那般疯狂地做爱之后，由于爱得不能自制，女人把男人杀死了。他们才认识三个月，正像盛开的鲜花那样，是最热情奔放的时候，难道正是在这种时候才会发生杀死恋人的事吗？

如果他们半年或一年后结婚的话，就不会再有那么强烈的爱情和占有欲了。弄不好，爱得越深，恨也越深，会很快就分手的。

这就叫作爱情的"昙花一现"。

久木一路上东想西想，到涩谷时正好九点。

车站附近到处是赶着回家的上班族，和结帮搭伙到娱乐场所去的年轻人。穿过这个热闹的地区，走上一个平缓的坡道，再拐进一条小路，周围马上静了下来。久木住的公寓，就在第一区的最边上，是个五层小楼，只能住三十户。据说才盖了十五年，可是显得很旧，入口处的墙砖都脱掉一些了。

不知什么原因，回世田谷的家时，有种"回来了"的感觉，可是，回这里时，就好像来到一个秘密的藏匿之所。进楼之前，总要看看周围，然后才走进去。久木乘电梯上到四楼，来到走廊尽头倒数第二个房门前按门铃。

凛子在屋里时，总是等不及地飞奔出来迎接他，今天却没动静。

又按了一下门铃后，刚要自己用钥匙开门，终于凛子把门打开了。

"你怎么了？"

凛子没吭声。

"有什么事吗？"

久木脱了丧服，凛子把它挂在衣架上。

"刚才妈妈来了电话……"

凛子最近把这间屋子的地点和电话号码告诉了母亲。看她那不快的表情，久木觉察到不是好事。

"说什么了？"

"又说了好多，最后说要和我断绝母女关系……"

凛子刚说到这儿，就说不下去了，用手摁按着眼角的泪珠。

久木换上睡衣坐在沙发上，使劲地叹了口气。

凛子被娘家的母亲骂过好几回了，久木都知道。结了婚还随便扔下家不管，跑到外边和别的男人同居，对这样的女儿母亲严加叱责也是情有可原的。

可是说出要断绝母女关系，这还是第一次。

"她突然来的电话？"

"我一直住在这儿，连娘家都没有联络过，所以妈妈觉得不能对我这么放任下去了。"

"真的说了断绝关系？"

"真的。她说今后咱们母女谁也不认识谁，不许再跨进家门半步。"

以前也听说过凛子的母亲很厉害，却没想到说出这么绝情的话来。

"那么，你母亲还是不同意你们离婚吗？"

"不，她好像对这件事已经无所谓了。只是说，什么也不说就离家不归，和别的男人一起住，这是不能容许的。我怎么会养出这么淫乱的女儿。"

"淫乱的……"久木不禁重复道。

日日夜夜在这间屋子里反复发生的事，或者可以说是淫乱的，然而不应该忘了那里面有着压倒一切的爱。

"你跟她解释了吗？"

"解释她也不会懂的。她还说，你太善了才会被人欺骗，男人不过是喜欢你的肉体。你被这种事弄得神魂颠倒，真是个可怜的女人。"

久木一句话也接不上来，凛子轻轻叹息了一声。

"我说不是你想的那样，可是妈妈不懂。也是，这种事不亲身体验的话，当然理解不了了。"

虽说是母女，这也是个非常困难的谈话。母亲对陷入情网的女儿说，你只不过是受到肉体的诱惑；女儿反驳母亲说，根本不是那样，妈妈没有体验过，怎么理解得了。

奇怪的是后来母亲一说出"谁也不认识谁"时，之前那么反抗的凛子，受到了打击，哭了起来，到底是母女连心呐。

不管怎么说，把情感那么好的母女拆散的罪魁祸首是自己，久木感到肩头很沉重，越来越坐立不安起来。

"我这回是真的没处可去了。"

久木把手轻轻搭在垂头丧气的凛子的肩上。

"没关系，你母亲早晚会理解的。"

"她不会的，她没有那么深深地爱过。"

"没像你爱得那么深？"

"妈妈觉得无论做什么，都以平凡稳妥为好。"

现在，凛子觉得自己作为女人超越了母亲的世界。

"妈妈不理解我也无所谓，只要你理解我就行了……"

"我当然理解你了。"

凛子忽然紧紧搂住了久木，央求道："抱着我，使劲点儿。"

久木用力抱紧她，凛子又嚷道："打我，使劲点儿。"

"打你？"

"对，随便打，我是个不听话的孩子，快点打……"

说完凛子突然站起来，撕扯般地解开衬衣纽扣，自己脱起来。

久木不知如何是好，他从自己把衣服脱得一丝不挂的凛子身上，看到了和自己同样孤独的影子。

现在久木不但和家庭，而且和公司的同事们也疏远起来，一个人飘浮在半空中，忍受着孤独感的折磨。凛子也同样被此生唯一的深重的爱所缚，越陷越深，最后众叛亲离，只剩下自己孤单一人。

被世人拒绝、疏远的男女，最后可以依赖的，就只有同样孤独的对方了。除了寂寞的男人和寂寞的女人互相接近，疯狂地任性胡为之外，再没有其他方法能够治愈这种孤独感了。

现在，凛子正是为了寻求这一拯救而袒露身体的。

"打我！尽情地打我！"

凛子全身赤裸着匍匐在如暗穴般下沉的床上。

她就像一只撞进了黑暗地窖里的白蝴蝶，使久木意识恍惚，不知所措。

他该用什么东西来鞭挞这只蝴蝶呢？该用那挂在成人商店墙上的、皮带头裂成好几条的那种皮鞭吗？可是他手头怎么可能有那种东西呢？

他四下里看了看，立刻想到了扎在自己腰上的皮带，就把皮带抽出来，提在右手里。

"真的，打你？"

"对呀！打我吧……"

再踌躇下去，只能是对这只匍匐在自己面前的蝴蝶的羞辱了。

久木又看了一眼雪白的肉体，像是乞求凛子原谅似的咽了口唾沫，高高举起了皮带，抽了下去。

随着一声嵌入皮肤的闷响，女人发出了呻吟和惨叫相混杂的声音。

"别打了……"

虽然是她自己要求的，可能是生平头一次遭鞭打，凛子却立刻害怕地想要逃避。

可是，久木毫不理会，又继续鞭打了两下。凛子在床上滚来滚去地哀号：
"疼死了，别打了……"

看来凛子没想到会这么疼。她渴求的是自己被鞭打时的悲惨姿态和那
瞬间的被虐待感，而不是被打的痛楚。

可是真遭鞭打以后才发现，疼得简直难以忍受。

"别打了。"

听到她再喊一声，久木这才放下了皮带。

"疼吗？"

"疼死了，你真狠心。"

挨了好几下鞭打，凛子真的害怕了。

"我看看伤着没有？"

久木打开床头的台灯一瞧，从背上到臀部，交错着好几条红红的鞭痕。

"有点发红。"

"你抽得那么使劲儿。"

"你让我使劲儿抽的呀。"

"谁想到你真打呀。"

凛子的说法既任性又矛盾。

"一会儿就不疼了。" 久木轻轻抚摸着白嫩皮肤上的血痕说道。

凛子嘀咕着："那地方都麻木了，没感觉。"

说完，她又想到什么似的，说："对了，该轮到我打你了！"

"算了吧，打男人有什么意思啊。"

久木说的是挨打时的样子，凛子说的却是抽打后的效果。

"我想看你被打得满处跑的样子。"

这话听起来感觉怪怪的，久木离开床，俯看着凛子的后背。

"可是很美哩！"

红色鞭痕蛇行在近乎透明的白嫩肌肤上，宛如一幅超现实画。久木指尖摸着从后背到臀部的红印，凛子呻吟着："啊，好烫……"

凛子扭动着腰，"感觉像烫伤一样。"

是鞭痕发烫吗？久木不知如何是好，呆愣着，凛子抓住久木的手往自己身边拽。

"抱住我，抱紧点儿。"

久木再回到床上，凛子主动靠过来紧紧拥抱着他，一边疯了似的喊着："我真是变态，我是变态吧。"

一边决绝地说："快呀，我要你。"

在凛子的一再要求下，久木尽量不触痛她背上的伤痕，紧抱住她。

"用力，再用力……"

刚才那顿鞭打，似乎成了充分的前戏。

已充分浸润的秘处牢牢捉住男人，没等久木加以引导，凛子就自顾自地狂奔起来。她不停地说着"快着火了"、"火烧火燎的"……久木听着听着，实在控制不住，将自己释放了出来，而凛子也紧追其后，叫出了声。

"我要死了……"

奇妙的是，语尾像吹过虚空的风一般没了踪影，紧接着便是死一般的静寂。

这么静静地躺着，久木回想刚才席卷他和凛子的那场风暴。

一切是那么的不可思议。

凛子自己要求打她，是想要让身体疼痛。

被母亲责骂成淫荡，以致断绝母女关系，使凛子深深为流淌在自己体内的淫荡血液感到不安，她想把那淫荡血液驱逐出去，才突然想到挨鞭打这一招的。

而久木真的挥起皮带抽打她的时候，也恍惚觉得从凛子身体里涌出了无数的淫乱之虫。

然而，鞭打完了以后，完全不是那么回事。

凛子挨打时确实疼得直叫唤，但与此同时，不安与羞耻也跑得无影无踪，反而体味到比以往更强烈的快感了。

她全身的欲念之虫不但没有除去，反而钻入更强烈、更深邃的快乐世界里去了。

照此看来，这样鞭打不仅起不到惩戒她的效果，反而使她浑身发烫，变成煽起新的情欲的兴奋剂了。

纵情疯狂过后的凛子的肌肤显得更美了。

凛子现在就像刚才准备挨鞭打时一样，伸开四肢趴在床上，背上横七竖八的鞭痕，雪白的皮肤闪耀着玫瑰色的光辉。

"可烫呢……"凛子趴着喃喃道。

这也难怪，被鞭子抽打后，毛细血管扩张，血流加速，再加上热烈的拥抱，凛子全身火一样灼热。

久木抚摸着女人火烫的皮肤，再次思考起来。

女人到达高潮时的快感，究竟是什么感觉呢？

男人毕竟只能凭空猜想，不过可以肯定，那是远比男人强烈、深邃得多的快感。

当然，男人在射精的瞬间也有相当强烈的快感，但时间极短，仅一瞬之间。相比之下，女人的快感时间是男人的几倍还是几十倍？有人说是和男人射精的瞬间同样的感觉，只是时间抻得很长，那可真是快乐无比了。

比这种解释更易于理解的方法也不是没有，那就是去体验肛交，即找个所谓的同志，那样的话或许有可能体会到与女性相近的性感觉了。

据说一旦习惯了这种肛交的性爱方式，大多数的男人便会陶醉于那种极强烈的快感中，深陷下去。正是由于从插入式的性转换为接受式的性，所以男人们一旦受到其魔力的诱惑，就再也无法恢复正常的性生活了。

由此可知，接纳一方的快乐是多么深了。但女人不必像男人那样，必须使用异常部位才能感受，女人有正当的渠道——花蕊，自然比男人的快感更加强烈，可谓幸运之至。再加上女人还具有相当于男性特征的花蕾，也能获得近似的快感。所以说女人的情欲是贪婪而奢侈的。

当然，不是说所有的女性都能确实感受到性的快乐，其中有的女人未得到充分开发，有的女人性冷淡，也有的女人对性只感觉嫌恶和屈辱。除去这类女性，能够真正到达性高潮的女性究竟有多少？虽然不知道确切的数据，但能感受到高潮的人可以说是性的精英吧。

此刻，凛子就像那些"精英"中的一个，正躺在床上沉浸在快乐余韵里。她那飘飘欲仙的姿态里充溢着精通性快乐的女人的丰饶、自信和满足。

"真不可思议。"

久木说完，凛子依偎过来，问："什么不可思议？"

"吊唁水口的晚上，咱们俩却在做这些事。"

"不对吗？"

"我不是那个意思，我觉得死和生只是隔着一层薄薄的纸……"

久木眼前浮现出祭坛上的水口生前身体健硕时照的遗像。

"去吊唁的人，都有同样的感觉。"

"什么感觉呢？"

"现在活生生的人早晚都得死，只是时间的问题。"

趴在床上的凛子点点头，突然抓住久木的手放到自己的胸前说："咱们一块儿死吧。"

"一块儿死……"

"是啊，反正是死，一块儿死多好啊。活到现在已经够了。"

凛子心里早就埋下了对死的憧憬。

当然凛子憧憬的是在满足的顶点去死，久木则是由于参加了朋友的葬礼，产生了虚无感所致，同样是死，两人之间有着微妙的区别。久木意识到这一点，担忧地问道："你刚才说，现在已经够了？"

"对，什么时候死都无所谓。"

"不想再活下去吗？"

"活下去也可以，只是觉得现在最幸福。每天能得到你这么深厚的爱。"

"不过活着也许会更幸福的。"

"同样的道理，也可能更不幸福呢。今后，等待我们的只有一天天衰老下去。起码这是再清楚不过的了。"

"你还年轻呢。"

"哪里，我跟你说过，皮肤越来越松弛，皱纹也增加了，一天不如一天了。"

凛子的想法是有些悲观，不过久木也觉得自己开始不行了，在公司越来越不受重用，成了多余的人了。与其那样下去，还不如消失在凛子这朵盛开的花朵怀抱中更幸福呢。

"现在是我们最幸福的时候。"

"没错，还没有人像我们这么相爱呢。"

久木点点头，很同意凛子的话。凛子慢慢转向他说："我想出去玩玩儿。老在这儿待着，闷得慌……"

久木也有同感。

"咱们去轻井泽吧。父亲在那儿有个别墅，就咱们俩在那儿待两天好不好？"

"不会有人来吗？"

"没人来，一直空着的。再说，在那里做什么，谁也干涉不着。"

凛子的心似乎已经飞向草木繁茂的、静寂的轻井泽去了。

半 夏

七月的第二个星期，久木为了和凛子去轻井泽请了两天的假。

梅雨季节尚未结束，但已近尾声，正是多雷雨时节。

好容易去一趟轻井泽，本想等梅雨期过了再说，可是，七月中旬开始会议很多，而且连日来天气阴沉沉的，闷在地窖一样的房间里，心情更加阴郁，所以想早点去。

再加上，听凛子说"雨中的轻井泽也不错"。

梅雨时的轻井泽，树木吸饱了水分，绿意更浓，还没到放暑假的时候，游客也很少。

选择这个时候去，算上周末的两天休息，就能连着住三个晚上，这样一来身心都可以得到洗涤。

其实，近来久木和凛子都有些萎靡不振。

久木耳边老是响着女儿知佳对他说的话，"别老是拖拖拉拉的，要离就痛快一点"。

就是女儿不说，久木也不想回到妻子身边去了，可是又不想主动在离婚书上签字。而妻子也没有再来催他，这是在一起生活多年的夫妻共同的矛盾心理。可在女儿看来，父母也太不干脆了，让人起急。

连女儿也催着他和妻子离婚，使久木觉得和家人更加疏远了。

凛子近来也有点异常，那是在回了趟自己的家之后。

为了拿轻井泽的钥匙，凛子趁丈夫不在时回了趟家，发现家里有点异样。

说是异样，其实想想也很正常，就是说有陌生女人出入的迹象。

她发现这事是在七月初的一个下午。

凛子的先生每天最晚也在早上八点出门，下午她回去时当然不在家。

那天凛子来到二楼自己那间六个榻榻米大的卧室，从衣柜的抽屉里取出别墅的钥匙，正要离开，忽然发现家里与以往不大一样。

丈夫很爱干净，近乎洁癖。尽管如此，书斋和客厅也收拾得太整洁了。早上，丈夫一定要喝完咖啡再走，不仅杯子洗了，厨房的抹布都叠得整整齐齐，用过的小盆扣着控水。书桌上的花瓶里还插着一朵从院子采来的紫阳花。

凛子起初以为是女佣或婆婆来给收拾的，可是去浴室一看，有一条没见过的花毛巾和红柄的牙刷。

一定是其他女人来过。凛子想到这儿，一刻也待不下去了，赶紧逃离了家。

"真讨厌呐。"

凛子的声音不像抱怨也不像叹息，她并没有生气。既然自己不要家了，他让别的女人来，自己也没什么可说的。

"这样我也算解脱了。"

凛子嘴上这么说，其实心里还是不舒坦。

"有了别的女人，应该同意和我离婚呀。"

如果凛子的判断正确的话，难道凛子的丈夫有了别的女人，也不同意和凛子解除夫妻关系吗？

"我再也没什么可留恋的了。"

凛子微笑着，笑得很凄然。

本以为会赶上晴天，可是去轻井泽那天还是下雨。

据天气预报说："太平洋南岸的梅雨前线停滞不前，加上台风北上至小笠原诸岛附近，受其影响，东海、关东一带将会有大雨。"

考虑到这些因素，他们吃完晚饭，早早就出发去轻井泽了。

驶出拥挤的首都高速公路，上了关越高速公路后就通畅无阻了。

雨下得不大不小，久木望着窗刷扫动的前方，忽然觉得他们像是在逃离东京。

"好像在哪个电影里见过这种镜头。"

"不会是那种警匪片吧。"

"不是杀人犯，是相爱的两个人从都市逃到别的地方去。"

久木说完，过了一会儿凛子说道："咱们和杀人犯也差不多。"

"杀了谁？"

"没杀人，但是使很多人痛苦啊。比如你的夫人、女儿以及周围的人……"

凛子第一次谈起久木的家人。

"你的家庭也一样啊……"

"对，我周围的人也都受到了伤害。"

听凛子说出这么有见地的话，久木感到很欣慰。

"爱是自私的，尤其是我们这个年龄，不伤害别人，很难获得幸福。"

"可是想要得到幸福该怎么办呢？"

"所以有没有伤害别人的勇气就很关键了。"

"你有勇气吗？"

久木轻轻点了点头。望着雨水如注的车窗，凛子喃喃道："爱上一个人，真是件可怕的事啊。"

大概是心情突然阴郁下来了，凛子没有再说话。

夜行车里谈话一中断，马上觉得寂寞起来。久木按下键，埃里克·萨蒂[1]的慵懒曲调流淌出来。

1　埃里克·萨蒂：（1866~1925）法国作曲家。玩世不恭的音乐怪杰，以率真质朴的音乐风格著称，其音乐观点对现代音乐有举足轻重的影响，是新古典主义的先驱。代表佳作有《3首吉姆诺培迪》等。

凛子听了片刻，又想起什么似的说道："可是，爱上喜欢的人是很自然的吧？"

"当然，谁会去爱一个讨厌的人呢？"

"可是，一旦结了婚就不容许再去爱别人了。爱上丈夫以外的人，马上会被说成是偷情、无耻，等等。"

凛子发泄着积存了一肚子的不满。

"当然，因为相爱而结婚，后来又不爱对方了是不对，可是，人的情感不会一成不变的呀。"

"就像是二十岁时喜欢的音乐或小说，到了三四十岁时就觉得无聊了，不喜欢了一样。何况二十岁喜欢的人，随着年龄的增长渐渐不喜欢了，也是完全可能的。"

"音乐或小说后来不喜欢了，别人不会说什么，甚至还说你进步了，可是不喜欢一个人了，为什么就不行呢？"

"因为既然结婚的时候海誓山盟，那就要履行自己的责任呀。可是实在过不下去时，只好老老实实表示歉意，或者支付一些赔偿费，就和对方分开了。"

"为什么这么做的时候，会受到别人的斥责和侮辱呢？"

凛子的问题一个接一个，久木都难以应付了。

"因为男女之间，或夫妇之间不是仅仅由好恶来决定的。"

"其实和不喜欢的人在一起生活，反而是欺骗背叛对方啊。理应和自己喜欢的人生活才对，可是又被人说成是折磨别人。"

听着萨克斯管的低徊旋律，凛子的心绪更加黯淡了。

车子从花园途经本庄儿玉，直奔埼玉县北部而去，雨还没有停的意思。

久木为了打破沉闷的气氛，一手握着方向盘，一手抓住了凛子的手，凛子靠近了他。

"嗨，我问你，你喜欢我什么？"

失 乐 园｜わたなべ じゅんいち

刚才严酷的现实的话题太严肃了，她大概想轻松一下。

"全都喜欢呀。"

"可是，总有最喜欢的地方吧？"

"一句话说不清楚。"

"我要听……"

对这个不好回答的问题，久木也想逗逗她。

"你那么端庄，一副若有所思的样子，我担心得不得了，才接近你的，谁知……"

"怎么样呢？"

"原来这么好色。"

凛子用拳头捶起久木的膝头来。

"这都得怪你呀。"

"越是端庄越显得淫荡。"

"你光喜欢这一点？"

"那好，我就都说了吧。你干什么都很执着，非常要强，有时胆子很大，有时又很软弱，又爱哭，人又很漂亮，总给人不太平衡的感觉……"

"我第一次被人说不平衡。"

"咱们做的这些事能说平衡吗？"

凛子用手指在车窗玻璃上画着，说道："告诉你我喜欢你什么吧。"

"我也有让你喜欢的吗？"

"也是不太平衡啰。"

"是吗……"

"第一次见到你时，就觉得你与众不同。听说是大出版社的部长，以为是相当谨慎的人，可是，看起来没什么架子，谈起自己编过的书来，像个年轻人似的。后来突然打来电话说想见我，原以为你很笨拙，却突然来了个主动出击。"

"那你……"

"别打断我，好好听着。"

凛子往久木嘴里塞了一块薄荷糖。

"我对你真是看走眼了。"

"看走眼？"

"开始见你那么稳重，那么有绅士风度，我就放松了警惕，没想到突然把我带到饭店里去了。"

和凛子首次发生关系，是交往三个月后，在青山饭店吃完饭以后的事。

"那次，吃饭的时候，你不时拿起盐瓶，打开盖子，一口气洒了好多盐，弄得满盘子都是，我就有点担心了。后来跟着你去了房间，你又突然袭击了我。"

"喂，喂，我成了无赖了。"

"对了，你是有点无赖。一瞬间就把我给霸占了，成了你的俘虏，再也逃脱不了了。"

"不知情的人听了，还以为是真的呢。"

"流氓一般用毒品控制女人的，而你不是，用性爱来捆绑我，太可恨了。"

久木不知该高兴还是悲哀，苦笑着说："那些流氓都是哄骗女性，利用她们来赚钱的。我这个流氓不一样，我喜欢你才离不开的，我不是靠毒品，是靠爱俘虏了你的。"

"这才麻烦呢，毒品还有救，爱不但没有救，还会越来越严重啊。"

真是胡搅蛮缠，久木听了哑口无言，凛子轻轻凑过来说："不过你是个温柔的无赖。"

车子沿上信越公路前行，快到锥冰岭了。

雨势小了一些，可又下起了雾，车前灯照出的路面朦朦胧胧的。

穿过几条隧道就到了轻井泽，雾已迅速散去了。一看表十点整，离开东京时七点半，一共走了两个半小时。

距离暑假还有一段时间，又是平常日子，路上没什么人，只有随处可见的自动售货机孤寂地淋着雨。

凛子小时候常来这里，路很熟。在车站前换了凛子开车，从新道开上了万平路后，又走了五六百米，再向右一拐就到了。这一带属于轻井泽老别墅区，坐落在一片寂静的落叶松林中。

"终于到了。"

凛子把车停在停车场，下了车，只见茂密的树木前面有一座三角形屋顶的西洋式房子，大门亮着灯。

管理别墅的人叫笠原，知道他们今晚要来，事先做好了准备。

"小巧玲珑的房子吧。"

正像凛子说的那样，建筑面积虽然不大，可是占地不少，周围都是苍郁的大树。

"盖了有二十年了，已经旧了。"

"不过很别致。"

天黑看不大清，外墙面好像是驼色砖砌成的，一进大门有一个彩色玻璃装饰窗。

"父亲说轻井泽还是以西洋式的房子为好，就盖成这样的了。"

凛子的父亲是横滨的进口商，想来是按照他的喜好建造的。

进入大门，有一个宽敞的客厅，狭长的房间左边有个壁炉，围着壁炉摆放着沙发和椅子。再往里是厨房，旁边摆着一套橡木餐桌椅，靠右边有个小吧台。

凛子领着他参观了一下别的屋子。门厅右边是一个和式房间和一个有两张床的西式房间，二层有一间书房兼客房，里面摆着一张大书桌，还有一间放着西式衣橱、双人床的主卧室。

"最近没人来，潮气很重。"

凛子说着敞开了窗户，呼吸着新鲜的空气。

"你母亲不来吗？"

"妈妈有点关节炎，梅雨的时候不愿意来。"

凛子拿掉了床罩说："在这儿的话，谁也打扰不了咱们吧。"

凛子说得没错，只要待在这个地方，谁都不会知道的。

参观完了之后，他们回到客厅，凛子给壁炉生起了火。虽说快到七月中旬了，梅雨季节的寒气还是很大的。

壁炉的周围堆放了好多劈柴，好像是管理人给准备好的。劈柴燃烧起来后，火苗给房间带来了暖和气，真是体会到了避暑胜地的感觉。

"你没带睡衣吧？"

凛子拿来了一件父亲以前穿的睡衣。

"看来下次也得给你准备好睡衣。"

久木穿上凛子父亲的睡衣试了试，凛子笑着说："稍微大了点。"

"我也去换一下衣服。"

久木坐在沙发上凝视着炉火，这时凛子穿着白色绸缎睡衣走过来。

"喝点香槟吧。"

凛子从吧台里的酒柜上拿下一个酒瓶，往细长的高脚杯里斟了酒。

"总算和你一起来了。"

凛子说着伸出杯子说："为轻井泽的我们干杯！"

"今天晚上在哪儿睡呀？"

"在二层的卧室睡吧。"

二层的卧室里有个很大的双人床。

"父亲以前常常睡在那间屋子里。不过已经有三年没人来了，床单和床罩都换新的了，你不在乎吧？"

"那倒不是，我是怕咱们两人睡的话，会被你父亲怪罪。"

"没关系的。父亲和母亲不一样，很通情达理。我结婚的时候，曾对我说：'不高兴的话，随时都可以回家来。'"

去年年底，凛子的父亲突然病逝，使她一度非常难过消沉。他们父女之间的关系一定亲密得外人难以想象。

"父亲的死对我打击很大。我过去一直很任性的……"

久木突然想起守灵之夜他强行求欢的事，凛子好像也想起来了。

"那次被你叫到饭店去了，我觉得对不起父亲。可是也因为有你和我在一起，我才恢复过来的。"

"你父亲要是知道了我们两人到这儿来了，会怎么想？"

"父亲会理解的。他常说，能和自己喜欢的人在一起是最幸福的。我要是对他说，和你两个人从东京逃到这儿来了的话，他会说：'好啊，就在这儿住下吧。'"

回忆起父亲，凛子又难过起来，声音哽咽着。

两人凝视着蹿动的火苗，凛子轻轻说道："火苗也有好多种形状呐。"

真的，同一块劈柴的火苗，有的又红又亮，有的又黄又小。

"我就是那个大火苗。" 凛子手指着火苗说。

她的额头被跳跃的火苗映得红红的。

夜里，久木梦见了凛子的父亲。

他坐在卧室旁边那间书房里的椅子上，只能看见他那宽阔厚实的背影，看不见脸。

凛子小声告诉他："那是父亲。"久木想走近问候一声，背影突然消失了。久木正在奇怪的时候，凛子说已经火葬了。看着黑黑的洞穴中燃烧的火焰，凛子告诉他那是在火化父亲。

久木一听，合起掌来，火焰越来越小，听到凛子说木柴太湿了后，渐渐熄灭了。

这时久木醒来了，身上觉得冷，怪不得会梦见火灭了。借着床头灯微弱的光亮，久木看见了睡在旁边的凛子，久木这才明白过来，这里是轻井泽，于是努力回忆起刚才做的梦来。

每个情节都连不上，这个梦和睡觉之前同凛子谈到她父亲、穿她父亲的睡衣、一块儿看火苗等有微妙的关系。只有梦见火化凛子父亲的火焰，实在可怕。久木看了看周围，也没有会梦见死的迹象啊。

　　手表放在楼下了，不知道时间，大概有三点吧。雨一直在下，雨点打在床头上边的窗框上，噼里啪啦地响着。

　　久木觉得身上有点冷，就靠近俯卧着的凛子，轻轻地搂住了她。

　　昨晚入睡时两人也是紧紧搂着的，但没有做爱。久木上完一天班，再开车到轻井泽，有些累了。凛子也因为忙着整理多日无人的别墅，很疲惫。最主要的还是要在这里住上三天的安心感，这使他们并不急于去卿卿我我。

　　小睡一会儿后，久木有点想做，但把熟睡的凛子弄醒，又有些不忍。

　　久木想，反正时间多的是，抚摸着凛子那柔软身体，满足地继续沉入了梦乡。

　　久木再次醒来时，凛子好像也刚刚醒来，还是趴着的睡姿。

　　久木凑近了她，想要缩小睡眠中拉开的距离，凛子上身也贴了过来。

　　两人互相搂抱着，感觉着彼此肌肤的温润。久木问："几点了？"凛子说："床头柜上不是有表吗？"

　　久木搂着凛子的肩，扭头看了下表，已经早上八点了。

　　没想到睡了这么长时间。久木抬头看看雨点噼啪作响的窗户，凛子问："你想起床？"

　　"不……"

　　轻井泽有几个地方想去看看，不过时间有的是，不着急。

　　"还下着吧。"

　　窗户被厚厚的窗帘遮挡着，所以屋子里光线昏暗，不过外面的微风和雨点打在树叶上、流过玻璃窗的声音还是很清晰的。

　　"就这么躺会儿吧。"

雨已经下了三天了，从东京来到轻井泽，还是没有放晴的迹象。以往会受天气的影响而忧郁，现在一点也没有这种感觉，非但没有，在雨天的清晨，搂着皮肤柔软的女人嬉戏，真是一种奢侈的享受。

"不冷吗？"久木问道。

久木把凛子的身体搂得更紧了，然后撩开她的真丝睡袍的前襟。

天气不冷不热，听着淅沥沥的雨声，久木一边吻着凛子白皙的酥胸，右手抚摸着她胯间的密林。

久木温柔地爱抚时，凛子低声问："想要？"

"昨晚什么也没做就睡着了。"

凛子沉默了一会儿，轻轻扭转上身说："我提个要求可以吗？"

"什么要求？"

凛子又沉默了一会儿，说："要干就别停下来。"

"别停……"

"对，别停。"

久木停下手指的蠕动，偷窥着凛子，她在淡淡的晨曦中紧闭双眼，微微张着嘴唇。

看着她那像牵牛花一样粉红的嘴唇，久木咀嚼着凛子刚才说的这句话。

"要干就别停下来。"

对寻求无尽快乐的女性来说，这是正常的要求；然而从男人角度看，却是个很过分的要求。

不，岂止是过分，那等于是命令在性方面有限的雄性交出性命。

但是，久木顺从地开始执行这苛刻的命令。他不知道自己能够坚持到什么程度，只能走一步算一步，竭尽全力。一旦坠入情网，成为俘虏后，那么俯首帖耳，臣服听命于女王，鞠躬尽瘁、死而后已便是雄性的宿命。

想到这儿，男人将女人那早已挺立起来的乳头含进嘴里，一边呼出热乎乎的气息，一边用舌尖裹住乳头画圆圈，同时将另一只手伸向她的私密处边沿，轻轻拨开花蕾，若即若离地缓慢振动花蕾的顶点。

就这样保持一定的频率反复时，女人的乳头和私密处就像银铃般发出了共振，女人愉悦的呻吟声越来越大，然后双手抱住了吸吮自己乳头的男人的头。

看上去，就好像男人黑色的脑袋被涂着淡粉色指甲油的手指紧紧按住了一样，但男人却不以为然地继续着舌头和手指的移动。反复不断地进行着这种说不上是折磨还是服务的爱抚，女人渐渐挺起下身，终于说出"不行了……"，接着又哀求着"求你了……"，很快伴随着一阵轻微的痉挛达到了高潮，于是男人得到片刻的休养生息。

但是对于不断追求着永远的愉悦的女性而言，这不过是刚刚开了个头儿。女人为了寻求更强的快感轻轻侧过上身，与他配合着，男人也大幅度移动自己的位置，将自己的脸埋入刚刚达到过高潮的女人的私密处。

男人以这种匍匐的姿势，继续运用自己的双唇和舌头为女人奉献着，直到女人再次无法忍受，不断哀求之后，男人才踌躇满志地将自己送了进去。

这虽然是男人期待已久的挺进，但是，男人操纵、控制女人的优势也到此为止了。

结合之后，男人的献身将面临更高的要求。

久木此刻完全将自己深深埋入了凛子体内，可是一旦被她那柔软的皱褶捕获，那么无论前进还是后退，都必须得到她的许诺和同意才行。

男人已预见到了前面等待他的遥远的旅程。他首先采用侧卧位将下体贴紧，然后再用腿紧紧勾住对方，固定好位置后，再用左手扶住女人的腰，右手则伸到女人的前胸揉捏着她的乳房。这种姿势虽然需要四肢并用，但从持久性这一点来说，这种姿势最易采取主动，而且能够准确刺激女人的敏感部位。

男人一进一退，一退一进，看起来动作千篇一律，实际上，即使同样的动作，如果时而抬高女人的腰部，就可以令男人热辣的武器扫过那敏感的皱褶表面，女人会因这种微微刺痛的酥痒感觉而呼吸急促起来。当男人稍稍松开那紧贴的秘处，将腰后撤，只用顶端轻轻点触入口处时，那种渐行渐远的焦躁感会使女人更加方寸大乱。

不用说，男人的目的就在于最大限度使女人得到满足和快感。

到底能撑到什么时候，他自己也不知道。就在他奋力拼搏中，伴随着一声深沉悠长的呻吟，女人到达了高潮，那一瞬间，男人屏住呼吸，横眉立目地忍着不发。

如果这时候一起到达高潮，就违背了女王"不要停下来"的命令。忘记了这命令的一刹那，男人将丧失作为雄性的身份与骄傲，化成一片褴褛被葬送。

感觉到女王已到达高潮后，男人像条忠实的狗一般喘息着静等女王放他自由的赦免令，但是，无情的女王不会因为他奉献到这种程度，就给予他自由。

为获取更多的愉悦，她马上又命令男人开始行动。不得作任何抵抗的男人像奴隶般的驯服，再度奋起，叱咤激励自己的雄性。

静谧的雨天清晨，男人从幸福的绝顶，转瞬间沦为被罚做苦役的囚犯，为女人的快乐而献身。

尽管被命令"一直做别停下来"，但男人的性能力毕竟有限，不可能无止无休。

在雨天的早晨，在这个与世隔绝般的静寂的密室中，虽然更煽动情欲，但经过一个小时的奋力拼搏后，男人终于折戟沉沙般瘫在余热犹存的女人身上，垂头丧气地撤退了。

女人仍旧发出恋恋不舍的呻吟，但男人至此已到达极限。虽然没有遵守当初的约定，但女人已经多次得到了飞翔于云端般的满足，应该给予适当赏赐才对。

男人满怀期待地躺着，女人渐渐恢复平静后，靠了过来，一边抚摸着他的下体，一边问：

"你还没有吧？"

男人吓了一跳，但是关键部位被抓着，想逃也没处逃。

"每次都那个，怎么行……"

如果每次都按照女人的要求，释放出来的话，男人的身体可就完蛋了。直到最近久木才掌握了一些既能保护身体又可以持久的技巧。

"我可说了的，我想要。"

"不过，还是细水长流吧……"

就算没有释放出来，但每次都使女人攀上快乐的巅峰，男人的精气也会逐渐丧失掉的。

"今天晚上不是还得干吗？"

凛子这才没话可说了。突然，又认真地说："你觉得我是色情狂吧？"

"没有啊……"

"我都觉得自己讨厌，可是没办法，那是我真正的感觉。"

凛子说到这里，突然想起什么似的摸了摸久木那东西，问他："你怎么能那么冷静啊？"

突然被这么一问，久木稍稍躲开了一点说："这可不是冷静的问题。"

"可是你能忍得住呀！"

"那也是拼命控制的，为了让你高兴……"

"为了我……"

"为了让你真正满足呀！"

"我也是，我也想让你快乐得要死。"

尽管男人和女人感觉上有差异，只要和相爱的人交合，就会使双方都感到快乐无比。

"你想要我为你做什么，尽管说。"

"这就足够了，没有女人能超过你了。"

"真这么想？" 凛子叮问道。

其实这是不言自明的。久木不讨厌和女人做爱，却从没有像现在这样感觉这么充实、深刻。

以前他所感觉到的只是一般男人的普通的快感，自从和凛子认识以后，愉悦的感觉一下子增强了，加深了，也更持久了。

在这个意义上，久木也受到了凛子的刺激、引导和大大的启发。

"我绝不让你离开我。"

"我也是，没有你我活不下去。"

凛子柔和的声音消失在清晨的细雨中，久木听着轻轻闭上了眼睛。

两人半睡半醒地又躺了好长时间，十点多才起了床。

"到这儿来就是不一样，感觉特别好……" 凛子在镜子前面挽着头发，说道。

不错，涩谷的屋子他们太熟悉了，不免渐渐流于惰性。而今早的欢爱，使久木感到新鲜而有活力。

"看来总是千篇一律的，就是不行。"

这不仅仅指变更场所，也适用于男女之间的关系。

"我们要永远保持新鲜的状态。" 凛子道。

可是究竟能保持到什么时候呢？惰性这个怪物或许已经悄悄潜入他们之间了吧？

"我先去冲澡了。"

凛子说完，便下楼去洗澡间了。久木打开了卧室的窗户。

雨还在渐渐沥沥地下着，好像比昨天夜里小了一些。已经快十一点了，四周很安静，从树叶上滴落的雨点不断地渗入布满青苔的地面。

在这静寂的雨天里，久木想起今天是自己五十五岁的生日。

到了这个岁数过不过生日都无所谓了。说是喜事亦是喜事，说是悲哀便是悲哀。最惊讶的是，自己居然一转眼活到了这把年纪。

久木忽然想起了家人。

如果没有和凛子陷得这么深而离开家的话，妻子一定会对自己说一句"祝你生日快乐"，女儿也会打来电话表示问候的。

在久木漫无边际地想着的时候，楼下传来了凛子的声音："早饭吃面包行吗？"

久木下了楼，冲了个澡，坐到了餐桌旁。

早饭是凛子做的，很简单，有香肠、煎鸡蛋和生菜，还有面包和咖啡。吃完饭已经十二点了。

凛子很快收拾完，穿了一身天蓝色的套裙，准备出发。

以前久木在出版社的时候，经常到轻井泽来搞采访，最近几年没有机会来了。久木一到这里便触景生情，轻井泽也是使他回忆起过去工作在第一线的怀旧之地。

所以当凛子问他"咱们到哪儿去"的时候，久木很自然地想到了和文学相关的地方。

"据说这附近有个有岛武郎[1]绝命之处。"久木说道。

凛子查了一下地图。

"墓碑在三笠饭店附近，他的别墅应该在盐泽湖岸边。"

别墅好找，他们先去那儿看了看，湖畔有一座古香古色的和式别墅。导游图上说，别墅名叫"净月斋"，由于长年无人居住，已破烂不堪。当地的人士重新翻盖后，迁移到此处来的。

现在的位置在湖边显眼的地方，不过既然到了这儿，应该去看看原来的所在地。

---

1 有岛武郎：（1878~1923）日本著名作家。1910 年与武者小路实笃、志贺直哉等创办文艺杂志《白桦》，形成对日本现代文学有重大影响的"白桦派"。代表作为《一个女人》、《卡因的后裔》。1923 年和女记者波多野秋子一起在轻井泽的别墅自杀，留下三个儿子。

他们又开车循着地图折回轻井泽老街来，沿三笠大街的林荫路往北去，街两旁都是落叶松。从前田乡向右一拐，出现了一片树木繁茂的坡地。顺着泥泞的羊肠小道穿过去，就看到了杂草丛中竖着一块长方形墓碑，依稀可以辨认出上面刻着"有岛武郎绝命之地"的字迹。

一九二三年，当时的文坛宠儿有岛武郎和《妇人公论》的漂亮女记者波多野秋子，曾在这个地方的别墅里一起殉情。

当时有岛武郎四十五岁，妻子已经去世，留下三个幼子。秋子三十岁，没有孩子，是个有夫之妇。

两人并排上吊而死。从六月上旬到七月上旬，梅雨季节的一个月之久的时间里，一直没有被人发现。被发现时，两人的尸体已经高度腐烂了。

发现尸体的人说："他们全身都生了蛆，就好像从顶棚上流下来的两条蛆虫瀑布。"

有岛武郎和波多野秋子的情死事件，成为震撼当时文坛乃至整个社会的华丽丑闻。然而，当时他们的样子是相当凄惨的。

凛子听久木描述的那样，他们被发现时已全身腐烂生了蛆。她害怕地望了望四周，然后向石碑合十为他们祈祷。

在这大白天都觉得阴暗的灌木丛中淋着雨，真好像随时会被带到死亡的世界中去似的。

"这回我带你去一个我喜欢的地方。"

凛子开着车沿三笠大街往南去，一进入鹿岛森林边上的小路，就看到一个池塘。这就是云场池，池塘不太大，呈狭长形状。

"这个地方下雨也很有情趣的。"

正如凛子所说，茂密的树林环绕的水池，笼罩在雾蒙蒙的水汽里，就像暗沼一样飘散着妖气。

"你看，那儿有一只白天鹅。"

顺着凛子手指的方向望去，只见水面上漂浮着几只鸭子，其中有一只白天鹅。

"它老是单独待在这儿，不知道是为什么。"

凛子担心它没有伴儿，太孤单了，而白天鹅若无其事地浮在水面上，像雕塑一样。

"也许它不像你想象得那么孤独。"

久木给凛子打上伞，沿着池边继续往里走。

雨势虽小，却没有停的意思。除了他们，这静寂的池塘边一个人影也见不到。

路越来越泥泞难走，两人只好半路返回，到湖边一个餐厅去喝咖啡。

"死了一个多月才被人发现，也太可怜了。"

凛子还在想着武郎和秋子情死的事。

"那么长时间，就那么吊在空无一人的别墅里。"

"大概谁也没想到他们会去别墅吧。"

"就算两人一起死也不该选择上吊啊。"凛子望着烟雨蒙蒙的沼泽说道。

晚上久木和凛子在离别墅不远的饭店吃了晚饭。这是轻井泽一家历史悠久的饭店，白色的二层楼建筑，正面有一排木栅栏，与周围的绿树十分和谐，有着避暑地饭店所特有的闲静气氛。

天刚刚擦黑，两人面对面坐在看得见庭院的窗边。凛子穿着薄薄的真丝上衣，下着一条白色休闲裤，这身轻松的打扮，一看就是来避暑的。

凛子先提议要瓶香槟酒。服务生给他们的杯子里注入了琥珀色的液体后，凛子先拿起酒杯，和久木碰了一下杯。

"祝你生日快乐。"

久木一怔，赶紧笑着点点头，说道："你没忘？"

"当然啦，你以为我给忘了？"

今天早上，久木想起了自己的生日，见凛子什么也没说，以为她没想起来。

"谢谢，没想到在这儿，有你为我庆祝生日。"

"从东京出发的时候，我就想到了。"

这回久木又一次举杯，向凛子表示谢意。

"我也不知道你喜欢什么……"凛子说着从坤包里拿出一个小纸包，"给你，生日礼物。"

久木撕开包装纸，里面是个小黑盒，打开一看，是个白金戒指。

"不知道合不合你的意，我想让你戴上。"

久木往左手的无名指上一戴，不大不小正合适。

"我知道你手指的粗细，定做了一对儿。"

凛子说着伸出左手给他看，无名指上也戴着个一模一样的戒指。

"和我在一起的时候，你必须老戴着它。"

久木第一次戴戒指，有点不好意思，可又不敢不戴这么宝贵的礼物。

晚餐都是单点的。凛子点了沙拉和清炖肉汤，主菜是法式油煎虹鳟。久木点了金枪鱼和西餐汤，主菜是香草烤小羊排。

喝了几杯香槟后，又要了瓶红葡萄酒，凛子的脸上起了红晕。

"本想给你订个生日蛋糕，可是觉得这种场合不大合适。"

当着其他客人的面，是有点太张扬了。

"我这岁数，吹灭五十五根蜡烛，要我的老命呢。"

"你挺年轻的，一点都不显老。"

"你是说，哪方面？" 久木压低声音说。

凛子缩了一下脖子说："别瞎说。"

凛子接着又说："那是当然，你的头脑也比那些男人们灵活得多。"

"多亏了你呀。"

"从一开始我就对你这点印象很深。比那个衣川有活力得多，又有幽默感……"

虽说受到了夸赞，但说显得年轻，久木觉得也没什么可高兴的。

"以前我采访过一位八十八岁的实业家。当时他对我感叹过，光长岁数，心情总也不见老，真是头痛。我现在好像能体会到了。"

"总是显得年轻不好吗？"

"不是不好，他的意思是光心理年轻，身体跟不上去这种难受的感觉。倒不如心情也和年龄一样的衰老好受一点。"

"那不就成了没用的人了吗？"

"其实我现在在公司里也是没用的人。"久木用一种自嘲的语气说道。

"那只是公司不用你，不是你的问题呀。这和在公司的地位没什么关系呀。"凛子鼓励道。

可是在公司里的地位会对男人的精神面貌产生微妙的影响。久木尽量不把这些放在心上，不过谁能保证以后会不会产生失落感呢？

久木品着葡萄酒，心情开朗起来，也感到肚子有点饿了。

久木觉得凛子点的虹鳟看着很好吃，分了一点来尝，又给凛子的盘子里放了一块自己的烤小羊排。

"两个人能多吃几种，真不错。"

"并不是谁都可以的吧？"

"那当然，只有和你才行。"

男人和女人分着吃东西，是有肉体关系的证据。在这个餐厅里，也许就有人这么看他们，但现在的久木无心去遮遮掩掩了。

以前就连和凛子坐车去镰仓，都担心周围人的视线，现在完全没有了那种不安，被人看不看到全无所谓了。

事到如今还在乎别人的看法毫无意义。应该珍惜所剩无多的人生，做自己想做的事，实在不行的话就是死也无所谓。

久木心里渐渐萌生了一种满不在乎的想法，更确切地说，是某种决心或坚忍的意志。

人一旦改变了价值观，对生活的态度就会随之改变。以前觉得重要的东西不再那么重要了，觉得无聊的东西反而宝贵起来了。

"我也该考虑退休了吧。"

久木不由自主地说出了平时常常思考的事情。

凛子不明白他在说什么，久木解释道："把工作彻底辞掉的话，就完全成了自由之身了。那时候想法还是会改变的。"

"怎么改变呢？"

"我觉得只要在公司里的话，就没有真正的自由。"

凛子一时还是理解不了久木想退休的心情，这也难怪，她没当过上班族，体会不到那种感觉。

久木自己虽然嘴上说什么想要退休，其实也没有明确的理由。

如果一定要个理由的话，可以说是"某种模模糊糊的疲惫感"吧。

无论是谁，只要当了三十年上班族的话，都会感到某种疲惫，尤其是最近与同事之间的疏远，更加重了久木的这种感觉。

"你要是不想干的话，就别干了。" 凛子表示很理解。

"只是不要从此消沉下去，我希望你总是生气勃勃的。"

"这个我知道。"

"你是个有自信的人，如果你觉得退休后也能生活得很好……"

"谈不上自信，只是觉得也该做点自己喜欢做的事，为自己而活了……"

久木所从事的编辑工作一直是在幕后，整理别人写的稿子或各种报道，自己并不出头露面，即所谓"黑衣"的角色。

"我能理解你的心情。"

凛子过去的人生也是一直在丈夫的阴影下，也是一种幕后的角色。

"也许我是有点不知足，我也不愿意永远当这种角色。"

"不能说是不知足。"

透明玻璃杯里的红葡萄酒，血红血红的，久木看着看着心里涌起了一股勇气。

"咱们俩干一件轰轰烈烈的事怎么样？"

"什么轰轰烈烈……"

"就是让大家大吃一惊、赞叹不已的那种事。就是怎么怎么不得了的那种事情。"

久木这才发现凛子也正凝视着玻璃杯里的红葡萄酒，眼里放着光。

两个人来了劲儿，你一杯我一杯地喝干了那瓶葡萄酒，一直喝到了九点多。

吃完最后一道甜点，他们起身来到了前厅，外面的小雨已经停了。

"走着回去吧。"

从饭店到别墅，要走十分钟左右。久木点点头，撑起雨伞，和凛子并肩走出了饭店。

雨后清新的空气吹在他们发热的脸上，特别的舒服。

路灯映照下的柏油马路，湿漉漉的，夜空还积着厚厚的云层，遮住了星星和月亮。

穿过饭店前的广场，来到一条落叶松林荫道上，凛子悄悄地挽住了久木的胳膊。

现在是晚上十点。还不到盛夏时节，所以四周寂静无声，但透过树丛，能看见一些别墅闪烁着的光亮。

大概是为了享受暑期前的幽静，人们早早就到别墅来了。

久木看着那些影影绰绰的灯光，也紧紧地挽住了凛子。

这个时间谁也不会碰到的，即使碰上也不再往心里去了。

他们走在下过雨的马路上，咯吱咯吱的脚步声，回响在暗夜中。

走了不久，落叶松林荫道中断，一条小路通向左边，小路前面好像也有别墅，但远远地只看到一盏路灯亮着。

穿过这个三岔路口，他们又走进了林荫道。凛子低声说："那两个人就是死在这么荒凉的别墅里吧？"

久木一听就知道她说的是有岛武郎和波多野秋子。

"在那么靠里面的别墅里……"

凛子想起了白天看到的雨中那片落叶松林坡地。

"他们一定很冷吧。"

走在寂静的夜路上，使得凛子又回想起了武郎和秋子的情死事件。

在林荫深处又看到有盏灯光，凛子问道："那个别墅，原来就是他的吗？"

久木在查阅昭和史时，曾经看过有关有岛武郎殉情的报道，多少记得一些。

"原来是他父亲的别墅，后来由他继承了。"

"他们去的时候，那里没有人住吧？"

"他的妻子已经病故了，孩子们还小，他不去的时候是空着的。"

迎面开来一辆汽车，等车开过去后，凛子又问："他们死的时候是七月初吗？"

"发现遗体时是七月六日，大概是在一个月前的六月九日死的。"

"怎么知道是那天呢？"

"秋子八日以前一直去上班的，九日，有人看见他们从轻井泽车站往别墅方向走去。"

"是走着去的？"

"应该也有车，只是有人看见他们走着去的。"

"到别墅有四五公里远吧？"

那段距离不短，差不多得走一个多小时。

"他们在别墅待了两三天吗？"

"这些不太清楚。他们死的时候，将绳子拴到门框上，脚下踩着椅子，把绳子套在脖子上之后，就踢倒了椅子。"

"太可怕了……"

凛子紧紧拽着久木，好半天才松开，小声说："不过，他们够有精力的。"

"有精力？"

"是啊，走了一个小时到别墅后，又拴上绳子，摆上椅子，把绳环套在自己的脖子上。这些不都是为了去死才做的吗？"

久木同意凛子的看法，自己去死确实需要有旺盛的精力。有病的人就不说了，即使是健康的人，自己弄死自己，没有相当的精力和强烈的求死愿望是做不到的。

"他们为什么会死呢？" 凛子朝着夜空问道。

"为什么非要去死呢？"

凛子的声音消失在落叶松林中。

"也没有特别的理由必须去死吧？"

的确，当时有岛武郎在文坛正走红，波多野秋子三十岁，是一位美貌超群的女记者，可以和女演员相媲美。两人真是一对儿令世人羡慕的才子佳人，而且都处在各自人生的鼎盛时期。可是，他们两人为什么会在这个时候选择一起赴死呢？

"要说他们与众不同之处只有一点。"

"哪一点？"

"那时候他们都处于幸福的巅峰。"

久木想起武郎遗书中的一段。

"他在遗书中清楚地写着'在这欢喜的顶峰迎接死亡'。"

凛子突然停住了脚步，眼睛直直地望着黑乎乎的前方。

"就是说，因为特别幸福才死的吗？"

"从遗书来看是这样。"

起风了，路旁的落叶松摇曳着。

"原来是这样，是因为太幸福了才死的啊。"

凛子又迈开了步子。

"也许是害怕太幸福了。"

"我理解他们的心情，太幸福的话，就会担心失去这幸福。"

"他们大概是想永远永远持续下去吧。"

"怎样才能达到这个目的呢？"

凛子对着夜空自问自答："只有死，对吗？"

回到别墅后两人又喝了点白兰地，心里都在想着刚才一路上的谈话。

凛子向前欠着身子，盯着燃烧的炉火，嘴里喃喃自语着"原来是这样"、"只有死了"。

久木无意跟她唱反调。人越是感到幸福，就越希望永远拥有它，因而选择了死。他觉得这种想法既可怕又真实。

"咱们该睡了。"

再继续想下去，只能越来越被死的念头搅住。于是，久木先去洗了澡，凛子接着走进浴室后，他上了二楼。

今天早上还在这个房间里一边听雨，一边做着漫长的情爱游戏，而此时没有雨声，周围一片死寂。

久木黑着灯躺在床上，这时凛子洗完澡，穿着丝绸睡衣，打开门进来了。她站在门口犹豫了一下，然后轻轻上了床。久木抱住她，她紧贴在久木的胸口，嘴里还在嘟哝着："只能死了吧？"

听起来像是在确认刚才谈的事，又像是对自己说的。

"为了保持幸福，只能那样做吧？"

"幸福也不仅仅是这些……"

"我希望像他们那样永远深深相爱，绝不变心……"

凛子的心情久木能够理解，但是他觉得发誓永不变心就有点虚伪了。

"双方永远永远不变心，难道不可能吗？"

"不是不可能,活着的话,总会有种种的事情发生,不能说得太绝对了。"

"你的意思是，不可能吧？只要活着就不可能吧？"

凛子的声音在夜空中回响着。

忽然远处传来了一声声鸟叫。在这深更半夜，会是鸟叫吗？还是别的什么动物叫的？久木侧耳倾听着。这时凛子说道："我明白她的心情。"

"谁呀？"

凛子慢慢放平了身子，说："就是把男人杀了的那个阿部定呀。"

这是前不久去修善寺住宿时，久木给凛子讲的那个故事。

"当时，阿部定说因为不想让任何人得到她所爱的人，所以杀了他，不然的话，他会回到妻子身边去的。就是说，如果不想放弃现在的幸福，就只有杀死他才行，对吧？"

"是啊，杀死了他，他就再也不会背叛了。"

"爱上一个人，爱到了极点就会杀人吧？"

久木对凛子此刻的心情再明白不过了。

一个男人喜欢上一个女人，要是喜欢得发疯，就只有把她杀了。让她活着的话，说不定她什么时候会爱上别的男人。不能容忍女人出去放浪，要使她永远待在自己身边，只有杀了她才是最好的选择。同样，女人要想把一个男人据为己有的话，也只有把那个男人从世界上抹掉了。

"爱情真是件可怕的事。"

凛子似乎刚刚意识到这一点。

"喜欢上某个人，就想完全占有对方，可是无论同居还是结婚，都不大容易达到这个目的吧？"

"是的，活着的话随时都可能背叛的。为了使这一切不会发生，把人杀死是最保险的。"

"这么说爱来爱去，最后的结局就是毁灭了？"

凛子现在才发觉爱情这个很好听的字眼，其实是极端自私的，隐含着破坏、毁灭这些剧毒的东西。

从爱谈到死，久木脑子越来越清醒，凛子也和他一样。凛子又转过身来，和他面对面地躺着，用手戳着他的胸口问道："你永远不变心？"

"当然了。"

"你真的永远爱我，永远只喜欢我一个人，绝对不喜欢别的女人？"

久木刚要再说一遍"当然了"，凛子用两只细细的手指卡住了他的喉咙。

久木憋得出不来气了，黑暗中凛子的双眼死死地盯着他。

"骗我的吧？说什么永远永远地爱我，全是骗我的吧？"

"不是，不是骗你。"

久木抚摸着被掐疼的喉咙说道，凛子马上摇起头来。

"刚才你不是说永不变心很难做到吗？"

的确，要说到永生永世，久木就没有自信了。

"那么，你怎么样？"

这回，久木用手指戳着凛子左边的锁骨问道。脖颈纤细的女性，锁骨上会有一个小坑，有食指大小，裸体时那个凹陷看起来特别性感。

"你保证永远不变？"

久木用食指摸到那个凹陷。

"当然不变了。"

"不管发生什么情况都绝不变心？"

"绝对只喜欢你一个人。"

久木摁了一下她的锁骨，凛子疼得叫了起来。

"疼死我了。"

"最好别说得那么绝对，你也可能变心的。"

"太过分了，就没有一点信任感吗？"

"只要活着，就不能断言永远不变。"

"那我们只能死了，只能在最幸福的时候去死了吧。"

凛子急急地说了这句话后，便沉默了。

周围静得出奇，这就是坐落在浓荫深处的别墅之夜。

然而就像黑暗中仍可见明亮一样，寂静之中似乎也潜藏着声音。像夜空中飘浮的云朵，庭院里树叶的坠落，房屋建材的腐蚀，这种种声音重合起来，便会发出极其微小的声响。

久木专心倾听着黑暗中的声响，凛子轻轻地扭过身子问他："想什么呢？"

"也没想什么……"

沉默了一会儿，凛子轻轻说："我可不愿意。"

久木转头看她，她又低语："我不愿意那样去死。"

凛子又想起了武郎和秋子的尸体被人发现时的悲惨情景。

"即便要在幸福的顶峰时去死，那种死法也太可悲了。死得那么难看，太令人痛心了……"

"遗书上写着，请不要寻找我们。"

"可是，早晚会被人发现的呀，既然如此，还是死得像点样好啊。"

这当然最理想，不过这仅仅是活着的人的愿望而已。

"自杀的人可能想不到那么多。"

"我可不愿意，绝对不愿意。"

凛子一下子激动起来，从被单里稍稍欠起上身说："我不怕死，随时都可以和你一起死，只是我不喜欢那种死法。"

"可是，发现晚了的话，一样都得腐烂呐。"

"腐烂也不一定长蛆啊，至少应该在腐烂之前让别人发现两人在一起。你说对吧？"

说实话，久木到今天为止，别说死后什么样子，就连死都没想过。

人降生到这个世上，早晚是要死的，但久木还不曾认真琢磨这个问题，甚至连想都不敢去想。

可是不知为什么，和凛子谈着谈着，对生命的执着就渐渐淡薄了，觉得死并不那么可怕了，甚至和自己亲近起来了。

这种安宁从哪儿来的呢？为什么和凛子在一起时，会不觉得死那么可怕了呢？

久木慢慢地脱下了凛子的睡衣和内裤，脱到一丝不挂时，紧紧地搂住了她。

现在，他们紧紧搂抱着对方，下肢互相缠绕着，两人的皮肤贴得一点空隙也没有，仿佛每一个毛孔都紧密重合在一起了。

"好舒服啊……"

这是从久木全身的皮肤中发出的叹息和喜悦。

沉浸在这沸腾般奔涌的快感里，久木发现肌肤的接触给人以安宁，同时也使人达观。

女人肉体这么光滑而柔软，只要沉浸在这种丰润温暖的感觉中，失去意识甚或死亡，就不那么令人恐怖了。

"原来是这样……" 久木冲着凛子的肉体喃喃道。

"要是这样拥抱着的话，我就敢去死了。"

"这样拥抱着？"

"就像这样紧紧地抱着……"

在女人的怀中，男人变得无比温柔顺从，仿佛变成了被妈妈抱在怀里的少年，变成了胎儿，又变成了一滴精液而消失不见了。

"像现在这样的话，我不害怕。"

"只要和你在一起，我也不害怕。"

久木听了，忽然感到不安起来，仿佛自己就要被拽往甜蜜舒适的死的世界中去了。

为了避免总是去想死的问题，久木更紧地抱着凛子。凛子憋得挣脱了他的搂抱，大口地喘着气。

然后，就以似抱非抱的状态，只有胸、腹和大腿部分相接触着。久木闭上眼睛说道："好安静啊……"

对话停顿了下来，再次置身于寂静的暗夜，觉得黑得更加深沉，更加浓重了。

"到轻井泽来真是太好了，心灵得到了彻底的净化。"

很多人对梅雨季节的轻井泽敬而远之，久木反倒很喜欢这个季节的轻井泽。因为暑假前夕，游客寥寥，被雨后的葱绿所包围的静谧，滋润了因都市生活而疲惫的心灵。阴郁的绵绵细雨，浇灌了曾经遮挡暑热、给游人以阴凉的浓密绿树，哺育了覆盖地面的青苔。

当然，连绵不断的降雨有时也会使人萎靡不振，思想更容易走极端。

凛子从武郎和秋子的绝命之地回来后，一直不能摆脱死的纠缠，一再地谈论死的问题，这不能说和厚厚的云层和阴雨连绵毫无关系。

"就在这儿待下去好不好？"

听凛子一说，东京的街道和公司里的情景又慢慢浮现在久木的脑海里。

"那怎么行啊……"

和凛子两个人在这雨中的轻井泽再待上两天的话，久木真的不想去上班了。

"夏天人多，我喜欢秋天到这儿来。"

凛子说完又挨了过来。久木触摸着她那丰满的胸部，又兴奋了起来。

想了太多的死之后，他们迫切地想得到生的验证。在获得性的快乐的同时，疯狂地耗尽所有精力的话，对死的不安就会消失，活着的感觉就会更加真切。

在这万籁俱寂的夜晚，在这树丛环绕的房子里，两个人为寻求这样的麻醉，如野兽般痴狂着。

空 蝉

俗话说，"梅雨过后热十天"。

梅雨季节刚过之后，天气会霎时变得酷热难耐，持续多天高温不下。日历上把七月下旬从桐始结花（梧桐开花）到土润溽暑（土地湿润天气闷热）这段时间，叫作大暑。

柏油路纵横的东京从一大早就艳阳高照，白天的气温超过了三十度，夜里也不下二十五度。

一直在叹息梅雨季节阴郁不堪的人们，一下子适应不了突然造访的盛夏阳光，被高温晒得心慌气短，不停擦拭着汗珠，就像打蔫的花一样，抬不起头来。

同样是夏天，梅雨和大暑的转换之大，就像两个季节一样，实在不可思议。因此，人们的心情随之急剧变化也在情理之中。

当然梅雨时的阴雨连绵容易使人心情郁闷，但梅雨一过，阳光普照大地时，阴郁的情绪便随之一扫而光，瞬间变得活跃了起来。

这样明显的变化只会出现在小孩儿和年轻人身上，成人们是不会因为盛夏的太阳高照，而有太大变化的。

许多上班族换上了短袖衬衫，外衣拿在手里，不停地擦着脸上的汗水，搭乘拥挤的电车去上班。

上午温度就突破了三十度，通往车站地下街的台阶角落里，从大楼顶上垂挂下来的条幅广告上，以及匆匆赶路的穿着无袖衫女士裸露的肩头，都能看到暑热的迹象。

在这样一个酷热的下午，快下班时，久木被请到公司董事的办公室。常务董事小畑将一封信扔到桌子上，对他说："请你来，是因为突然收到这么封信。"

久木从桌上拿起了那封信，信是用打字机打的，在最上面一页，赫然印着黑体字"久木祥一郎身世简介"。

这是怎么回事？

身世即是一个人的所有背景情况，那么"久木祥一郎身世简介"是什么意思呢？

再说了，为什么现在要写这么一份有关自己的调查报告呢？久木莫名其妙地打开一看，首先看见了"近两年的罪状"这样的标题。

久木的心倏地一沉，然后飞快地看了下去。

"贵社原出版部长久木祥一郎，于前年年底，利用去东日文化中心讲课的机会，强行接近当时在该中心任书法讲师的松原凛子，明知对方是有夫之妇，却三番两次给她家里打电话，用花言巧语勾引她。"

看着看着，久木的心剧烈地跳动了起来，手也出汗了。

到底是谁写来的呢？这封信很明显是为了某种目的写的恶意中伤的匿名信。

久木慌忙看了一眼小畑董事，见他坐在椅子上，若无其事地抽着烟。

好奇心促使久木硬着头皮往下看。

"去年正月以后，他一而再，再而三叫她出去幽会，终于在同年四月，将其骗入都内的饭店，强迫发生关系，施以淫威。"

看到这儿，久木不由地攥紧了拳头。

这种寡廉鲜耻的文章简直让人无法卒读，可能的话，久木真想把它当场撕碎，烧掉，可是在董事面前只好忍住气，接着看下去。

"其后，他利用家庭妇女的单纯，威胁说如果不和他见面，就告诉她丈夫，强迫对方满足他的种种性要求。特别是今年四月，令其穿上红内衣，施以变态的性行为，并拍摄了许多照片，甚至将其软禁起来不让回家。"

看到这儿，久木觉得这已经不仅仅是中伤，简直就是恫吓了。这显然是对自己怀有满腔仇恨的人写得极其卑鄙无耻的挑战书。

久木气得浑身发抖，内心充满了愤怒和厌恶，一边继续往下看。

信里还说，久木诓骗别人的妻子与他同居，现在租下都内某公寓的一间屋子，像夫妇一样住在那里。现已导致女方家庭的崩溃，忠厚老实的丈夫身心受到了巨大伤害，云云。

最后以"这样的无耻之徒，贵公司竟然委以要职，信任有加，不能不让人对贵公司的经营理念产生疑问，务请查明当事人应负的责任"，结束了全文。

看完信，久木刚抬起头，董事就离开了座椅，坐到久木对面的沙发上。

久木等董事一落座，便低下头说了一句："非常抱歉。"

这种内容的信，寄到公司的上司手里，不管怎么说，只能怪久木自己不谨慎。且不说内容如何，因为这种无聊的事打扰董事的工作，实在太不应该了。

"这是突然寄到我这儿来的。"

董事似乎在解释为什么自己先拆开了信，其实信封上本来就写着"调查室负责董事亲启"。

"当然，我并没有听信其一面之词。"

董事又点了一支烟。

"我想一定是跟你有仇的人干的……"

不寄给久木本人，而是直接寄给公司的董事，很说明问题。

"你能猜到是什么人吗？"

久木听董事这么问，便挨着个儿猜测起来。

最清楚知道他和凛子关系的只有衣川，但他不会干出这种事的。其他同事多少知道一些，但不可能知道得那么详细，再说对已经降了职的人，落井下石也没多大意思。

"大致能猜到一点……"

对他和凛子的关系知道得很详细，有可能写这种恶毒信的只有两个人，即自己的妻子或者凛子的丈夫。

见久木沉思不语，董事说道："我个人觉得这是无聊之举，可是既然寄到公司来了，也不能完全不予理睬。"

这话是什么意思呢？久木抬起头来，董事避开他的目光说："当然这牵扯到你的私生活，公司不便过多干涉，可是，如果对方死缠烂打，非要公司表明态度的话……"

"那会怎么样？"

"我想先听听你对这封信里写的内容怎么看。"

"当然可以……"

这封信的内容十分卑鄙，满篇胡言乱语，充满了恶意。对这些中伤他可以和凛子一起坚决否认。

可是，要说究竟有没有这回事，就不好解释了。像信上说的那样强迫对方发生关系纯属胡言，然而和有夫之妇的凛子关系亲密却是事实。

"我觉得完全是对我的人身攻击，故意夸大其词，恶意诬蔑。"

"这种做法一般都是为了要攻击、陷害对方，所以很可能像你说的那样。"

"我绝对没有逼迫或软禁过对方。"

"这我知道，你也不像那么胆大包天的人。"

董事露出了讥讽的微笑。

"可是你和这个女人关系亲密，确有其事吧？"

见久木不置可否，董事掐灭了刚抽了两口的烟。

"其实收到这封信后，我暗中在公司里了解了一下情况。"

"关于我吗？"

"当然信的详细内容是保密的，据说你的确离开了家，和她同居了……"

难道是调查室的铃木或其他同事跟董事说的？

"没错吧？"

久木还是缄口不言。

对同一件事的看法会因人而异。

久木一直认为他和凛子的爱是至死不渝的，是神灵也阻止不了的纯情之爱。

然而换个角度看的话，就会简单判定为不正当的、越出常规的、极不道德的行为，再加上勾引、淫乱、变态等卑劣而夸大的词语，更给人以下流污秽的印象。

或许他和凛子总是站在自己的立场上看问题，而忽略了一般人的看法。

久木反省自己的时候，董事苦笑道："你还真有桃花运呐。"

"不，不是……"

"真让人羡慕啊，我什么时候也能摊上这么一封信呐。"

董事的笑声里含着嫉妒和揶揄。

"好了，这封信就交给你吧。"

董事说着把信封递给了久木，等久木把它塞进了口袋后，口气马上严肃起来：

"还有件事跟你商量，和这事没什么关系，公司想调你到共荣社去。"

久木没听明白，反问道："共荣社？"

"从九月份起去那儿也行啊。"

共荣社是负责商品管理或流通部门的分社。

"让我去那儿吗？"久木叮问道。

董事缓缓点了点头。

"对你来说可能有些突然，这是因为你负责的昭和史的发行预测不大乐观。"

"这是——真的吗？"

"那项企划取消的话，想必你也空闲下来了。"

董事的话真是晴天霹雳，出乎久木的意料之外。

久木看了一眼窗外的浮云，稳定了一下自己的情绪，又把脸转向了董事。

"昭和史的计划不顺利是什么原因呢？"

"当然，公司方面没有意见，还对你的出版计划进行了研究。不过，你也知道目前的形势，文学社为了销路的问题，费了好大的力气，现在多数意见认为应该暂停。"

在当前这个远离铅字的时代，出版二十多卷的全集的确要冒很大的风险。可是，久木的计划是以人物为中心来回顾昭和史，这一点与其他出版社同类书籍完全不同。

"企划取消的事已经定了吗？"

"很遗憾，在前几天的董事会上决定的。我个人觉得应该尽量保留一下，可是……"

董事的口气似乎很遗憾，实际上他又为此作了多少努力呢？久木越听越怒不可遏。

"这次调动是因为昭和史的计划被取缔的缘故吗？"

"不光是因为这个，我觉得你也有必要了解一下流通方面的情况。"

"这我明白，可是我一直搞的是编辑工作，其他方面根本没干过。"

"不过今后还是都涉足一下比较好。"

董事煞有介事地说道。可是，久木还是不明白为什么单单自己被调到毫不相干的部门去。

"说到底还是因为那封信吧？"

"不是。我们公司是不会受这种个人私事左右的。"

董事否认道，但是不能让人信服。

"让我先考虑一下吧。"

久木说完离开了董事的屋子，重新回到了调查室。

不可思议的是，房间里静静的，室长铃木以及全室的人似乎都在等着久木。

为了打破冷场，久木故意提高了嗓门说："我要和大家告别了。"

村松和横山立刻回过头来，铃木低着头，仿佛没有听见。

久木朝铃木走过去，点了一下头说："刚才董事跟我说，要我从九月份开始去共荣社。"

铃木慢慢抬起头，眼睛看着别处。

"理由是因为董事会上决定中止昭和史的计划……"

久木感觉到大家的视线都投向了自己，平静地问道："想必铃木先生早已知道了吧？"

"不知道……"

铃木摇了摇头，接着抱歉地说："听说有可能中止昭和史的计划，没想到这么快。既然董事会决定了的事……"

久木从口袋里拿出了那封信，放到铃木面前。

"有这么一封奇怪的信寄到公司里来了。"

铃木扫了一眼，便挪开了目光。

"不好意思，我的私事给你添了不少麻烦。"

"这个我不清楚。"

铃木也许是没有看到信的内容，但作为调查室的负责人，对上司的询问发表了自己的看法是毫无疑问的。

"也许就是这封信导致了这次调动的。"

久木明知不必说穿，可是心里憋得慌，不由一吐为快。

当天，久木一下班就直奔涩谷。

一般突然被告知调动工作之后，都想和好朋友喝喝酒，发发牢骚，聊一聊今后怎么办。

可是现在的久木没有一个可以推心置腹的朋友。调查室的同事们最亲近了，然而铃木和董事关系接近，近来村松、横山和他也疏远了。这方面的心事最适于和同期入社的朋友聊，他们又都在营销部和总务部，都不在编辑部。这样一来，水口之死更显得意义重大，他如果还在，事情也许会有一些转机。但现在懊悔也毫无意义。

再说牵扯到和女性交往的问题，男人之间不太好说。所以，真正可以交心的就只有凛子一个人了。

久木回到住处时，凛子刚要做晚饭，见他这么早回来很吃惊，就说："我马上做饭。"

久木拦住她，把信递给了她。

"这是今天董事交给我的。"

凛子不解地接过信看了一眼，惊讶地问："这是什么？"

"你看看就知道了。"

凛子看着信，脸色越来越僵硬了。

看完后，凛子的脸白得像纸一样，气愤地嚷道："太过分了。"

又转向久木问道："这是谁写的？"

"你觉得呢？"

"是对你怀恨在心的人吧。"

凛子怔怔地想了一会儿又说："难道会是他……"

凛子和久木所想的似乎是同一个人。

"是我的……"

虽然没说出"丈夫"这两个字，久木也都明白。

"不过，应该还有一个人。"

"你那位？"

凛子也没有说出"妻子"，她凝视着远处，说道："她不会的……"

确实，久木的妻子对他与其说是怨恨，不如说是彻底失望，才主动要求离婚的。既然如此，她又何必把丈夫的外遇密告给公司呢？她能捞到什么好处呢？

但是凛子的丈夫一直执着于凛子，不愿离婚，他很可能对久木怀有强烈的夺妻之恨。

"他对咱们在文化中心相识的经过非常了解，红内衣的事也只有他才知道。"

"他胡说什么你拍了照片，其实都是他自己干的呀。"

"从口气和内容来分析，都像是他写的。"

凛子攥着信骂道："这也太卑鄙，太恶毒了！"

"至少该直接寄给我呀。"

"他就是为了让你难堪呐。真是狡猾死了，我饶不了他。"

不知为什么，凛子越是怒气冲天，久木越是冷静下来了。

到刚才为止一直是久木一个人在生气，现在凛子和他一起生气，久木得到了一些安慰，反倒有闲心想起凛子的丈夫来了。

"我得问问他怎么回事。"

凛子说着就要去打电话，久木制止了她。

"等一下……"

事到如今，凛子就是骂她丈夫也无法补救了。

久木让情绪激动的凛子坐在沙发上，对她说："今天上司跟我谈了，要我到分社去。"

"是吗？"

"是公司下属的负责商品管理和流通的共荣社。"

"为什么调到那儿去，你手头不是有工作吗？"

"由于中止了我所从事的昭和史的计划，他们说我没事可干了，正好去那边。"

"真没想到，去那儿以后会怎么样啊？"

"我对那方面很生疏，不知道会怎么样，可能不会太轻松。"

"那就没必要去。"凛子端详着久木的脸，"你不想去吧？你也不愿意去吧？"

"当然了……"

"那就明确拒绝好了。"

凛子说得简单，上面决定了的人事调动，下属是不可能拒绝的。

"不行吗？"

凛子的目光又落到了那封信上。

"会不会和这封信有关系呢？"

"董事说没有关系……"

"其实有关系，跟这封信有关系，对吧？"

"说不好，我觉得有点影响。"

"可恨，简直太可恨了。"凛子抓住久木的手摇着，"这不正合了他的意吗？他的目的达到了，你吃了大亏，你就甘心吗？"

可是不甘心又有什么办法呢？久木眉头紧锁，凛子果决地说："你坚决拒绝调动，不行的话就辞职算了。"

久木直勾勾地望着凛子反问道："真的辞职吗？"

今天，当董事提出要他去分社时，他就隐隐约约有了辞职的念头。

失 乐 园 ｜ わたなべ じゅんいち

应该说从被降格到调查室时起，他就考虑过辞职。后来和凛子陷得越深，这种想法就越强烈。

"辞职算了……"

凛子的一句话，点燃了一直萦绕在久木心头的思绪。

"那我可真的辞职啰。" 久木向凛子叮问道。

"可以辞职吗？"

"我当然赞成了。"

久木点点头，内心却在期待凛子说出"别辞职"的话来，这样久木一逞能就会说出"就辞职"，打消余下的百分之十的犹豫了。

"反正以后也不会有什么发展了。"

"为自己辩解也没有用吧？"

"怎么辩解？"

"我去见见董事，跟他说明情况……"

"不行，没用的。"

这不等于公开了自己和凛子的关系不一般了吗？

"公司这种地方，只要有这么一次，就再别想翻身了。"

"真对不起……"

凛子突然向久木深深地低下了头。

"都是因为我才会这样的。"

"不是的……"

现在说怪谁已经没有意义了，要说怪罪的话，就只能怪他们太相爱了。

决定了辞职以后，久木的心情还在摇摆不定。

这次的事件虽然使久木对公司完全失望，不想再去上班了，然而辞去干了近三十年的工作，还是有不少的感慨。按时退休还好说，可现在他才五十多岁，还能干几年呢，这个时候辞职，让他多少有些惋惜和惆怅。

整个七月份，久木就是在犹豫不决之间度过的，没有明确表示辞职还是不辞职，当然这背后也有着想辞职随时可以辞的考虑。

可是一进入八月，随着去分社的期限日益迫近，又听管人事的告诉他，调过去后的具体待遇以后，久木的心境更加恶劣了。

久木原以为自己是以总社人员的身份外派去的，没想到人事关系也完全调过去，工资降到了现在的70%。

受到如此的冷遇，还非要赖在公司不走吗？

在情感上他已经倒向了辞职一边，唯一使他下不了决心的，还是对今后生活的担心。

到目前为止，久木的月薪近一百万，其中一半交给妻子。一辞职就没有收入了，虽然有点退休金，只是一次性的，维持不了多久。

这种情况下，自己和凛子往后的生活怎么办呢？

久木左思右想，越来越没有辞职的勇气了。凛子看出了他的苦恼，问道："你担心钱的问题？"

被一语道破了心事，久木欲言又止。凛子爽快地说道："这不用担心，我还有些积蓄。"

久木猜想，也许是凛子的父亲故去时她分得的一些遗产。

"辞就辞了，总会有办法的。"

凛子办事一向比久木要大胆果断得多。

虽然谈不上是被凛子牵着走，但凛子的态度对他是个极大的支持。

八月初，在大家即将开始夏季休假之前，久木终于下决心走进董事的办公室，提出了辞职的要求。

"你为什么要辞职？"

看见董事那副惊愕不已的表情，久木感到总算出了一口恶气。

"因为再给公司添麻烦的话，我就实在太过意不去了。" 久木故意郑重其事地说道。

董事一听忙说："没有的事，我是希望你这样能干的人到那边去，在商品管理和流通方面给出些新点子的。"

"多谢您的信任。可是，除了编辑以外我别无所能，去了那边也只是添乱而已。"

"你不该这么小看自己啊。"

"哪里，我才是被小看了呢。"

董事听了瞠目结舌，久木也不理会。

"非常感谢您多年来对我的关照。"

"你不要这么快作决定，再慎重考虑一下怎么样？"

"我已经再三考虑过了，请务必准许我辞职。"

久木知道自己的情绪很激动，事已至此，再也没有什么退路了。

久木站起身来，施了一礼，丢下呆若木鸡的董事，走了出去。

来到走廊上后，久木深深地吸了一口气。

在久木漫长的职业生涯中，这是第一次也是最后一次对董事耍威风。

此时的久木陶醉在无比畅快之中，同时也不无某种失落。

"无所谓……"

久木安慰着自己，又回头看了一眼董事办公室，然后朝电梯走去。

久木向公司提交辞呈的时候，凛子的周围也发生了巨大的变化。

首先凛子就那封信的事质问了自己的丈夫，结果是一无所获。凛子打电话的语气很严厉，她的丈夫从头至尾都是一句"不知道"。

"明摆着是他干的，硬是装糊涂。" 凛子怒气难平。

仔细想一想，的确没有证据证明是他写的。尽管无论从动机还是内容来看，都可以肯定是他写的，但是字是用打字机打出来的，无法鉴别。当然也可以从信纸和信封上来追查，可是久木觉得又不是刑事案件，不必那么张扬。

久木不想追究的另一个主要原因就是，即便查出来，也无法改变他辞职的既成事实了。

"我看算了吧。"

现在轮到久木来安慰凛子了，凛子的火气一时半会儿还消不下去。

"我真没想到他那么卑鄙。"

凛子越是贬低丈夫，久木就越清醒，也越能体会她丈夫的心情。

写这种信确实不光彩，可是做丈夫的对这个占有了妻子，甚至同居在一起的男人恨之入骨，想方设法要把他从公司里赶出去，也是情有可原。

"这回我绝不犹豫了。" 凛子果断地说，"我要和他离婚。"

"他不会同意吧。"

"不同意也没关系，我把我那份交到区政府去。"

"那还是解决不了问题。"

"区里不批准也无所谓，反正我表明我的态度了。"

凛子从来都是怎么想就怎么做，一点也不含糊。

既然凛子提出了离婚，久木也得作出决断了。

妻子早就提出要离婚，久木一直犹豫不决，现在该彻底解决一下了。

"那我也离婚。" 久木坚决地说道。

凛子吃惊地瞧着他说："你就不必了吧。"

"不，离了就轻松了。"

"你真的离？"

刚才还表示他不必离婚，可现在凛子脸上露出了笑容。

"这样我们两个都成了单身了。"

"别人不会再说我们偷情或乱搞了。"

"我明天就去领一份离婚协议书，在上面签字盖章就行了。"

一旦决定下来，凛子的行动非常神速。

第二天，她去了区政府领来两份离婚协议书。

他们在上面签了自己的名字，盖上章，然后分别寄到各自的家里去了。

久木还附上了一封短信。

他告诉妻子干到八月底就辞职了，还对自己拖延了离婚表示了道歉，最后写了一句："虽然给你带来了很多烦恼，但我不会亏待你的。请多保重。"

写到这儿，久木回想起和妻子共同度过的漫长岁月，不觉眼眶一热。

"总算一切都结束了。"

久木这么告诉自己，把离婚协议书投入邮筒的一刹那，就像卸下了一个大包袱，感到无比的轻松。

不管怎么说，他从此摆脱了家庭的桎梏，从丈夫的角色变回了一个独身男人。

以前久木也没有觉得家庭的负担有多重，做丈夫有多辛苦，只是多多少少感到有点累赘罢了。但这点小问题谁都会遇到的，还不构成困扰。

可是当离婚成了现实，家庭、妻子……一切都无须他再去考虑的时候，忽然觉得自己轻飘飘起来，像长了翅膀一样。

这种解放感很大程度上还来自于辞去多年从事的工作的关系。

从明天起他就不用再急急忙忙往公司赶了，自然也就看不到讨厌的上司，或敷衍那些无聊的谈话了。今后和凛子挽着胳膊，到任何地方去都不必再顾虑别人了。

久木忽然觉得自己仿佛飘浮在了云端，他为自由来得如此容易而嗟叹，而困惑。

自己所做的只是向上司说了一句"我要辞职"，给妻子寄了一份离婚申请书，没想到就摆脱了这世上的一切束缚，得以享受自由和奔放。

这么简单的事，为什么自己一直没有想到呢？

直到今天，久木才意识到自己的愚蠢，但与此同时，一个无限孤独的世界也展现在他的眼前。

从今往后，自己可以想什么时候起床就什么时候起，想穿什么就穿什么，想去哪儿就去哪儿了。

但是，可以自由放任、随心所欲生活的代价，就是失去了公司的同事和朋友，甚至与妻子和子女别离。

"剩我一个人了……" 久木不禁对自己说道。

他第一次得到了自由，也第一次感到自己不断地为社会所疏远、所抛弃。

凛子和久木一样陷入了孤独的境遇。

凛子毅然决然地给丈夫寄去了离婚协议书，并通知了母亲，可是其负面影响也很快出现了。

今年八月初，是凛子父亲过世后的第一个中元节，凛子原定要回娘家，去给父亲扫墓的。

凛子想知道大家去扫墓的时间，就给娘家打了个电话，谁知母亲说："你还打算来吗？"

"你不觉得她这么问，太过分了吗？"

母亲的语气里明显地带有"不许来"的意思，凛子很受刺激。

"妈妈对我提出离婚非常恼火。可是这事和给父亲扫墓有什么关系呢？"

就因为凛子跟丈夫提出了离婚，就不准她去扫墓，也未免太可怜了。

"大家都在排斥我……"

据凛子描述，自从她离开了丈夫和久木一起生活以后，母亲、兄嫂以及亲戚们都像防贼似的防着她。

"我到底犯了什么十恶不赦的罪呀？"

久木不知该怎样才能安慰难过的凛子。

抛弃丈夫投身其他男人的怀抱，作为妻子是不能容许的。然而在凛子看来，舍弃虚伪的婚姻，投入真实的爱情中去，才是忠实于自己感情的行为。

站在纯爱的角度上看，凛子是正确的，但是从社会道德、伦理方面讲，她就是个与人私通的、寡廉鲜耻的女人。

"从此以后我和娘家就没有关系了，成了孤零零一个人了。" 凛子叹息道。

久木握紧她的手，安慰说："你不是一个人……"

两颗孤独的心只有互相寻求安慰了。

从盂兰盆节到八月末，久木是在咀嚼自由和孤独中度过的。

离职的事已经定了，就干到八月底。不过，盂兰盆节加上积攒的休假，久木几乎没怎么去上班。

久木难得在酷热当头的时候过得这么悠闲自在，但这种心境中也伴随着和公司、家庭完全诀别的孤独。

从早到晚和凛子两人待在屋里，久木这才发现长期的紧张工作已使自己身心疲惫。

不分白天黑夜，久木想什么时候睡就什么时候睡，有时贪睡得连饭都忘了吃。不过，早上醒来，他经常下意识地要去上班，立刻又想起"已经不用去了"。

每当这时，久木都深切体味到了自由的喜悦，但转瞬间内心又涌起了只有自己一个人为社会所抛弃的孤独感。每天早晨，他看着窗外那些赶往地铁站去上班的人流，心里便翻腾起来。

再怎么说，只有加入了那个洪流，才能保证一天的生计和家人衣食无忧。

这时，久木才知道了自己失去的东西的分量。

就在既安宁又不安的矛盾心理的交错、缠绕中，日子一天天过去了。

几乎把自己封闭起来的这段时间里，久木只出门了一次，就是去见衣川。以前都是衣川给他来电话，这次久木破天荒地约他出来见面。

久木还没有把有关辞职的事和给妻子寄离婚协议书的事告诉衣川。尽管自己没有这份心情解释这些，可早晚要告诉他。

不可思议的是，一旦辞了职，久木就不好意思到以前常常光顾的餐厅和酒吧去了。按说花钱吃饭，没什么可顾虑的，可是心里总觉得人家会不欢迎，所以他很少再到那些地方露面了。

这次久木也是犹豫了半天，最后决定还是到他们俩常去的银座数寄屋街那家小饭馆，并排坐在柜台前。

八月下旬，炎热的夏天已接近尾声，店里客人很多。两人先干了杯啤酒，聊了会儿都认识的朋友之后，久木突然开口说："我辞去了公司的工作。"

衣川闻听，一下子放下了正要喝的酒杯，久木没有理会他，说了一下大致经过。

衣川一直默默地倾听，等久木话音刚落，就迫不及待地问："你真愿意这样？"

"愿意什么？"

"不后悔？"

要说不后悔是假话，可是事到如今又有什么办法。久木微笑着点点头，衣川忽然压低声音说："怎么着，有别的去处？"

"哪有啊……"

"那你以后怎么生活？"

"放心，饿不死的。"

"正式离婚的话，还要支付赔偿金吧？"

"有世田谷的房子。"

"全部给夫人吗？"

久木点着头，发觉自己这一个月来，对金钱和物质的执着，已大大淡漠了。

"你这么大岁数，怎么还这么糊涂。"

"也许吧。"

"到了咱们这样的年纪，多少该有些分寸啊。谁都想谈恋爱，见了不错的女人也想勾引，可是因为迷上一个女人，连公司的地位和工作都赔上，这不是得不偿失吗？和那些发情的猫狗有什么两样？"

失 乐 园｜わたなべ じゅんいち

衣川的话是不错，就是太不讲情面了。听他的意思，有妻室的男人爱恋一个女人，陷入情网是非常愚蠢的，就和发情的猫狗一样。

见久木沉默不语，衣川也觉得自己说得过分了些。

"不过呢，喜欢一个人也没关系，见好就收，别走极端。"

说完，衣川又要了壶冷酒，说道："我可真没想到你这么纯情。"

"纯情？"

"是啊。你迷上一个女人，连地位、收入和家庭都不要了。"

这并不是纯情，是从身心深处互相爱慕互相吸引的结果。久木想对他这么说，又觉得用语言很难表达清楚，就没说话。衣川嘟哝了一句："也可能我在嫉妒你。"

"嫉妒我？为什么？"

"她的确是个好女人哟。你不出手的话,我可能会上的,后悔莫及呀……"

衣川这么坦白自己的情感，还是第一次。

"可是被你抢先了一步，我也死心了。"

沉默了一会儿，衣川忽然说道："前几天，她到我这儿来了。"

"去中心了？"

"大概四五天前吧，她是突然来找我的。说想担任点书法方面的工作。所以你给我来电话，我还以为是为了这事呢。"

久木不知道凛子一个人去找衣川的事。

"她也真了不起，因为你辞职了，才想出来工作的吧。"

衣川停顿了一下，又告诉久木一件意想不到的事。

"当时，她还问我你夫人在哪儿工作。"

久木以前跟凛子讲过妻子在陶器厂当顾问，没多说什么。

"她问了两遍，所以我只告诉她在银座的美装堂，没关系吧？"

"不，没什么……"

自寄出离婚申请书后，妻子再没说过什么，久木也没觉得有过什么争执，可是凛子为什么要问这个呢？久木正在琢磨着，衣川欠身凑近他说："这话不该跟你说，不过她比以前更漂亮了。"

一说到凛子，久木不好表示什么，凝视着白色柜台。

"反正她变样了，不，是你改变了她。原来她给人拒人千里之外的感觉，可是现在风韵十足，很有女人味儿……"

几盅冷酒下肚，衣川有些醉了，眼神飘忽。

"你每天都见她不觉得什么，她的胸脯真是又白又嫩，不怕挨你骂，那皮肉白得好像能把人吸住似的。"

不知道凛子穿着什么服装去的，她爱穿素色的连衣裙，大夏天的，也许衣服穿得比较露吧。

"连接待室的女孩儿都说，她给人感觉不仅是漂亮，而是妖艳，连女人见了也会心跳加快的。"

久木还是头一次听到衣川这么夸赞凛子，倒不好意思起来。

"不过她好像比以前瘦了，脖子细细的，显得更迷人了。"

天气太热，凛子近来食欲确实不大好。

"这就叫红颜薄命吧。"

"薄命？"

"她轻轻点了下头，转身往回走的时候，我看着她那凄然无助的背影，真有点为她担心……"

衣川一气喝干了冷酒，略带埋怨地说道："你可得尽量对她好一些啊。"

在小饭馆吃喝之后，两人又去了一个酒吧继续喝酒。衣川滔滔不绝地说着自己的工作，不知不觉久木成了听客。男人一旦没有了工作，连话茬儿都接不上了。久木怀着寂寞的心情，走出了店门。分别的时候，衣川嘱咐了一句："多保重……"

衣川的声音异常亲切，完全不像他平时说话的语气。久木慢慢点了点头，轻轻握住了衣川伸给他的手道了别。之后久木才发现，这还是第一次和衣川握手，心里觉得很异样。

这握手意味着什么呢？衣川极其自然地伸出手来，语气那么柔和，使久木为之一动。

坐在电车上，久木还在思考着这件事，一直没琢磨明白。到涩谷时已经十一点了。

久木先泡了个凛子为他准备好的热水澡，然后换上睡衣，躺在沙发上。电视里正播着新闻，他调低了音量，喝了一口啤酒后，对站在厨房的凛子背影低声说道："刚才我和衣川在一块儿。"

凛子猛地一回头，马上又若无其事地沏起茶来。

"他说你变得特别漂亮。"

"他就喜欢这么说。"

"你去他那儿是为了找工作？"

"上次托过他，没有回音，就去了一趟。其实不行也无所谓……"

凛子把自己的茶杯也端过来，坐在久木旁边。

"我跟他一说辞职的事，就被他骂了一通。"

"他也太凶了。"

"他是刀子嘴豆腐心。"

久木眼睛望着电视说："你跟他打听那个银座的陶器店了？"

久木终于问道。凛子早有思想准备，马上答道："我去见了一下你的夫人。"

"有什么事吗？"

"没什么事，早就想要见见她……"

凛子出于什么心理去见自己所爱的男人的妻子呢？受好奇心驱使可以理解，不过，直接去见面也够大胆。久木对凛子的丈夫虽然也有兴趣，却没有勇气自己去见他。

"我只是站在远处看了一眼。"

妻子现在在银座的陶器店工作，知道名字就能找到她。

"是个相当不错的女人。"

凛子这么一说，久木不知怎么说好了。

"难怪你会喜欢她，这个岁数了，身材还那么好，还特别精干……"

妻子是因为出去工作才显得年轻一些，其实已经五十多岁了。她比凛子要大上一轮，再看着年轻，也是上岁数的女人了。

"和这么好的人都离婚了。"凛子自言自语道。

"当然都是因为我才会这样的，可是我越看她越觉得害怕……"

"害怕？"

"岁月太可怕了。再过十年或二十年之后，人的情感都会改变吧？你结婚的时候也爱妻子，想要建立一个美满的家庭，可是现在变了。"

久木不明白凛子为什么说出这种话来。她望着窗帘遮住的窗户说："你早晚也会厌倦我的。"

"不会的，绝对不会的。"

"会的。即使你不厌倦我，我也可能会厌倦你的……"

霎时，久木就像被人在喉咙上扎了一刀。

男人会变心，女人也可能心猿意马。即便是情投意合、海誓山盟的爱情，也可能在岁月的侵蚀下土崩瓦解。

"你当初认识你太太的时候，也很爱她吧？"

"也不算特别……"

虽说比不了对凛子的感情，却也是在神前立下了爱的盟誓的。

"我也是一样，结婚的时候怎么也想不到会像现在这样。"

凛子似乎想起了当年决定跟丈夫结婚时的情景。

久木抱着胳膊沉默不语。凛子摸着久木左手无名指上的戒指说道："你早晚会厌倦我的吧？"

"不会的，这么喜欢你，怎么可能厌倦呢？"

"你不厌倦，我也要上岁数的，一天天变成个老太婆。"

凛子虽然夸赞久木的妻子年轻，但还是从她身上看到了衰老的影子。

"我问你，真的有永远不变吗？没有绝对不变这一说吧。"

久木想起凛子在轻井泽时也问过他同样的话。

"抱着我，紧紧地抱着我。"

凛子一下子扑到了久木怀里。久木没坐稳，倒在沙发上，凛子前额顶在他胸前，梦呓般的嚷道："我害怕，我害怕……"

久木紧紧抱着凛子，听见她在怀里说："我们现在是最高点，今后不论在一起多久都只能走下坡了。"

"不会的……"

久木嘴上否认，心里也觉得现在或许是两人的最高点了。

"只有现在最可信。"

凛子见过久木的妻子，明白了爱情的游移不定。也预感到他们两人的爱迟早也会从顶峰衰落下去的。不知是这种种不安所煽动起来的欲望，抑或是他们内心原本积存的欲望受到了新的刺激，突然猛烈地燃烧了起来，不知什么时候，两人已经赤裸地拥抱在床上了。

"我要你说永远爱我，绝不变心……"

现在凛子仿佛为了消除对永恒的不安和恐怖，而寻求性爱。比起那些牵强附会的甜言蜜语来，委身于，陶醉于震撼全身、直达高潮的性的快乐，更能帮助她摆脱盘桓心中的恐惧。

没有比肉体更诚实更忘我的东西了。凛子的热情也感染了久木，一再压抑的欲望，就像火山一样喷发出来。两人一同坠入了放浪形骸的、欢悦无比的欲海中去了。

开始时两人只是紧紧拥抱，贪婪地狂吻对方的嘴唇，自然而然的身体也交合在一起，早已酝酿得十二分充分的女人便率先抵达了顶点。

可是，刚想稍事休整，精神恶魔又飞扬跋扈起来，两人得不到丝毫喘息之机，又缠绕在了一起。一阵风暴过后，霍然发现两人头脚位置相反，相互爱吻着对方的私密处。

片刻之后，又突然像遭到电击了一样，两人不约而同地转回到原位。凛子迅速地骑到久木身上，前后移动起身子来。不停地向前倒下去，再向后仰起来，当她向前倒下去的时候，披散下来的头发衔在她的嘴角。就这样随着一声肝肠寸断般的叫喊，终于到达了高潮。

盛夏之夜，两个人的肉体都汗津津、油光光的。男人又跨到女人身上，女人从底下紧紧吸住他，男人早已忍耐不住了，发出了请求："我不行了。""来吧。"女人刚一答复，男人的精气便决堤而出，与此同时，凛子披头散发地疯狂叫喊起来："杀了我吧，现在就杀了我吧……"

正享受决堤快感的久木，霎时屏住了呼吸。

凛子以前也这样喊过，希求在愉悦顶点去死，在这一愿望中潜藏着就此死去，便可以永远享受愉悦的贪婪。

久木虽然也想象过这种可能性，但凛子此刻的追求方式实在太激烈了。

她似乎早已超越了性的快感与陶醉，这喊声不是从她嘴里，而是从她那浑身热血倒流、处于沸腾极限时的肉体里发出来的。

"求你了，快点、快点杀了我吧……"

凛子不停地疯狂叫喊着，久木拼命抱紧她，终于感受到了凛子发出的波浪般涌来的震颤。

这一对男女像死尸一样重合在一起，感受着对方的余韵。不久，仿佛从冥界飘然而归似的，凛子有气无力地说道："喂，你为什么不杀了我……"

久木无话可答，他轻轻抬起上身，正要松开紧抱她的手臂，凛子双手抓住他说："不要离开我……"

久木不敢再动，照她说的保持俯抱她的姿势。凛子慢慢睁开眼睛。

"你说，咱们就这样死不好吗？"

凛子的眼里闪着泪光，这是愉悦至极时流出的泪水吗？

"我要和你全身贴在一起这么死，连那儿都连在一起……"

久木点着头，这才意识到自己的一部分还在凛子的身体里。

"像现在这样死，我就一点也不害怕了，你呢？"凛子叮问道。

久木体味着这样连接的感觉，点点头。

"咱们俩就这个姿势去死吧。"

听凛子说要两人一起去死，久木并没有惊慌失措，反而平静地接受。久木对这样的自己感到有些狼狈，但很快地又觉得这样也好。

或许是做爱后的倦懒导致的情绪消沉，或许是自己现在身体还和凛子紧贴在一起，无法思考，总之，久木没有气力加以拒绝。

"你当真能和我一起死？"

"嗯……"

对久木暧昧的回答，凛子追问道："真的愿意吗？"

"当然是真的。"久木答道。

随即不由自主地想起了被阿部定杀死的吉藏来。

当时，吉藏被阿部定问道"勒脖子行吗"，也一定是在这样事后的倦怠中，回答"行啊"的。

"太好了。"

突然凛子抱紧了他，随着身体的摇动，久木身体的一部分从凛子体内滑了出来。

"不行……"

凛子不觉叫出声来，但久木没有理会，从她身上翻下来，仰躺在床上。

久木这样回味着刚才激情澎湃的余韵时，凛子又像小猫似的依偎过来。

"你说，你是真心想和我一起死吗？"

"真心呀。"久木答道。

他觉得自己从来没有像现在这样温柔、顺从。

"我们就是死了也要在一起。"

久木觉得凛子就像是一只诱惑男人的恶魔鸟，但他宁愿被她的翅膀载着带往死亡的世界去。

"那就在这儿咬一下，留下约定的印记吧。"

凛子让久木在她的乳房上留下了一个渗血的牙印。然后，她又在久木胸前留下了同样的印记。

久木忍着轻微的疼痛，对自己说，再也别想从凛子身边逃脱了。

"永远也不许把它去掉。"

这就是爱的印证，只有接受它了。久木闭着眼睛感受着隐隐的疼痛，万般无奈地想着。这时凛子说道："现在是我们最好的时候了。"

现在久木经济上还有余力，身体也有一定的精力，还有自信获得像凛子这样出类拔萃的女人的强烈爱情。

今后的生命中，绝不会有超过现在的幸福和辉煌了。无论将来自己以什么方式去死，都不可能比和凛子一起死更加绚丽耀眼的了。

"我从年轻的时候，就梦想着能在人生最幸福的时候死去。"

听着凛子悦耳的声音，久木想起了把有岛武郎引向死亡的波多野秋子。虽然和他们情况有所不同，但是在人生最高点时，男人被女人拽向死亡这一点却是共同的。

"我们一起死了以后会怎么样啊？"

"会怎么样……"

"人们会说什么，大家会有多吃惊……"

久木不由得想起了妻子和女儿。

"光是想象一下就兴奋极了。"

现在在凛子的自杀愿望中，更多的成分是对自杀行为本身的向往。

"我们要紧紧地抱在一起，绝对不能分开。"

"可是，怎么才能那样呢？"

"咱们琢磨琢磨呀。"

凛子的口气，就像要去挖掘宝藏一样神秘。

"大家肯定会大吃一惊。"

听着凛子那亢奋的声音，久木也想象着人们吃惊的样子，隐隐的快感油然而生。

"现在还没有人知道我们的计划呢。"

久木点点头，觉得自己是那么可爱，竟然和凛子一起沉浸在飘溢着死亡的气氛中乐不知返。

至 福

　　街上已经先季节一步令人感受到了秋天的气息。

　　久木此刻正走在银座街头，他注意到女性服饰店的橱窗里，酒红色系和咖啡色系秋装开始登场了，路上行人衣着的颜色也越来越呈现出了秋意。

　　季节也在向秋天转换着，刺眼的阳光渐渐失去了威力。一过五点，微风徐徐刮来，太阳也开始西沉了。

　　傍晚时分，久木进了一家咖啡店，要了杯热咖啡。

　　久木坐在二层楼上，透过玻璃窗俯视下面渐渐暗下去的银座街景。正值下班的高峰，人们结束了一天工作，穿着单调西装的职员们中，夹杂着年轻的公司小姐妍丽的身姿。

　　"让您久等了。"

　　这时身后响起了女招待的声音，久木赶忙回过头来。

　　穿着白上衣、粉红色裙子的女招待，轻轻点了一下头，放下咖啡就离开了。久木低着头，好像做了什么见不得人的事似的。等她走了之后，才松了口气。

　　久木坐在靠窗的双人座上，另外还有四人一组和两人一组两桌客人。刚过五点，约在此见面的客人还不多，店里很安静。久木之所以这么在意女招待和周围的客人，是因为他的内衣口袋里藏着一个重要的东西。

　　今天下午，久木就是为了这个东西才到饭田桥的研究所来的。

　　久木想到去研究所，是因为和凛子约好一起死这件事。

要想抱在一起死，采用什么办法才行呢？

这半个月来，久木和凛子一直在考虑这个问题。

翻阅了许多推理小说和医学书籍，他才终于想到了这个唯一的办法。

这是他们两天前刚刚得出的结论。

　　决定了和凛子一起踏上死亡之旅的时候，久木觉得如同冲破了一面巨大的屏障。

　　死虽然可怕，但这也就像是一次出门旅行。既然这个世上的芸芸众生早晚都要走上死的旅途，那么自己想要和最心爱的人，以最美的形式去旅行。

　　凛子说两人抱在一起死就不害怕了，而且还是在达到快乐顶峰的一瞬间结束生命。两人没有体验过死，然而一想到在全身充分满足的时候互相搂抱着停止呼吸，就不觉得可怕了。

　　和凛子定下了死亡之约后，久木心里对死亡的不安感迅速消退，而对死的渴望渐渐增强了。

　　这是华丽耀眼而又心满意足的死。是只有他们这两个因相爱而死的人才能获得的至福之举。

　　像他们这样追求并付诸实施这种幸福之举的人，在这个世界上实在是绝无仅有的。是从几十万，甚至几百万人中的男女组合的佼佼者里被特别筛选出来的"爱的精英"。

　　过去一提到殉情，人们就认定是为了心爱的女人而窃取他人钱财，或是因不正当爱情而不为世人所容等，被逼到无路可走的结果。

　　然而，现在和近松[1]、西鹤[2]生活的江户时代不同了，因贫富悬殊，苦于贫穷和欠债，或受到身份差异、世俗人情的羁绊，无路可走而选择死的时

1　近松门左卫门：（1653~1724）日本江户时代净瑠璃和歌舞伎剧作家。一生创作净瑠璃剧本 110 余部、歌舞伎剧本 28 部。代表作为《景清出家》、《曾根崎情死》等。
2　井原西鹤：（1642~1693）日本江户时代小说家，俳谐诗人。代表作有俳谐著作《西鹤大矢数》、《五百韵》等，以及艳情小说《好色一代男》、《好色一代女》等。

代已经一去不复返了。

　　现在久木终于明白了，当年怀里揣着心爱男人的那个东西的阿部定被警察逮捕时，为什么会面露微笑了。也明白了秋子为什么在决心和武郎情死的前一天，还像往常一样去工作，给周围的人留下和蔼的笑容了。

　　人们通常只看到他们死后的样子，认为那是疯狂的，或者悲惨的结局。这是因为人们看到的只是外在的形体，而死去的人却是在无比幸福的彼岸世界。

　　无论活着的人如何评判，他们自己皈依了爱的圣殿，在幸福的极致走上了通向永恒的安息之旅。

　　久木这样一想，对死的恐惧渐渐淡漠了，甚至渴望去死了。然而，一旦具体到如何去死的时候，遇到了几个难题。

　　首先，身体健康的两个人要自己舍弃与生俱来的求生意志，结束生命，背离世俗的常理还不算太难，但违背生命的法则就不是轻而易举的事了。

　　尤其是凛子和久木所追求的死是相当任性而奢侈的死。

　　两人一起死的先例倒是不少，像武郎和秋子一起上吊而死，或一起跳崖，一起躺在充满煤气的屋子里情死等。

　　同时去死不难做到，但凛子追求的是两人紧紧抱在一起不分开的死法。

　　应该说凡是情死的男女都希望能抱在一起死，可是，尸体被发现时都是谁也不挨着谁。比如，用腰带把彼此捆绑起来，拉着手从高处跳下去，但是，被发现的时候绳子已断开，两人离得老远。即便死在充满煤气的屋子里，最后也是各自分开的。搞不好还会引起火灾，给邻里造成困扰，而且自己也会被烧成一团焦黑。

　　虽说是活着的人自己选择的死，但是，连死后的样子也要选择的话，就是一种僭越或奢望。

　　而凛子所追求的死，可以说是最最奢侈而任性的。

　　她想要互相紧紧拥抱着，甚至连男人和女人的性器官都接合在一起时死去。

这种死法是否可能呢？

如果可能的话，久木也希望能如此，以满足凛子的心愿，可是现实中到底有没有可行的方法呢？

绞尽脑汁的久木，决定到一个老朋友那儿去一趟。

没有比思索怎么去死更奇妙，更不可思议的事了。

以前久木也思考过人生，但都是考虑怎样活得更好，都是向前看的。

现在一百八十度大转弯，思考的是怎么死这种向后看的事了。而且这种思考并不是针对接近死亡的衰老或疾病而采取对策，而是寻求亲手将鲜活的生命断送掉的方法。

关于人的生活方式的书多得数不胜数，而有关自杀的意义和方法的书却几乎没有。

在这样的现状下，从某种意义上说，敢于赴死就需要具有比向前看的求生愿望更多出几倍的能量和精力。

久木又一次痛感求死的艰难，开始理解了自杀者为何选择缢死或跳崖等在人们看来很不雅的死法了。

选择死的人，往往直到临死之前还不知怎样死为好，他们首先想到的是怎么死得痛快，死得不痛苦。

由于从来没有考虑过怎么死，所以事到临头，自杀者能想到的就只有从断崖或高楼、站台上往下跳这种方式了。

与此相比，缢死比较麻烦一些，需要冷静的意志和准备工作。此外，用煤气自杀也需要做些准备。而服毒的话，既不好弄毒药，也不能确保万无一失。

久木对于和凛子一起死已没有异议了，只是死的方法总也定不下来。

从九月中旬到月底，久木一直专注于这个问题。有一天，他突然记起了一个叫川端的朋友无意中说的一句话："我那儿净是氰化钾……"

川端是久木高中时的同窗，大学时学的是理工科，现在饭田桥环境分析中心的研究所工作。

去年秋天的同学会时见过他，他是久木高中时最好的朋友，现在也是无话不谈的挚友。

久木给川端打了电话，正巧他下午有空。于是，久木说下午去找他有点事，借口是关于一部小说里描写用毒药杀人的内容。自己不懂得这方面的知识，想就这个问题向他请教一下。

川端的专业是分析化学，现为主任研究员。久木到了研究所后，被人领到了他位于三楼的办公室。

"好久没见啦。"

身穿白大褂的川端高兴地把久木迎了进去，聊了一会儿熟人的见闻，久木说出了自己的来意。

久木的问题是，用氰化钾毒死人的时候，是放进红茶里的，那么被害者难道喝不出怪味儿吗？如果喝得出来的话，放到什么饮料里比较好？

川端以为久木还在出版社工作，毫不怀疑地做了解答。

他说："毒药有一种苦涩味儿，用红茶的话，容易察觉，所以下到浓咖啡或甜果汁里就喝不出来了。"

久木提出想看看氰化钾什么样，川端马上从放在角落的药柜里拿出了一个十厘米高的瓶子来。

可能是为了遮光，瓶子是褐色的，瓶子的标签上写着"实验用药"的字样，以及英文的毒品名称"Potassium Cyanide"和"特级·氰化钾"。

"倒出点来给你看看吧。"

川端在桌子上铺了一张纸，上面又铺了一层包药纸，然后戴上胶皮手套，打开瓶盖。他把瓶子稍稍倾斜了一下，往纸上倒出了两个红小豆大小的白色颗粒和一些白粉。

"这些能毒死多少人……"

"这种毒药纯度高，一小勺就足以杀死四五个人。"

久木吃惊地看着这些白色的粉粒。

看表面没有什么特别，跟白砂糖或食盐一模一样，可是据说只要用指尖蘸上点舔一下，就能置人于死地。

这么美丽的白色粉末竟然有这么大的魔力，久木恐惧地看着它。这时电话铃响了，川端去里面接电话。

中间隔着一道屏风，久木在一进门处的沙发上坐着，而川端在里面接着电话。

久木忽然想要偷一点白粉。

一小勺就足够了，把它包进纸巾里带走就行了。

要偷的话现在正是机会，可是他害怕得不敢出手。

川端打完电话回来对他说："我到隔壁的研究室去一下，你在这儿先等一会儿。"

大概是有什么急事吧。等到川端的脚步声远去后，久木下了决心，学着川端的样子，戴上手套，又看了看屋子里确实没有人，就拿了一张包药纸，拨了一点白粉包起来，然后又包了好几层纸巾，迅速把它塞进内衣口袋里。

然后，他若无其事地抽着烟，等川端回来。

"让你久等了，不好意思。"川端回来了，又问了声："这个可以了吧？"就把白粉倒回了瓶子。

久木尽力平静地问道："这种东西能随便买到吗？"

"一般的人不行，这是我们实验用的药，有需要的话，就给我们送来。"

标签上印着"二十五克"和制药厂的名字。

"有没有不小心喝错的时候？"

"没有。不过，以前也有人做实验时沾在手上，忘记洗手，舔了以后毒死的。"

"这么容易致死吗？"

"这是最厉害的一种毒药了，它能阻断呼吸中枢，几乎是猝死，最多一两分钟就能死。"

久木越听越坐不住了。

坐在咖啡店的角落里，久木用手轻轻摸了一下内衣的口袋。

这个西服的内衣口袋里，装着刚才从川端那儿偷来的纸包。据川端介绍，一小勺能毒死四五个人，那么这一小包就能杀死十个人。

自己身上装着这么大剂量的毒药，使久木害怕起来。于是，想找个店休息一下，不知不觉来到了银座这个热闹的地方。也许潜意识里希望到欢声笑语的人群中来平静自己的情绪吧。

久木喝着咖啡以使自己镇定下来，脑子里却一再想起刚才去研究所的事。

久木把纸包放进口袋后，没待多久就离开了研究所，川端会不会起疑心呢？他把药倒回瓶里的时候什么也没有说，应该没有发现什么，只是自己走得过于匆忙，有些不大自然。

可是干了这么大的坏事，哪儿还有心情和他聊天呢。

久木自己也很意外，居然能把这么危险的东西弄到手。

川端因为自己是好友而不加设防，要是自己有胆量的话，还能多拿一些。

当然，没有人会想要这种剧毒的药物，弄不好会使自己受到危害。再说哪有那么多想要找死的人呢？也难怪川端放松了警惕。

可是自己和凛子死了以后，川端会不会受牵连呢？

不会的，他根本不知道久木偷药的事。即使查明了死因，由于毒药来路不明也会不了了之的。

想着想着久木再也沉不住气了，付了钱走出了店门。

街上已亮起了五颜六色的霓虹灯，更增添了繁华的气氛。

久木朝地铁站走去，走了一半又改了主意，叫了辆出租。

带着这么危险的东西上电车，万一撞到别人身上，弄破纸包就麻烦了。既然已经准备去死了，节约车费也没有什么意义。

半路上他去了趟超市，买了胶皮手套和一个带盖的小瓶，然后回到了涩谷的家。

"我弄到了一个宝物。"久木故作轻松地说道。

他一边告诉凛子去研究所的经过，一边在桌子上打开了那个纸包。

凛子从几天前开始抄写佛经，她停下手里的毛笔盯着这些白粉。

"把它掺到果汁里，喝下去就行了。"

凛子没搭腔，只顾盯着看。过了一会儿，声音嘶哑地问道："这种白粉能致死吗？"

"喝下去用不了一两分钟就会停止呼吸的。"

久木戴上手套，把纸包里的白粉倒入小瓶中。

听川端描述，放在光照下或接触空气，纯度都会下降，所以要把它放在阴暗处。

"有这些就足够了。"

"有没有痛苦啊？"

"可能有点难受，抱紧点就行了。"

凛子还在看着瓶子里的粉末，忽然想起了什么，问："放进葡萄酒里行吗？"

"什么葡萄酒？"

"当然是最好的那种红葡萄酒啊。"

"我想可以的。"

"我要和你拥抱着喝下去，你先含一口鲜红的葡萄酒，再吐进我的嘴里……"

凛子最爱喝葡萄酒，她要选择红色的葡萄酒作为结束此生的最后的饮料。

"好吧，就这么办。"

这是凛子最后的心愿，久木要充分地满足她。

解决了怎么死的难题以后，久木的心情更加平静下来了。

他觉得自己的身体仿佛被净化了，变成除了等待死亡以外，毫无现世欲望的透明体了。

此外，两人还必须选定死的场所，他们一致倾向于到轻井泽去。

当然，从他们激情澎湃、留宿不归的镰仓，到多次幽会的横浜饭店，从雪中寂静的中禅寺湖畔的旅馆，到樱花谢落时的有着能剧舞台的修善寺，这每一处都使他们刻骨铭心，永生难忘。

可是，在这些公共场所死的话，会给旅馆以及其他人带来麻烦的。

为了不给任何人添麻烦，以自己希望的形式去死的话，只有去轻井泽了。

不过，两人如果死在轻井泽别墅那儿，将会使凛子的母亲和哥哥为难，不愿意再去别墅了，可再怎么说也是一家人哪。凛子觉得很对不住母亲和哥哥，只能请他们原谅她最后的任性了。

自杀场所定在了轻井泽后，久木又一次想起了有岛武郎和秋子的事。

他们两人死的时候是初夏的梅雨季节，而自己和凛子要去的是初秋的轻井泽。高原的秋天来得早，现在可能早已秋意阑珊了。

有岛和秋子的尸体，因梅雨时的暑热和湿气而迅速腐烂，选择秋天就能避免这一悲剧。

"再往后天气就越来越冷了。"

"现在就已经冷飕飕的了，到了十月份，除了住在轻井泽的人家以外，不会有游客了。"

久木想象着被苍松翠柏环绕的幽静的别墅。

"走在变成黄色的落叶松林荫道上，恍然觉得是在走向一个遥远而陌生的地方。"

他们相信沿着这条路走下去，就会通往寂静的死亡的世界。

一切都在缓慢地一步步走向死亡。当心灵和肉体都倒向死的一边时，对生的执着也就不复存在了。

尽管如此，他们的生活并不是压抑、消极的，相反，对于性的渴求更加强烈，更加浓厚了。

他们还有几天时间，可以清理一下身边琐事，了断对尘世的留恋和执着，踏上最后的死亡之旅。

越是这么想，久木就越想和凛子交欢，凛子同样越发渴求他的爱。

比如每天早上，久木一睁眼发现凛子在身旁，就会自然而然地靠近她，反复爱抚她的乳房乃至全身，直到她多次达到了满足后，接着又睡。中午醒来又开始亲热；晚上天刚一黑，就迫不及待地搂到了一起。

如此不分昼夜的男欢女爱，在外人看来，简直是不知羞耻的色情狂。

当他们舍弃了工作事业、赚钱享受等世俗的欲求时，在这个世上，就几乎没有可干的事了。

如果说还有什么的话，就是食欲和性欲了。前者因为多在家里生活，不会觉得不满足；那么最后剩下的就只有一对儿男女所不可或缺的性欲了。

这么一说，好像他们是精力超群的性爱的崇拜者，实际上，他们并非在向性挑战，而是一味埋头于耽溺于性爱中，来消解日益临近的死的阴影，减弱生命的活力。

尤其是不信教的人，在正常身体状态下迎接死亡来临时，只能削弱自身潜藏的生命力，以接近死的状态，消耗、燃尽所有的精力，生的欲望就会自行淡薄，渐渐从忘我之境步入死亡之界。

没日没夜地沉溺于永不厌倦的性之中，正是为了能够沉静安详地去死所进行的调整身心的作业。

在这期间，久木心里还惦念着另一件事。

他想最后见妻子和女儿一面。

这是超越了单纯的留恋和眷顾的、对共同拥有过漫长人生的伴侣的礼貌和爱情。

对已经离家数月不归的丈夫和父亲，她们肯定早已失望了。但和她们再见上一面，是给她们带来伤害的久木所能表示的最后的诚意了。

想好之后，出发去轻井泽的前一天，久木去看望了妻子。

久木事先给她打了电话，让她把女儿叫来。一家人不是在起居室，而是在客厅里见面，显得十分陌生。

久木仿佛到别人家作客一样，有些紧张，问了句："近来好吗？"

妻子没有回答，只是问他："那件事已拜托了一位认识的律师，你看可以吗？"

久木立刻明白她是说离婚的事，但他对此已不关心了。就算协商好财产分割的条件，久木本人已不在这个世界上了，留在这世上的一切都给了妻子、女儿，他就满足了。

久木点点头。喝着女儿端来的茶，不知说什么好。

女儿说："您好像瘦了。"久木只说了句："你精神不错嘛。"就又没话说了。妻子拿来两个大纸袋。

"已经到秋天了……"妻子对他说。

久木看了一下，里面装的是自己秋天穿的西服和毛衣。

"你给我准备好了……"

一直以为在憎恨自己的妻子，意想不到地给他收拾出来秋天的衣服，使久木不知所措。

为将要回到别的女人那儿去的男人做到这一步，到底是出于爱呢，还是长期以来身为妻子的女人的习惯呢？

"谢谢。"

对于妻子最后的温柔，久木由衷地道了谢。

还未正式离婚，丈夫就离开家和别的女人同居了。妻子憎恨丈夫，却又为他准备好秋天的衣服。女儿为自私的父亲感到生气，却又竭力在两人之间周旋。无奈久木已决意去死，妻子和女儿都没有察觉到这一点。

三个人都觉得很别扭，可又不想破坏现有的气氛，想在一起多待一会儿。

又喝了一杯茶以后，久木说："我上去一下。"就到二楼自己的书斋去了。

屋子里和今年初夏他离家时没有任何变化，纱帘遮挡着窗户，笔筒的位置和一直没有使用的公文包都没有变动，桌子上蒙了薄薄一层灰尘。

久木点燃一支烟，眷恋地望着房间里的陈设，默默坐了一会儿。然后下了楼，跟妻子和女儿告别。

妻子脸上露出惊讶的神色，并没有挽留；女儿担心地交替看着他们两人。

"我把这个拿走了。"

久木说着提起那两个口袋，走到门口，又回头看了看妻子和女儿。

"再见了……"

他本想说"给你们添了很多烦恼，很对不起"，话到嘴边忽然觉得这些话有点假惺惺的，就说道：

"多保重……"

他想说得尽量自然些，可是心里一阵发酸，赶紧低下头打开了门，身后知佳喊道："爸爸别走……"

他听到喊声回头看了一眼，妻子扭过脸去，女儿悲伤地望着他。

久木最后瞧了一眼她们的脸，再次在心里对她们说了句"再见"，转身走出门去。

走上了街道后，久木又一次回头望去，妻子和女儿都没有追来，家门已经关上了，像无人居住般寂然无声。

回世田谷家后的第二天，久木和凛子从东京出发了。

一想到这是他们的死亡之旅，将最后与世间的一切告别时，短暂居住过的涩谷的小屋，人来人往的喧嚣的东京，都使他们恋恋不舍起来，但是，不能总是沉浸在伤感之中。

“走吧。”

在凛子开朗声音的呼唤下，久木走出了房间。

已是秋季，凛子穿着驼绒套装，戴着同色的帽子，久木穿着浅驼色夹克和褐色长裤，提着一个旅行包。

看上去他们就像是年龄悬殊的一对恩爱夫妻，出门去度周末一样。

久木开车穿过市中心，上了关越高速公路。

从这里过去，他们便永远告别了东京。久木接过高速路收费单，凛子把它拿过来说道：

“这就是咱们的单程票啊。”

走向死亡的旅行，单程票就足够了。

“咱们去乐园啦！”

凛子故意开着玩笑，眼睛凝视着前方。

久木握着方向盘，嘴里重复着“乐园”。

凛子坚信来世就是两人永恒之爱的乐园。

曾经在天界的亚当和夏娃因偷吃了禁果被赶出了伊甸园，他们现在想要返回乐园。尽管是由于蛇的迷惑，可是他们两人一度偷吃了禁果，违背了神的意志，是否还能返回伊甸园呢？久木没有自信，即使回不去也没有什么不满的。现在两人沉沦在充满污秽的现世，是因为偷吃了性这个禁果，才从天上堕落到了人世间。既然如此，就干脆贪婪地享受着性的快乐死去好了。

他们已经充分地享受了这一人生最大的快乐了。

总之，现在凛子唯一企盼的是在爱的极致中死去，她心里充满着瑰丽的梦幻。久木虽然没有这样的梦幻，却清楚地知道，活得再长久，今后也不会有比现在更美好的人生了。

马上就会在深爱他的凛子的陪伴下，在欢喜的顶点死去了。只要能拥有这一实实在在的真实，久木就不再感到不安，就能和凛子一起开始爱的单程旅行了。

　　来到了秋天的轻井泽，久木不禁想起了堀辰雄[1]的小说《起风了》的序曲。

　　"在某一天的下午……突然刮起了风。"

　　模模糊糊记得这篇文章的最前面，写着下面这首保尔·瓦雷里[2]的诗句：

　　"起风了，好好活下去。"

　　起风了，并不一定表现的是秋天，可是这种表现却有着秋天的意境。

　　"好好活下去"或许不适合即将走向死亡的他们两人，但是，在这咏叹般的诗句中，蕴含着和诗的含义相辅相成的恬静的达观，不仅仅是颂扬生命的活力。换言之，其中还含有凝视着生与死的成熟的秋天的气息。

　　他们去轻井泽时正是这样一个秋天，阵阵秋风吹过寂静的树林。

　　下午到达后，天还很亮，他们直接去游览了由中轻井泽经过千丝瀑布到鬼押出一带的高原秋色。

　　和七月的梅雨天来这里的时候完全不同，秋高气爽，晴空万里。远处喷着烟雾的浅间山隐约可见。半山腰里已是红叶点染，山脚下遍野的芒草闪着金色的光。

　　久木和凛子都沉默寡言，并不是心情不好，他们想要把金秋时节的自然美景都烙印在眼睛里。

　　随着太阳西斜，浅间山的轮廓越加鲜明，由山脚下开始渐渐变暗，一瞬间的工夫，便只剩下了山峰顶端涌动着白云的亮色。

　　他们匆匆下了山。不可思议的是，在向往生的时候，容易陶醉于寂寥的秋色；而在准备去死的现在，却急于逃离这样的风景。

　　用了快一个小时的时间才到达了别墅。天已经完全黑了下来，管理人

1　堀辰雄：(1904~1953) 日本昭和初期著名感觉派作家。代表作包括《神圣家族》、《起风了》、《菜穗子》等。

2　保尔·瓦累里 (paul valery, 1871~1945)：法国象征派大师、法兰西学院院士，被誉为"20 世纪法国最伟大的诗人"。下文所引文字出自其代表作《海滨墓园》。

预先打开了大门外的灯，更令人感到夜的深沉。

"我回来了……"

"我回来了……"

久木也随着凛子，一边说着进了大门。

他们准备在这里度过最后一夜，明天晚上，两人就会饮下血红的葡萄酒结束此生。

晚上，他们在附近的饭店餐厅里吃了饭，明天一天哪儿也不打算去，因此对他们来说，这是在外面吃的最后的晚餐。

七月初，他们也在这里吃过饭，那次为久木祝贺生日用香槟干了杯。谁能想到，仅仅过了三个月，会在同一个地方吃最后一顿晚饭。不过回想起来，那时就已经有一些预兆了。

比如说吧，那时久木还没有被派往分社去，就已经有了辞职的打算，甚至产生了活着很无聊的虚无感。而凛子也对爱情易变、年华渐衰感到蒙眬的不安，梦想在绝对的爱的顶点去死。

水口死后紧接着是那封诬告匿名信，然后又是被降职，这都是造成久木辞职的直接导火线。但在那之前和凛子的深情至爱以及某种程度上已经不枉此生的想法，则使久木加速了对死的向往。

换句话说，经过从春到夏的充分瞄准，在一个晴朗的秋日，这发子弹射向了晴朗的天空，随着这一声枪响，两人便永远从这个世上消失了。

这一切简单得使久木难以置信。这时，侍者过来给他们斟上了法国红葡萄酒。

这是红色的玛歌堡葡萄酒，倒在大口高脚杯里，血一样红的葡萄酒发散出一股醇香。

"还是这种酒好吧。"

他们最后喝的这种鲜红而昂贵的饮料是凛子选定的。

果然，这酒喝到嘴里，口感甘甜醇郁，使人品味到了历经几百年历史酿造出来的欧洲的丰饶和传统，以及沉淀其中的逸乐的魅力。

"咱们再买一瓶带回去吧。"

明天只要和今天一样，香甜地喝上一口，两人就会携手走向玫瑰色的死亡的世界。

当天晚上久木和凛子一直沉睡不醒。

他们为准备这次旅行弄得筋疲力竭，一生中积攒起来的身心劳顿，像铅一样覆盖住他们全身，将他们驱入了深深的睡眠。

清晨，久木在窗帘边泄漏进来的微明中醒来，确认了凛子在他身边后，重又陷入睡梦中。凛子也一样，偶尔惊醒后，看见久木就在身边，又放心地偎着他入睡。

两人就这样沉睡，一直睡过了中午，两人才完全醒了过来。

凛子像往常那样洗了澡，化了淡妆，穿上了羊绒衫和栗色长筒裙，收拾起屋子来。久木到凉台上去抽烟。

一些树叶已经早早开始发红了，这几天掉下来的枯叶，层层堆叠在黑油油的土地上。

久木望着树梢上方的天空出神，凛子走近他问道："看什么呢？"

"你瞧那边的天空。"

凛子顺着久木的手指望去，透过树梢窥见了湛蓝湛蓝的天空。

"我们该写遗书了……"

这也是久木望着空中想的事。

"你的愿望是？"

"我只有一个愿望，就是希望把咱们两人葬在一起。"

"这些就够了吧。"

"这些就够了。"

不管能不能实现，临死时，两个人最后的愿望只有这一个。

下午，久木和凛子一起写下了遗书。

凛子先用毛笔书写了："请原谅我们最后的任性。请把我们两人葬在一起，这是我们最后的要求。"并按顺序签上了久木和凛子的名字。

然后，久木分别给妻子和女儿写了遗书。凛子也给母亲写了一份。

久木在信里同样只写了"请你们原谅我的任性"，但附上了一句最后离家时没有说出口的"非常感谢你们多年来对我的关照"。

久木耳边又响起了女儿知佳的"爸爸别走"的叫声。

这叫声意味着什么呢？仅仅是不要我离开吗？还是察觉了我将要踏上不归之途呢？不管怎么说，到了明天，她们会明白一切的。

写完了遗书，突然觉得这世上再没有什么可干的了，两人都沉入了冥想之中。

凛子倚靠在唯一一把安乐椅里，久木闭着眼睛斜躺在旁边的沙发上，脑子里一片空白，享受着这份宁静。这时太阳西斜，天色渐黑了。

凛子无声无息地站起来，去厨房准备最后一顿饭。

材料都是事先准备好的，把香蕈培根沙拉、一小锅加热了的水芹炖鸭肉摆到餐桌上后，凛子说道："随便吃点吧。"

凛子把沙拉盛到各人的小盘里，久木感到无比的幸福，因为他在这个世上吃的最后一顿饭是凛子亲手做的。

"把那瓶葡萄酒打开吧。"

久木拿出昨天晚上从饭店买来的葡萄酒，起了瓶塞，慢慢倒进了两个玻璃杯里。

两个人拿起杯子碰了一下，久木说："为了我们的……"

突然哽咽了，凛子接着说："美好的旅行……"

两人将杯里的酒一饮而尽，然后互相对视了一眼，凛子意味深长地说道："活着，太好了……"

失 乐 园 | わたなべ じゅんいち

马上就要去死了，却说活着太好了，这是为什么呢？

久木觉得很奇怪。凛子拿着高脚杯对他说："因为活着才认识的你，才知道了很多快乐的事，才会有许多美好的回忆……"

久木也同样深有感触，他感激地点着头，凛子的眼里放射出光彩。

"爱情使我变得美丽，每日每时都在了解生活的意义。当然，也有许多烦恼，然而却有几十倍的欢欣。死去活来的爱，使我全身变得敏感起来，看到什么都会激动不已，懂得了任何东西都是有生命的……"

"可是我们马上要死……"

"对，有这么多丰富多彩的美好回忆已经足够了，再没有什么可遗憾的了，是吧？"

正像凛子所说的那样，久木全身心地爱恋过了，现在没有丝毫的遗憾了。

"活着太好了。"

久木不禁说出了和凛子一样的话来。这一年半过得非常充实，所以感到死并不可怕。

"谢谢。"

凛子又伸出了玻璃杯，久木跟她碰了一下杯。

"谢谢。"

互相会意地喝了下去。

今晚，只要再次重复一下这个动作，两人就能完成极为幸福的死亡之旅。两个人一杯接一杯地喝下去。

吃完最后的一顿饭，已是下午六点了。

外面已然黑透了，凉台外的一盏灯照出了庭院的轮廓。一到十月，几乎没有人来别墅居住，只有他们这里亮着灯光。

然而，这间房子里却在做着去死的准备。

久木拿了一个干净的高脚杯，把晚餐喝剩下的葡萄酒倒进杯里四分之一，然后倒入装在白色小瓶里的氰化钾粉末。

虽然只有两小勺，可是一小勺就能夺去四五个人的生命，所以绝对够用了。

久木目不转睛地盯着掺了毒药的葡萄酒，这时凛子悄悄地坐到了他旁边。

"喝了它，就行了？"

凛子轻轻伸手拿起杯脚，凑近鼻子闻了闻。

"真好闻。"

"葡萄酒会冲淡药味儿，不过喝的时候还是会有点酸味儿。"

"谁这么说的？"

是川端告诉他的。不过，如果有人竟然亲口尝过这种一喝就死的毒药的话，就太不可思议了。

"也可能有人误喝了极少量的毒药，后来被救活了。"

"我们不会这样的吧？"

"绝对没问题。" 久木满怀自信地坚决地说道。

他看了一眼电话，说："要不要打个电话给笠原先生，让他明天中午到这儿来。"

关于死亡的时间，久木作过大致的计算。

他们希望尸体被发现时，能像凛子期待的那样紧紧抱在一起不分离。为了以这种姿势死，必须在尸体最僵硬的时候，即在死后十几个小时至二十个小时之间被人发现最理想。

"就说壁炉需要添加劈柴，他一定会来的。"

虽然有些对不住管理人，但当他来的时候，他们两人应该是紧紧拥抱着的僵尸了。

"咱们该去了吧。"

这轻松的一句话，即是走向死亡的信号。

久木这么一说，凛子点点头，两人手牵着手上了楼梯。

失 乐 园｜わたなべ じゅんいち

二楼的卧室里，面向庭院的窗户白天敞开过，但现在紧闭着，空调吹出暖风。

久木拧开床头的台灯，把酒杯放在床头柜上，和凛子手牵着手并肩坐在床沿上。

夜还不深，四周静得出奇，隐约可以听见啾啾的虫鸣。

在这静寂中，仍然有生物存在，使久木心情安静下来。

倾听着这些动静，凛子道："你不后悔吗？"

听到这轻柔的问话，久木慢慢点点头。

"不后悔。"

"你的一生……"

"虽然有着种种不如意，但终于遇见你这样的女性，实在太荣幸了。"

"我也没有什么可遗憾的了。认识你太幸福了。"

一瞬间，对凛子的爱在久木的全身奔涌翻腾，他不禁拥抱着凛子亲吻起来。他吻遍了凛子脸上的每一处，在这暴风雨般的接吻中，久木产生了一个欲望。

"你把衣服都脱了。"

临死前他要再一次仔仔细细地看遍凛子的全身，把它刻印在眼睛里。

"全都脱光……"

他像个纯情少年似的再一次哀求着。凛子的眼神像慈母一样，背着身，脱下毛衣、裙子、胸罩和内裤后，便转过身来。

"这样行了吧？"

一丝不挂的凛子站在久木的眼前。

她仍不免有点害羞，用双手掩着胸前。这面临着死亡的裸体显得有些苍白，就像白色陶瓷般晶莹剔透。

被这全裸的女体所吸引，久木站在凛子的面前，抓住她挡在胸前的双手，缓慢地拉了下来。

"真美……"

他还是第一次在这么明亮的地方，这么用心仔细地欣赏凛子的身体。

从头看到脚趾尖，再从脚趾尖看到头，来回看了好几遍。久木恍然觉得面前的女人，就像盘坐在须弥坛上的阿弥陀佛或菩萨一样。

久木第一次发觉自己孜孜以求的，原来是这种美丽妖艳的女体佛像，是对这女体的信仰。

如同虔诚的信徒摸遍佛像的每一处，体味无上的幸福感一样，久木伸出双手，从女人细细的脖颈开始一直抚摸到丰腴的肩头、坚挺的乳房直至乳头。再由此顺着窈窕的腰部滑向滚圆的臀部，再到丰满的腹部，最后到达了胯间那处颤动着的黑色小密林。这时，久木忽然瘫软了似的跪了下来，祈祷般的请求。

"请让我看看这里吧。"

凛子一下子有些惶惑，然后慢慢在床上躺了下来，微微分开了双腿。

看到了希望的男人眼睛发出了光亮，他把女人的腿弯曲后，再最大限度地分开，然后小心翼翼地把脸凑了上去。

双腿分开到这个程度后，黑色的密林显得稀疏了一些，花蕾从淡淡的鬓毛中露出头来。久木忍着想要亲吻的冲动，双手慢慢拨开花蕾下面稍厚的暗黑褶皱，于是他看到了从外表完全想象不到的桃红色花蕊，浓厚的爱液正从那里吐露光华。

这个既优美又淫靡的裂缝，是男人生命的诞生之地，同时也是男人的绝命之地。只要从这个闪耀着粉红色光辉的柔软的前庭向里踏进一步，便是深不见底的无间地狱，就会被那重重褶皱捕捉、缠绕住，令男人再也无法生还。

现在久木提早一步走上死亡之旅，正是为了偿还闯进这丰饶肥沃的花园、贪享愉悦至极的淫荡这一奢华的孽债。

作为对这个世界最后的留恋，久木尽情欣赏了女人的秘处后，再也无法忍耐了，跟着凛子脱光了自己的衣服，将嘴唇紧紧贴到花蕊上，使出浑身解数，驱动舌头舔舐起来。受到他率真的鼓舞，凛子也紧紧抓住他的男根，无比惋惜地抚弄着，然后深深含进口里。

恐怕凛子此刻也感觉到，这个温暖可爱的东西是一个改变自己一生，以致使自己绝命的宿命般的东西。

两人就这样，对使自己深陷其中不得自拔的女阴与男根，怀着无限的热爱与眷恋爱抚了好一会儿，才恋恋不舍地恢复了正面相对的姿势。

现在要开始共同踏上死亡之旅的最后的美餐了。女人仰面朝上躺下，腰部下面塞了个枕头以使胯部突出，男人从上面压下来，与心爱的女人身体重合在一起，以这样紧密相接的体位来企求生生世世永不分离。

到了现在，再也没有可惧怕的了，一直朝着极乐世界飞奔就可以了。

久木的意志传递给了凛子，他使出浑身的力气作了最后一搏，她那早已沸腾的花蕊波浪般起伏、凝缩、收敛，终于全身震颤起来，发出了"不行了……"、"要死了……"的叫喊。

突然间，久木的命根子被女人的肉体和褶皱吸附、缠绕，最后的精气如火球般散落。

"我真高兴……"

与凛子发自心底的欢喜喊叫同时，久木也被吸干了所有的精气，燃尽了全部生命。

他们沉浸在这满足的感受中。这时久木慢慢将右手伸向了床头柜。

他要在这快乐的极点给凛子的全身注入毒液，使她死去，同时自己也在刚刚射精后的高潮时喝下毒药。

这正是两人所期待、盼望和梦寐以求的通往幸福彼岸的旅途。

久木不再犹豫了，他伸开五个手指紧紧攥住了玻璃杯，把它拿到自己的嘴边，一仰头喝了一大口火焰般通红的液体。

奇怪的是他感觉不到一丝苦涩味儿或者酸味儿，不，也许感觉到了味道，但他一心只想着要把它喝下去。

久木咽下了一部分，感觉酒汁进入喉咙后，迅速把嘴里剩余的毒酒注入了神情安详而满足的凛子的红唇里。

躺在久木怀抱里的凛子，十分顺从地，就像婴儿喝奶一样，拼命地吮吸着。

嘴对嘴注入的鲜红的酒汁，不一会儿从凛子的嘴角溢了出来，顺着雪白的脸颊淌落。

久木凝望着凛子，感到无比的幸福。这时突然袭来的窒息使他拼命挣扎着，用尽最后的力气叫了声："凛子……"

"亲爱的……"

这雾笛般飘然远去的短促声音，是两人留在这个世上的最后的呼唤和绝唱。

尾 声

尸体检验报告之一。

检验日期：平成八年十月六日下午三点三十分。

检验场所：长野县北佐久郡轻井泽町大字轻井泽上梨－木二－450。

验尸官姓名：轻井泽警察署巡查部长齐藤武。

死者住所、职业、姓名、年龄：

东京都世田谷区樱新町3－2－15，久木祥一郎，原在现代书房出版社就职，男，五十五岁。

死亡时间：平成八年十月五日下午七点三十分左右。身长一七三厘米，身材较高大，营养中等，死亡认定时间，约二十小时前。

检验情况：

发现时死者全裸，与女子（另纸记载）紧紧搂抱，性器官结合在一起。由于正值死后最僵直的时间带，极难分离，两名警官费力将两人分开。

肤色苍白，头发粗黑，两鬓有些白发，外阴部阴毛黑而密。

死者趴在女子身上，上肢为搂抱姿势，肘关节向内弯曲，双手达到女子背部，指甲嵌入皮肤。下肢股关节及膝关节高度弯曲，紧紧夹住女性下腹部至整个胯部，呈僵硬状态。

由于面部朝下，脸部呈红褐色，严重淤血，眼结膜血管扩张，结膜下面有数处蚤刺大的溢血点。

整个背部呈苍白色，从肩头至背部两侧有几处女子指甲的划痕，其中一处从后背长达腰部。

口唇与女子口唇紧密接合，即接吻状态，有少量污血由口腔溢出。口唇黏膜为红褐色，呈严重糜烂状态，从口唇两端有液体流出。

氰化钾测试反应为阳性。

没有其他明显外伤。

死亡原因：毒药（ 氰化钾 ）导致急性呼吸停止。

死亡种类：自杀。

检验情况如上。

法医：平田良介

尸体检验报告之二。

检验日期：平成八年十月六日下午三点三十分。

检验场所：长野县北佐久郡轻井泽町大字轻井泽上梨－木二－450。

验尸官姓名：轻井泽警察署巡查部长齐藤武。

死者住所、职业、姓名、年龄：

东京都杉并区久我山6－3－10，松原凛子，无职业，三十八岁。

死亡时间：平成八年十月五日下午七点三十分左右。身长一五八厘米，体格中等，营养中等，死亡认定时间，约二十小时前。

检验情况：

发现时死者全裸，与男子紧紧拥抱，局部结合。由于正值死后最僵硬的时间带，极难分开，两名警官好不容易将两人分开。

肤色苍白，黑发，体毛黑色。

死者面朝上，在男子的拥抱下，背部出现大面积尸斑，呈暗红褐色。关节高度僵硬，上肢为搂抱姿势，两臂抱住男人后背，在其后背留下指甲划痕。下肢弯曲，两腿被夹在男性大腿中间。

因受到男子压迫，胸部、背部及臀部苍白，身体其他部分有红褐色尸斑。此外，从两肩至背部有男人手指的挤压痕。

面部有轻度淤血，部分皮肤呈红褐色，眼睑结膜轻度充血，有几处溢血点。

口唇被男子覆盖，即保持接吻状态，有少量污血从口腔溢出。口腔黏膜高度糜烂，从口唇两端至脸颊有污液流出。

氰化钾测试反应为阳性。

无明显外伤。

死亡原因：毒药（氰化钾）导致急性呼吸停止。

死亡种类：自杀。

检验情况如上。

法医：平田良介

久木祥一郎（五十五岁），松原凛子（三十八岁），对此两人死亡前后状况及检验情况的考察。

根据床边酒杯里液体中含有的氰化钾推测，两人的死因为氰化钾导致急性呼吸停止。此外，目前尚不明其毒药入手的途径，估计杯中掺入了超过致死量的大剂量毒药。

发现时，两人紧紧拥抱，很难分离开来。第一发现者按指定时间来到别墅，遭遇殉情自杀现场。

别墅管理人于前一天接到电话，被告知暖炉的劈柴没有了，要他明天下午一点送来。次日，当管理人于下午一点半去别墅时，无人应答，便进了房间，发现了死亡现场，报了案。管理人说，记得凛子一再叮嘱他这个时间来，说明他们事先计算好了僵硬得最难分开的时间，叫管理人来的。

临死前，两人有过性交，死后，两人仍紧紧拥抱，局部也紧紧结合。一般很难达到如此状态，大多因松弛而脱离，但两人依然紧密结合着，说明男子在射精后最兴奋时喝下毒药，忍着痛苦，紧紧搂抱对方所致。此外，女性脸上微微含笑。

　　遗物只有男女左手无名指上戴着的相同式样的白金戒指。

　　枕边有三封遗书，一封是男人写给妻子久木文枝和女儿知佳的；一封为女子写给母亲江藤邦子的；还有一封遗书是"大家收"，内容如下：

　　"请原谅我们最后的任性。请把我们两人一起下葬，别无他求。"

　　字体为女性的笔迹，最下面有久木祥一郎、松原凛子的签名。

　　根据以上情况分析，此案可以断定为双方自愿的殉情，不具有事件性，不需解剖。

　　法医：平田良介